# Capitalismo contra capitalismo

ESTADO Y SOCIEDAD
(Últimos títulos publicados)

Michel Albert

# Capitalismo
# contra
# capitalismo

Paidós

Buenos Aires
Barcelona
México

Título original: *Capitalisme contre capitalisme*
Editions du Seuil, París
© Editions du Seuil, 1991
ISBN 2-02-013207-9

Traducción de José Federico Delos

Cubierta de Víctor Viano

© 1992 de todas las ediciones
    Editorial Paidós SAICF
    Defensa 599, Buenos Aires
    e-mail: paidolit@internet.siscotel.com
    Ediciones Paidós Ibérica SA
    Mariano Cubí 92, Barcelona
    Editorial Paidós Mexicana SA
    Rubén Darío 118, México D.F.

Queda hecho el depósito que previene la Ley 11.723
Impreso en la Argentina - Printed in Argentina

Impreso en Imprenta de los Buenos Ayres
Carlos Berg 3449, Buenos Aires, en marzo de 1999

ISBN 950-12-5411-9

# INDICE

Tengo que expresar mi cordial reconocimiento a
Jean-Claude Guillebaud y a Alexandre de Juniac.
Este libro es también fruto de su labor.

M. A.

# INTRODUCCION

Hoy, y por primera vez en la historia, el capitalismo realmente ha ganado, sin atenuantes. Quizá la mayor cuestión del siglo.

La victoria del capitalismo se ha logrado en tres frentes.

La primera batalla se desarrolló en Inglaterra con Margaret Thatcher, y en Estados Unidos con el presidente Reagan. Fue una batalla interna contra el intervencionismo estatal que contaminaba el capitalismo. La hija del tendero y el viejo actor llevaron adelante de este modo, juntos, la primera *revolución conservadora* en materia de política económica, la revolución del *Estado mínimo*. Su principio más llamativo: menos impuestos para los ricos; si los ricos —comenzando por los capitalistas— pagan menos impuestos, el crecimiento de la economía será más vigoroso, y todo el mundo sacará provecho de ello. En 1981, en Estados Unidos, el gobierno federal cobraba un impuesto de hasta el 75 % sobre réditos más elevados de un ciudadano; en 1989, la tasa máxima había bajado al 33 %. En el Reino Unido, la tasa de impuestos durante los gobiernos laboristas había alcanzado el 98 % para los réditos del capital. Con Margaret Thatcher, la tasa máxima se redujo al 40 %. Jamás una reforma financiera había sido tan popular en el mundo. En decenas de países, cambió el sentido de las relaciones históricas entre el Estado y el ciudadano. Desde hacía dos siglos, la presión fiscal no había dejado de aumentar, sobre todo en los países desarrollados. Esta evolución se encuentra hoy invertida y asistimos, por el contrario, a una carrera mundial hacia la disminución de la presión fiscal. Es ciertamente una revolución.

La segunda victoria del capitalismo ha sido tan espectacular como frontal, total y obtenida sin librar batalla. Desde hacía un siglo, el capitalismo estaba confrontado al comunismo. Desde hacía cerca de medio siglo esta confrontación, principal entre Estados Unidos y la URSS, dominaba las relaciones internacionales. El 9 de noviembre de 1989, los jóvenes alemanes que se atrevieron a franquear el Muro de Berlín eran los heraldos de más de 300 millones de desheredados de los países comunistas del Este. Desheredados de libertad, pero también de supermercados, es decir, de capitalismo.

En cuanto a la tercera victoria, ha bastado con una batalla de cien horas en el flanco sur de Irak para ganarla por amplísimo margen. Es ante todo la victoria conjunta de la fuerza y del derecho, la de Estados Unidos, secundado por veintiocho países, entre los que había ocho países musulmanes, y apoyados en la ONU incluso por la URSS y China comunista. Es también una victoria del capitalismo sobre las alucinaciones de los pueblos subdesarrollados por las dictaduras que los oprimen. Apostemos a que, de ahora en adelante, la suerte está echada: un día u otro, las multitudes engañadas por Saddam Hussein tomarán el mismo camino que las masas comunistas. Hacia el capitalismo.

Esta victoria del capitalismo ilumina con un nuevo resplandor la *historia* económica del mundo. Transforma profundamente su *geografía*.

Desde el momento en que el efecto de ceguera, la "noche siberiana" del comunismo, se disipó ante el resplandor de la realidad, *todo nuestro pasado* se divide en dos épocas implacablemente contrastadas:

—Antes del capitalismo, a todo lo largo de la historia, el mundo entero, todos los países —incluso las civilizaciones más brillantes— eran semejantes a lo que hoy se llama el Tercer Mundo. Un mundo donde los hombres nacían "naturalmente", biológicamente, un poco como los animales, y tenían un promedio de vida inferior a treinta años, víctimas de las hambrunas periódicas, las epidemias ligadas a la subalimentación y a la inmemorial opresión de lo Consagrado, es decir, del Poder.

Francia, sí, Francia misma, con su agricultura tan "rica", ¡sufrió verdaderas hambrunas, hasta la víspera de la revolución de 1848!

Era el mundo de la penuria, la prehistoria de la economía.

—La sorprendente función histórica del capitalismo ha sido, desde hace cerca de tres siglos, la de iniciar el retroceso de la penuria, la hambruna y la opresión cruel de los sacrificios rituales. Esta revolución comenzó en los países de tradición judeo-cristiana. Se extendió, amplificada y acelerada, desde hace un siglo, al Extremo Oriente, y en todas partes se fundamenta sobre el mismo sistema institucional de base trinitaria: *el capitalismo, o sea la libre fijación de los precios en el mercado y la libre propiedad de los medios de producción* (yo no daría otra definición, pues estas dos líneas parecen decir lo esencial); los derechos humanos, y en primer lugar la libertad de conciencia; la evolución progresiva hacia la separación de poderes y la democracia.

Después de la antigua época de la penuria permanente, la nueva época, del desarrollo económico, no ha hecho más que comenzar. A través de la triple victoria histórica del capitalismo, se van dibujando —mejor dicho, esculpiendo— las dos nuevas dimensiones de la *geografía* económica del mundo.

En primer lugar, después de estar durante casi veinte años suspendido como una espada de Damocles sobre nuestras cabezas, el problema del aprovisionamiento de petróleo —es decir, del oxígeno de nuestra vida económica— está físicamente resuelto durante largo tiempo. La cuestión no es ya saber si tendremos el suficiente, sino a qué precio, y si no arrojamos demasiado a la atmósfera. La nueva geografía energética será menos la de las perforaciones petroleras que la de las energías alternativas y de las herramientas para luchar contra la polución.

Mucho más importante es la "desaparición" del contenido mismo de la noción del Tercer Mundo, desde el fin de la guerra fría. Durante el período en el que el comunismo se atrevió a desafiar al capitalismo en su propio terreno, el de la eficacia económica, se podía —aun fingiendo creerlo— conservar esta trilogía: países capitalistas-países comunistas-Tercer Mundo.

No olvidemos que Kruschev no asombraba a nadie cuando declaraba en 1960, en la tribuna de las Naciones Unidas, ¡que en el año 2000 la economía soviética habría alcanzado a la de Estados Unidos! Hasta hace poco, centenares de universidades en todo el mundo continuaron enseñando esa clase de tonterías.

Ahora que han caído las máscaras, y que todos han podido constatar sin ningún género de dudas el retraso lamentable de las economías comunistas, es necesario, ante la evidencia, clasificarlas en la misma categoría que la de los otros países subdesarrollados. De manera que la trilogía deja lugar a una simple dualidad: por una parte los países desarrollados o en vías de desarrollo, que son todos los países capitalistas; y por otra parte los países subdesarrollados, es decir los países pobres. La expresión "Tercer Mundo" literalmente no tiene ya sentido.

Ciertamente, no basta con establecer el capitalismo en un país para lanzarlo por el camino del desarrollo económico; se requiere también un mínimo de reglas y, por lo tanto, un Estado eficaz y sin corrupción. Es cierto que hay pobres —e incluso, como se verá, cada día más numerosos— en algunos de los países capitalistas más avanzados, en particular en Estados Unidos. Sin embargo, hay que señalar un pequeño detalle: la obesidad es sin duda un problema nacional de salud en Estados Unidos, pero allí son los pobres los que son obesos...

He aquí, pues, la lista de los países capitalistas, desarrollados o en rápido desarrollo:

—América del Norte, incluido México; y, en América del Sur, Chile, tan vigoroso en su nuevo lanzamiento económico;

—El conjunto de los países de Europa occidental pertenecientes a la CEE (Comunidad Económica Europea) o a la AELE (Asociación Europea de Libre Intercambio);

—Japón y los nuevos países industrializados (NPI) de Asia: Tailandia, Corea del Sur y los otros "dragones", Taiwan, Hong Kong y Singapur.

Eso es todo.

Sin duda, esta lista provocará bastantes objeciones. Por ejemplo:

—¿Por qué no clasificar a Arabia Saudita y a los Emiratos entre los capitalistas desarrollados, cuando son tan ricos? Porque su riqueza no se ha ganado en los mercados sino que se ha bombeado del suelo. Lo que, por otra parte, los ha dispensado, por ahora, de someterse a las reglas democráticas y de la separación de poderes.

—¿Por qué oponer México al resto de América latina? Porque es él quien se ha separado hace algunos años, abriendo su economía a los intercambios exteriores, hasta el punto de firmar un acuerdo de libre intercambio con Estados Unidos. Chile también despega, tras someter su economía a las leyes del mercado. Pero en los otros países de América latina, muchas fortunas continúan amasándose fuera de las reglas de juego capitalista, pues escapan a las leyes de la competencia y de la economía de mercado. Lo que tiene como efecto mantener estos países bajo el yugo de la inflación y del subdesarrollo.

—¿Por qué no poner a Sudáfrica en esta lista? Porque la democracia se caracteriza allí actualmente por un verdadero *apartheid* económico, en vez del *apartheid* social. Pero, a propósito de África, no se reconoce lo suficiente que ese continente de la desgracia contiene a un país que, desde hace varios años, ha emprendido la tarea de lanzar un puente entre África del Norte y Europa del Sur. Es Marruecos.

¡Asombrosa simplificación de un mundo que parece entregado a una complejidad creciente! La nueva geografía económica mundial aparece de pronto como la más simple, la más dual. ¿No es intolerable su maniqueísmo?

Todavia lo es más considerando que la situación de hegemonía –más aún, de monopolio– de la que goza hoy en día el capitalismo como sistema es absolutamente contraria a su naturaleza. En efecto, el capitalismo –ya lo hemos repetido– tiene como primer fundamento el mercado, es decir, la competencia. Ahora bien, aquí lo tenemos tan fuerte, tan triunfante, que ya no tiene competidor.

Dado que su victoria es total, ha perdido su propio espejo y sus parámetros de valor. Ni la democracia, ni el liberalismo, ni el capitalismo tienen la experiencia del monopolio. ¿Cómo dirigir lo que no es contestado?

En vez de aventurar hipótesis, miremos las respuestas concretas dadas, en diferentes países capitalistas, a cuestiones precisas. De forma quizás arbitraria he retenido diez de ellas, interesantes en primer lugar por la variedad de las respuestas dadas a los diferentes problemas, pero sobre todo porque, en cada una de ellas, se constatará que el capitalismo no es homogéneo, sino que, por el contrario, se ha diferenciado en dos grandes modelos enfrentados, "capitalismo contra capitalismo".

## 1. La inmigración

La inmigración será quizás el mayor tema de debate politico en el siglo XXI en la mayoría de los países desarrollados. Este tema interesa especialmente a los capitalistas, pues la mano de obra importada resulta casi siempre más barata, a igual rendimiento, que la mano de obra nacional. Esto probablemente explica por qué Estados Unidos, después de haber practicado durante mucho tiempo una política restrictiva de cuotas, es ahora un país cada vez más abierto a la inmigración, sobre todo de origen latinoamericano. Una ley de 1986 ha permitido legalizar la situación de tres millones de clandestinos, y otra ley de 1990 prevé aumentar la inmigración legal de 470.000 a 700.000 por año en 1995. Y mientras tanto, los mecanismos integrados del *melting pot* han sido sustituidos por una neotribalización de grupos de origen extranjero, menos preocupados por convertirse en verdaderos americanos que por fortalecer su "identidad cultural".

¿Por qué, pues, el Japón capitalista sigue siendo un país tan cerrado? La densidad demográfica es seguramente un factor esencial, pero no el único. Los malos tratos que este país inflige a los coreanos y a los filipinos inmigrantes serían impensables en Estados Unidos; del mismo modo que sería impensable en Japón el sondeo según el cual un americano de cada dos desea que el jefe del estado mayor conjunto, el general Colin Powell, un negro, sea el próximo vicepresidente de George Bush, si éste es reelegido en noviembre de 1992.

Siguiendo el modelo de Estados Unidos, Inglaterra concede una categoría de casi ciudadanía a los hindúes y a los paquistaníes inmigrantes. Nada de eso ocurre en Alemania, donde el derecho de la sangre determina la pertenencia a la nación, y donde una ley de 1990 privilegia la homogeneidad cultural alemana; los alemanes sienten la existencia de un deber de solidaridad con todos los pueblos de lengua alemana, pero no pueden concebir la integración de sus inmigrantes turcos...

Modelo anglosajón por un lado, modelo germano-nipón por el otro.

## 2. La pobreza

Problema a menudo unido con la inmigración, la pobreza es uno de los factores que oponen más profundamente a los diferentes países capitalistas. En sus representaciones y en su organización. ¿Qué es un pobre? En la mayoría de las sociedades humanas, y desde todas las épocas de la historia, el pobre ha sido muy a menudo considerado y tratado como un pobre desgraciado, un inútil, un fracasado, un haragán, un sospechoso, y hasta un culpable. ¿Cuál es, todavía hoy, el país del que se pueda decir que en él sus privilegiados con puesto de trabajo no tienen tendencia a ver en el desocupado, si no un incorregible perezoso, al menos un individuo a quien ha faltado el coraje para adaptarse a las condiciones del mercado de trabajo? Esta es, en todo caso, la opinión ampliamente dominante en los dos países capitalistas más poderosos, Estados Unidos y el Japón.

Consecuencia: ninguno de esos dos países está dotado —¡ni considera la idea de dotarse!— de un sistema de seguridad social comparable a los que fueron establecidos en Europa hace cerca de medio siglo, cuando nuestro ingreso per cápita era inferior en dos terceras o tres cuartas partes al del estadounidense o al japonés de hoy.

¿De dónde viene una diferencia tan radical en la organización de las sociedades? Quizá del hecho de que cierta tradición europea considera al pobre más víctima que culpable, y en una percepción multidimensional que abarca la ignorancia y la indigencia, la desesperanza personal y la impotencia social.

¿Podremos continuar pagando nuestra seguridad social? La pregunta se plantea en todas partes, desde el momento en que los dos grandes del capitalismo mundial reducen estos presupuestos. En Francia con más preocupación que en otras partes.

## 3. ¿La seguridad social es favorable para el desarrollo económico?

Esta pregunta enlaza con la precedente, y está tan sujeta a controversia como aquélla. Para los capitalistas reaganianos o thatcheristas, la respuesta es evidentemente negativa: nada como la seguridad social para crear una mentalidad de pensionistas que favorece la pereza y la irresponsabilidad. Sin embargo, hay que señalar que, a pesar de diez años de esfuerzos, la señora Thatcher no ha podido prácticamente modificar el Servicio Nacional de Salud. En cuanto a los capitalistas japoneses, consideran que la seguridad social no es un asunto del Estado, sino de la empresa... a condición de que sea lo bastante rica como para poder ofrecer a sus asalariados este servicio, lo que casi no es el caso de las PME. En este punto, el capitalista japonés está de acuerdo, incluso en el caso de que su empresa financie sólo seguros sociales facultativos.

Por el contrario, en la zona alpina, la de Bélgica, Holanda y Luxemburgo, y en Escandinavia, la seguridad social se considera tradicionalmente por todos como la justa consecuencia del progreso económico, e incluso por muchos como una institución favorable al desarrollo económico: por debajo de cierto nivel de pobreza, el marginado se convierte en irrecuperable. Esta es la razón por la que los países europeos más desarrollados (RFA, Francia, Reino Unido, Países Bajos, Dinamarca) garantizan unos ingresos mínimos.

Todavía hay que apoyarse en esta tradición para ganar las elecciones. Pero el debate está abierto, particularmente en la CEE, donde la seguridad social se considera cada vez más como algo que pesa sobre los gastos generales de la economía nacional y, por lo tanto, sobre su competitividad. Incluso en Suecia, el famoso "modelo sueco" es hoy rechazado, por esta razón, por el mismo gobierno socialdemócrata.

Por el contrario, la ausencia de seguridad social se juzga cada vez más insoportable por una fracción creciente (pero siempre minoritaria) de la población norteamericana.

En todas partes, la lógica del capitalismo está hoy en día, de una manera o de otra, opuesta a la de la protección social.

## 4. *La jerarquía de los salarios*

Es, a priori, una palanca de eficacia irremplazable en la lógica del capitalismo. Si se quiere que los trabajadores trabajen, es un hecho indiscutible que hay que pagarles según su rendimiento individual. Lo mismo ocurre con las contrataciones y los despidos. Uno de los principales aseguradores estadounidenses se hizo célebre por su "felicitación de Navidad": hace figurar en ella los nombres de sus colaboradores, con la evaluación de lo que cada uno le cuesta y le aporta; después saca sus consecuencias. Agreguemos, para las almas sensibles, que nadie se disgusta por ello. Por otra parte, desde la revolución conservadora anglosajona de principios de los años ochenta, las diferencias salariales que estaban, a largo plazo, en vías de reducción en el conjunto de los países desarrollados en la época en que el intervencionismo estatal y la protección social se consideraban todavía como signo de progreso, volvieron a aumentar en Estados Unidos, en Inglaterra y en numerosos países que siguen el ejemplo anglosajón. Este es el caso especialmente de Francia, donde una mayoría considera que, para reforzar la competitividad económica, es necesario ampliar la jerarquía de las ganancias.

Pero en otros países capitalistas, por el contrario, las empresas se esfuerzan por contener la jerarquía de los salarios dentro de límites a menudo estrechos. Es el caso de Japón, donde todas las decisiones se toman colectivamente, incluida la fijación de las remuneraciones, y donde el patriotismo de empresa es un factor de movilización más poderoso que el salario. Lo mismo ocurre en el conjunto de las naciones que yo designaría como los "países alpinos" (Suiza, Austria, Alemania). Pero, en todos esos países, la tradición está siendo cuestionada. Verdaderos conflictos enfrentan, en el seno de las profesiones y de las empresas, a los jóvenes talentos impacientes por valorizarse con los viejos jefes que no quieren perder sus prerrogativas.

## 5. *¿La legislación fiscal debe favorecer el ahorro o el endeudamiento?*

En Francia, la opinión pública se decanta todavía en favor del ahorro, incluso aunque ahorramos cada vez menos.

En Alemania o en Japón, el ahorro se considera una virtud nacional ampliamente favorecida por la legislación fiscal. Son, por excelencia, los países hormiga. Estados Unidos es, por el contrario, el país cigarra. Los símbolos del éxito personal se expresan mediante signos externos de riqueza, sobre todo desde la "nueva revolución conservadora". Esta es la razón por la que la legislación fiscal favorece el endeudamiento: cuanto más se endeude usted, menos impuestos pagará, entonces ¿por qué privarse de algo?

Los resultados en los años ochenta han sido impresionantes: la tasa de ahorro de los hogares, en porcentaje de renta disponible, disminuyó de más de un 13 % a un 5 % en Estados Unidos, y de un 7 % a un punto menos del 3 % en Gran Bretaña.

En este aspecto, fundamental para el futuro de un país, el modelo anglosajón se opone radicalmente al modelo germano-nipón. Desde hace muchos años, Estados Unidos y el Reino Unido son financiados por Japón y Alemania. ¿Por qué? Porque, desde hace unos diez años, la tasa de ahorro de los hogares ha sido alrededor de *dos veces* más alta en Alemania y Japón que en Gran Bretaña y Estados Unidos.

Es evidente que esta diferencia es insostenible a largo plazo. Uno de los desafíos más tremendos del capitalismo anglosajón será convencer a los electores de que deben volver a aprender a ahorrar, como en los viejos tiempos del puritanismo. ¡Vaya problema!

Tanto mayor porque esa diferencia —como ya veremos— encarna en sí misma las causas y las consecuencias más profundas del conflicto entre los dos capitalismos.

## 6. ¿Es mejor tener más reglamentos, y funcionarios para aplicarlos, o menos reglamentos y más abogados para hacer procesos?

Siempre, y en todas partes, los capitalistas que triunfan, los que obtienen beneficios, se rebelan contra los reglamentos. Durante cerca de medio siglo, casi no se les escuchaba: el intervencionismo estatal proliferaba en todas partes, especialmente en la Inglaterra laborista, donde suscitó y popularizó la reacción thatcheriana, la desreglamentación se convirtió en verdadero artículo de fe, el punto principal del credo neoconservador.

Hoy, esta cuestión da lugar a dos tipos de debates en sentido contrario.

En Inglaterra, y sobre todo en Estados Unidos, se dieron cuenta, especialmente a partir de la desorganización del transporte aéreo y de la quiebra de las cajas de ahorro, de que los principales ganadores de la desreglamentación son muy a menudo los *lawyers*, esos abogados que no representan, como en la tradición continental europea, una profesión liberal, sino una profesión comercial, y que han hecho una verdadera industria del procedimiento judicial, cuya expansión es tal que hoy, en Estados Unidos, el número de *lawyers* es más elevado que el de granjeros.

Para los japoneses, entablar un proceso judicial es tan deshonroso como consultar a un psicoanalista... También los alemanes que tienen, como se sabe, el sentido de la disciplina, prefieren reglas precisas. Pero el derecho comunitario de la CEE está inspirado fundamentalmente por la ideología de la desreglamentación, y los parlamentarios comienzan a protestar ante la pérdida de sus prerrogativas.

Aquí también, el debate no ha hecho más que comenzar.

## 7. ¿La banca o la Bolsa?

La teoría liberal muestra que solamente la libertad de movimientos de capitales completamente dispuestos a la competencia puede asegurar una asignación óptima de los recursos necesarios para el desarrollo de las empresas. Muchos deducen de ello que la regresión del papel de la banca en la distribución del crédito es un factor de eficacia. En 1970, la "tasa de intermediación", es decir la participación de los Bancos en términos generales en el financiamiento de la economía norteamericana, era del 80 %; en 1990, cayó al 20 %. Esta caída espectacular tiene como contrapartida una expansión extraordinaria de los mercados crediticios e inmobiliarios, es decir, simplificando al extremo, la sustitución del Banco por la Bolsa. Todo el neocapitalismo anglosajón está fundado sobre esta preferencia, que es también defendida en la Comisión de Bruselas por el vicepresidente Sir Leon Brittan.

Todo el capitalismo de los países alpinos (¡habrá que admitir que el Fuji Yama es la cima más alta de los Alpes!) reposa sobre la idea contraria. Francia vacila. Los jóvenes lobos y los viejos accionistas forman el partido anglosajón. Los directores de empresa reunidos por el Instituto de la Empresa, organismo independiente emparentado con el CNPF (Consejo Nacional de los Patrones Franceses), acaban de tomar una de las posiciones más alpinas ("La estrategia de las empresas y de los accionistas", enero de 1991).

La cuestión es vital para los verdaderos capitalistas. En efecto, prácticamente sólo hay dos maneras válidas para hacer fortuna: ser competitivo, ya sea en la producción o en la especulación. Las economías que privilegian la banca con relación a la Bolsa ofrecen menos posibilidades de hacer fortuna con rapidez. Sólo aquellos a quienes no les interesa hacerla pueden evitar tomar partido.

La banca o la Bolsa, ése será el próximo gran debate en Estados Unidos. Temiendo la quiebra de un sistema bancario arcaico, encorsetado y al borde de la insolvencia, el gobierno Bush acaba de presentar un proyecto de reforma inspirado en el ejemplo europeo, especialmente en el alpino. Para aplicarlo, deberá reducir el número de los bancos de 12.500 a un millar, y suprimir cerca de 200.000 empleos, repartidos por todos los Estados. Ahora bien, serán los miembros del Congreso los que decidirán en última instancia. ¡Valor!

## 8. ¿Cómo debe repartirse el poder en una empresa, entre los accionistas por un lado, y los directivos y el personal por otro?

Esta cuestión, correlativa a la anterior, ha transformado numerosas salas de consejos de administración en verdaderos campos de batalla. Conozco alguna donde los accionistas sólo toleran un secretario al lado del presidente; otras, donde la dirección y los accionistas se enfrentan como dos bloques; otras, por último, ¡donde son los directivos quienes eligen a los accionistas, y no a la inversa!

En esta frontera del Poder empresario, la guerra no cesa de extenderse y de intensificarse. Lo que está en juego es la naturaleza misma de la empresa. ¿Se trata de una simple mercancía de la que el propietario, el accionista, dispone libremente (modelo anglosajón)? ¿Se trata, por el contrario, de una suerte de comunidad compleja, donde los poderes del accionista están equilibrados por los de la dirección, admitida la misma de manera consensuada por los Bancos y, más o menos explícitamente, por el personal (modelo germano-nipón)?

## 9. ¿Cuál debe ser el papel de la empresa en materia de educación y de formación profesional?

La respuesta anglosajona es: el menor posible. Por dos razones: es un costo inmediato para un rendimiento a largo plazo. Ahora bien, no se dispone ya de tiempo para trabajar a largo plazo, es necesario multiplicar los beneficios enseguida. Por otra parte, es una inversión demasiado incierta, teniendo en cuenta la inestabilidad de la mano de obra, y que esta inestabilidad misma condiciona el buen funcionamiento del "mercado laboral".

La respuesta es exactamente la contraria del lado germano-nipón, donde se esfuerzan en promover profesionalmente a todos los empleados, en el marco de una política de administración previsora de las especializaciones que apunta a asegurar, si es posible, la armonía social y la eficacia económica. ¡Pero cuántos debates aquí también, entre aquellos que, por un lado, hacen pagar un máximo la experiencia que adquirieron en otras empresas y, por el otro, los que se rebelan contra la tradición social!

A partir de este problema concreto, podemos extrapolar en varias direcciones: la tradición anglosajona asigna a la empresa una función precisa y específica, consistente en producir beneficios; la tradición de Europa continental y de Japón le atribuye una función más amplia, que va desde la creación de empleos hasta la competitividad nacional.

## 10. *Un sector típico del debate, el seguro*

Puesto que soy asegurador, mi afirmación quizá refleje una deformación profesional. No lo creo. Toda sociedad capitalista tiene necesidad, para reforzar sus capacidades de innovación y su competitividad, de acompañar y hacer preceder su progreso por el desarrollo de seguros de toda naturaleza. Además, lo que opone más profundamente a los dos capitalismos es el valor respectivo que ambos conceden al presente y al futuro. Ahora bien, todo incita al asegurador a valorizar el futuro, pues su oficio consiste en transportar recursos del presente hacia el futuro, haciéndolos fructificar. Pero hay dos concepciones cada vez más opuestas del seguro. La primera, anglosajona, lo considera una simple actividad de mercado; esta concepción está poderosamente representada en Bruselas. La segunda subraya la importancia del marco institucional para garantizar la seguridad de las empresas y de los particulares. Si usted cree que ese debate no le concierne, es porque está convencido de que no tendrá jamás un accidente de automóvil, ni necesidad de asistencia a domicilio en su vejez. ¿Está tan seguro?

De este modo, se oponen los dos paradigmas fundadores del seguro: el primero pertenece al mundo de los juegos bursátiles, del riesgo individual, de la aventura comercial y de la navegación de altura; el segundo se enraiza en una búsqueda de seguridad comunitaria o solidaria, apoyándose sobre este pequeño margen de seguridad para explorar mejor el futuro.

Una verdadera caricatura de los dos modelos del capitalismo. Voy a apoderarme de ella, sin emociones, consciente de que en una época en la que las exigencias de la televisión nos imponen tratar toda cuestión, por compleja que sea, en menos de tres minutos, hay que atreverse a caricaturizar, es decir, a simplificar lo más posible exagerando lo menos posible.

Este resumen de diez ejemplos concretos presenta, a mi parecer, un doble interés.

Visto desde afuera, situado como está hoy en día, a pesar de su naturaleza, en una posición de monopolio, el capitalismo corre el riesgo de aparecer como un monolito, un bloque del nuevo determinismo sucesor del determinismo marxista. Ahora bien, como ya hemos visto, en cada caso basta con concretar para constatar, por el contrario, que el capitalismo real, tal como se vive en diferentes países, no aporta por sí solo una respuesta única, un *one best way*, a los grandes problemas de la sociedad. Al contrario, el capitalismo es múltiple, complejo como la vida. No es una ideología sino una práctica.

Pero, segunda enseñanza, esta diversidad tiende a la bipolarización entre *dos grandes tipos de capitalismo de importancia comparable y entre los cuales el futuro no está decidido.* Antes de exponer esta idea, ha sido indispensable partir de la observación de los hechos, pues, a la vista de la teoría liberal anglosajona, cuya hegemonía es hoy casi total —tanto en la enseñanza como en la investigación económica—, lo que acabo de enunciar es simplemente lo inconcebible. En efecto, para este pensamiento no puede haber más que una sola lógica pura y eficiente de la economía de mercado. Todo el resto, todo lo que mezcla consideraciones de carácter institucional, político o social a la racionalidad de los precios, no es más que degeneración y falsedad.

Para esta corriente de pensamiento, Estados Unidos constituye en principio el único modelo de referencia y de eficiencia. El "lugar santo".

En realidad, por suerte las cosas no son tan simples. El primer objetivo de este libro es mostrar que, al lado del modelo económico neoamericano, hay otros que pueden ser a la vez económicamente más eficaces y socialmente más justos.

¿Cómo designarlos?

1. En primer lugar, se tiende a oponer *el modelo "anglosajón" al modelo "germano-nipón".*

El primer término abarca mucho, quizá demasiado: incluir a Australia y Nueva Zelanda en la misma categoría que la Inglaterra thatcheriana, es olvidar que la influencia laborista se mantiene allí mucho más fuerte; lo mismo ocurre en el caso de Canadá; si bien su "bella provincia", Quebec, ha conseguido un desarrollo excepcional durante unos quince años, ha sido gracias sobre todo a instituciones como la Caja de Depósitos o el grupo Desjardins, que representan exactamente lo contrario de lo que caracteriza desde hace diez años al modelo "anglosajón".

Pero, sobre todo, clasificar en un mismo lote a Estados Unidos y al Reino Unido, significa hacer abstracción de un fenómeno fundamental: en Estados Unidos, ya lo hemos visto, no hay un régimen general de seguridad social, mientras que incluso la señora Thatcher no ha logrado erradicar del cuerpo social británico su sistema de seguridad social muy completo, cuyo origen, recordémoslo, se remonta a Bismarck, y no solamente a Beveridge.

En cuanto al segundo término, "germano-nipón", nos recuerda que, desde hace un siglo, se ha llamado a los japoneses los "alemanes de Asia" y, hoy, las empresas más grandes japonesas y alemanas se unifican en asociaciones sin parangón en otra parte: Mitsubishi y Daimler-Benz, Toyota y Volkswagen, Matsushita y Siemens.

Por otra parte, fuera de la analogía de los sistemas de financiación y del papel social de la empresa, el principal elemento de aproximación entre las economías alemana y japonesa es el papel motor de la exportación. Pero no se encuentra en Alemania ni el dualismo de las grandes empresas en relación con los pequeños subcontratistas, ni el papel excepcional de las casas de comercio japonesas. Por último, el CEPII (Centro de Estudios Prospectivos y de Informaciones Internacionales) que, desde hace veinte años, estudia la evolución de las especializaciones industriales, subraya que los dos casos más opuestos son precisamente Alemania, con la estabilidad de sus puntos fuertes (mecánica, material de transporte y química), y Japón, caracterizado por el cambio rápido de sus especializaciones, con la desaparición de la industria textil, la conversión de los astilleros navales, el auge de la producción de automóviles y de los productos electrónicos de consumo masivo.

En resumen, la terminología "modelo anglosajón" *versus* "modelo germano-nipón" no es útil más que si se miran las cosas de lejos.

2. Modelo norteamericano, o mejor dicho, modelo *neoamericano*.

Desde el momento en que, a pesar de la revolución conservadora iniciada por la señora Thatcher, Gran Bretaña no puede dejar de acercarse a Europa y alejarse de América, es necesario considerar a Estados Unidos como un modelo económico único.

Sobre todo desde la elección de Ronald Reagan en 1980. Anteriormente, en efecto, desde la crisis de los años treinta, el papel creciente del Estado en materia económica y social, tanto en Estados Unidos como en Europa, había aproximado las formas del capitalismo de un lado y otro del Atlántico, en un esfuerzo común por hacer frente al desafío del comunismo.

Por el contrario, en ninguna parte de la Europa continental se produjo nada similar a la revolución reaganiana en Estados Unidos. Un nuevo modelo económico se constituyó entonces. Lleva por otra parte un nombre común, *reaganomics*. Las dificultades que encuentra en el interior de Estados Unidos no perjudican para nada su extraordinaria influencia internacional. Es ese complejo fenómeno, en el que los factores psicológicos se imponen sobre los datos de la economía real, lo que yo llamaría el *modelo neoamericano*.

3. Llegados a este punto, la pregunta que se impone es la de saber si no existe un *modelo económico propiamente europeo*. Todo permite a priori presumirlo: la obra del Mercado Común comenzó hace más de treinta años; la unidad europea no es ni política, ni diplomática, ni militar, ni siquiera social, sino esencialmente económica; siempre se habla de ella como de una cosa acabada o casi. Y sin embargo la respuesta es no, no existe un modelo económico homogéneo en Europa. El de Gran Bretaña está más cerca de Estados Unidos que de Alemania. El de Italia, dominado por el capitalismo familiar, la debilidad estatal, un enorme déficit público y una asombrosa vitalidad de las PME, no es comparable a ningún otro, como no sea al modelo de los chinos de la diáspora.

No se dice bastante hasta qué punto Francia y España se parecen. Comparten herencias comparables de proteccionismo, de intervencionismo y de corporativismo inflacionista. Una y otra, tras haberlos sufrido, se han liberado de esos arcaísmos por medio de una modernización acelerada. Las dos flotan aún entre tres tendencias: una tradición institucional que, revivificada, podría aproximarlas a los países alpinos; un "aire americano" que multiplica las creaciones de empresas, las especulaciones y las tensiones sociales propias de las sociedades dualistas; por último, una "vuelta del capital" a la italiana, con la aparición de las fortunas personales y la gloria de las grandes familias.

Estas son las razones de que no pueda hablarse de un "modelo europeo"

4. No obstante, existe de alguna manera un "núcleo compacto" de la Europa económica. Presenta dos aspectos:

— el aspecto *alpino*: es la "zona *deutsche mark*", que engloba a Suiza y Austria (sin contar los Países Bajos). Esos países presentan los elementos más destacables de un contramodelo europeo opuesto al modelo neoamericano, del mismo modo que ninguna moneda ha sido, desde hace más de una generación, administrada de forma más distinta del dólar que el marco alemán;

— o bien se consideran las cosas principalmente bajo el ángulo social, y es entonces la palabra *renano* la que resulta la más apropiada.

Renano rima con tejano: Texas es la imagen exacerbada de Estados Unidos. Lo mismo que la palabra *renano* subraya los rasgos característicos de la nueva Alemania, que no es de inspiración prusiana, sino más bien renana. Tiene su origen en Bonn, y no en Berlín.

Fue a orillas del Rhin, en la estación termal de Bad-Godesberg, cerca de Bonn, donde la socialdemocracia alemana decidió, durante su histórico congreso de 1959, adherirse al capitalismo, lo que en esa época resultaba al menos sorprendente. Sin embargo, no hay ambigüedad, era realmente el capitalismo el tema en discusión, puesto que el Congreso señalaba "la necesidad de proteger y de promover la propiedad privada de los medios de producción", y preconizaba "la libertad de competencia y la libertad de empresa". Denunciado en aquel entonces como una traición por el conjunto de los partidos socialistas, ese programa fue poco a poco aceptado por todos, si no en su doctrina, al menos en su comportamiento ante la realidad.

En consecuencia, la Alemania de Helmut Kohl, heredera de la de Adenauer, Erhard e incluso Brandt y Schmidt, ilustra lo que llamaremos a partir de ahora *el modelo renano del capitalismo*, del que se encuentran ejemplos no sólo a todo lo largo del gran río europeo, desde Suiza hasta los Países Bajos, sino también en cierta medida en Escandinavia, y, sobre todo, con los cambios culturales inevitables, en Japón.

Ahora que los actores ya están en escena, el espectáculo va a comenzar.

El hundimiento del comunismo pone en evidencia la oposición entre dos modelos de capitalismo. Uno, "neoamericano", está fundado sobre el éxito individual y el beneficio financiero a corto plazo. El otro, "renano", está centrado en Alemania, y admite muchas semejanzas con el de Japón. Como éste, valora el éxito colectivo, el consenso, la inquietud a largo plazo. La historia del último decenio muestra que el modelo "renano", segundo modelo, que no había tenido hasta aquí el derecho de recibir su cédula de identidad, es a la vez el más justo y el más eficaz.

A fines de 1990, el triunfo de Helmut Kohl en Alemania y la salida de Margaret Thatcher en Gran Bretaña son dos acontecimientos que no pueden explicarse sólo por eventualidades de política interior. Si lo analizamos con cierto distanciamiento y perspectiva, *veremos el primer episodio del nuevo combate ideológico que va a oponer, no ya el capitalismo al comunismo, sino el capitalismo neoamericano al capitalismo renano.*

Será una guerra subterránea, violenta, implacable, pero amortiguada e incluso hipócrita, como lo son, en una misma Iglesia, todas las guerras entre bastidores. Una guerra entre hermanos enemigos, armados de dos modelos surgidos de un mismo sistema, portadores de dos lógicas antagónicas del capitalismo en el seno de un mismo liberalismo.

Y quizás incluso, como veremos, de dos sistemas de valores opuestos sobre el lugar del hombre en la empresa, el lugar del mercado en la sociedad y el papel del orden legal en la economía internacional.

Nos quejábamos, desde el fin de las ideologías, de carecer de debates. No vamos a ser decepcionados.

## Capítulo 1

## *AMERICA IS BACK*

La gloria de Estados Unidos era tan esplendorosa después de la Guerra del Golfo que, por poco, las coronas de cinta amarilla anudadas en honor de George Bush sobre la fachada de la Casa Blanca nos hicieron olvidar que la "vuelta de Estados Unidos" había sido la divisa y la obra de Ronald Reagan.

Sin embargo, el Estados Unidos de Reagan, el de ayer, no termina de brillar en todo el mundo.

En el hemisferio sur, el capitalismo conquistador de Reagan fascina siempre a los dirigentes —y hasta a los intelectuales—, enredados en el endeudamiento y el intervencionismo. De Brasilia a Lagos, la imagen de las ideas reaganianas representa cada vez más, desde mediados de los años ochenta, el éxito, el dinamismo, la prosperidad.

En cuanto al mundo comunista, en el momento del gran hundimiento de 1989-1990, parece literalmente haber plebiscitado en un solo movimiento —y mitificado— a Ronald Reagan (y Margaret Thatcher). En Budapest, los nuevos partidos húngaros —Forum Democrático o Alianza de los Demócratas— han puesto en un altar a la economía de mercado en su versión pura y dura. En Polonia se constituyen, de Gdansk a Cracovia, "clubes liberales", cuyas figuras emblemáticas son Ronald Reagan y Margaret Thatcher. En cuanto al "plan Balcerowicz" (tomado del nombre del joven ministro de Economía y Finanzas), aplicado con coraje —y no sin éxito— en Polonia, está inspirado abiertamente en el modelo reaganiano. Sin hablar del asombroso resultado logrado, en la primera ronda de los candidatos a la presidencia de noviembre de 1990, por Stanislaw Tyminski, un desconocido de lenguaje básico del que "Ronnie" no habría renegado: ¡Hagan fortuna como la hice yo mismo! Ese triunfo popular del reaganismo más caricaturesco no tiene nada de asombroso. En el Este, actualmente, todos están tan firmemente convencidos de que el comunismo encarnaba el mal —y el fracaso— absoluto, que se está por tanto dispuesto a creer que, cuanto más puro y duro sea el capitalismo, más cerca estará del bien absoluto.

Uno de los mejores expertos británicos en temas de los países del Este, Timothy Garton Ash, que siguió paso a paso la "revolución de 1989" para *The New York Review of Books*, escribe en su libro, publicado a fines de 1990 (*La Caldera*, Gallimard, 1990): "Se podría decir que el mercado libre es la última utopía centroeuropea".

Utopía, milagro... Es seguramente en ese "milagro" en lo que sueñan los quinientos o seiscientos soviéticos que patalean, cada día, en la plaza Pushkin de Moscú para alcanzar, tras tres horas de cola, el restaurante Mc Donald's abierto en 1990, al que los moscovitas han bautizado con el nombre del "nuevo mausoleo". E incluso en Pekín, sí, en Pekín, el nombre de Reagan es perfectamente conocido por los chinos medios. Y piadosamente venerado.

Pero no sonriamos demasiado ante esas "ingenuidades exóticas". Entre nosotros, en Europa del Oeste, la misma corriente de pensamiento —reaganiana— sigue siendo dominante, cuando incluso ya no es verdaderamente ultra-atlántica. Desregulación, retroceso del Estado, disminución de la presión fiscal, exaltación del beneficio por el beneficio, "desafío", etc., tal es todavía la biblia de moda. En cuanto al "estilo de la época", nos quedamos cortos diciendo que es insultantemente "liberal". La derecha, claro, se muestra a veces, de 1986 a 1988, más reaganista que Reagan. Pero también lo vemos en la izquierda, donde verdaderamente no salen de su asombro por haber descubierto —bajo los escombros del "programa común"— las virtudes del beneficio y los méritos de la iniciativa personal.

Es aún Reagan quien, con Margaret Thatcher, triunfa en la Europa de los Doce. Es cierto, la señora Thatcher fue vencida especialmente en su propio partido por haberse opuesto a la construcción europea. Pero, en realidad, principalmente son sus ideas las que inspiraron el "futuro gran mercado de 1992", que hipertrofia lo comercial atrofiando, a pesar de todos los esfuerzos de Jacques Delors y del Parlamento europeo, lo político y lo social. En suma, un simple mercado, ¡qué digo!, un supermercado y eso es todo, o casi. Jamás en la historia se había visto tanta integración comercial con tan poco poder político para enmarcarla. En este aspecto, Estados Unidos mismo se encuentra superado.

Más generalmente —y más insidiosamente—, los "valores" (verdaderos o falsos) del Estados Unidos de Reagan parecen haberse instalado para quedarse en el Viejo Continente. Como si cada europeo, sin saberlo, hubiera inhalado una fuerte dosis con el aire que respiraba. Como si el europeísmo de ayer hubiera sido sustituido por una versión muy musculosa —pero limitada— del liberalismo. Elogio de los triunfadores, puesta entre paréntesis de lo "social", indiferencia por los marginados, optimismo productivista, culto del triunfo personal: la Europa de 1991 es todavía, en cierta manera y por poderes, el triunfo del antiguo *cow-boy* de la Casa Blanca y de la "guerra de las galaxias".

Pero es, sobre todo, el *triunfo de un contrasentido*. Pues Europa del Oeste, que antiguamente se había equivocado tanto sobreestimando la potencia económica de la URSS, se equivoca de nuevo hoy con respecto a Estados Unidos. Un Estados Unidos cuyas debilidades económicas y sociales, detrás de la potencia militar, tiene dificultad en determinar. Y aun ese contrasentido no tiene ya las excusas que proporcionaban ayer los densos misterios del Kremlin, la opacidad de la URSS con su lenguaje cerrado, sus mentirosas listas de éxitos y sus falsas estadísticas. Estados Unidos, por su parte, primera democracia del mundo —y la más transparente—, se debate hoy bajo los focos. Focos cegadores, por cierto...

## El big-bang *norteamericano*

Para que una tan cegadora "luz norteamericana" ilumine aún —y a menudo sin fundamento— al conjunto del mundo, ¡era necesario que fuera deslumbrante el *big-bang* inicial del que había surgido! Y realmente es fascinante, visto desde afuera, el nacimiento del reaganismo, al comienzo de los años ochenta. ¿Qué había pasado en ese momento? ¿Y por qué? Para desenmascarar un mito, lo mejor es comprender de dónde procede.

"¡Estados Unidos regresa!" Con este sonoro lema, Ronald Reagan, futuro presidente de Estados Unidos, quería, en 1980, despertar el ardor norteamericano, conjurar el síndrome de Vietnam y resucitar el mito de los pioneros. Un despertar imperioso para la primera potencia mundial, que se encontraba atrapada en las crisis internas, humillada en el exterior —especialmente por el Irán de Jomeini y el asunto de los rehenes—, amenazada, según pensaba, por la hegemonía militar soviética y debilitada (¡ya!) por la nueva competencia de los países europeos, y sobre todo del Japón. Recordémoslo.

¿Cómo el Estados Unidos "imperial" había llegado a eso? ¿Por qué oscuras evoluciones de la conciencia colectiva, bajo el efecto de qué dudas sobre sí mismo, de qué confusiones, había terminado por confiar su destino a un actor con ideas fuertes pero superficiales, un hombre del Oeste de moral muy tradicional, de ideología vagamente arcaica? ¿Por qué esta súbita "revolución conservadora" (así es como se la llamará) barrerá de una costa a la otra una sociedad tan moderna y tan permisiva que coqueteaba, algunos años antes, con los ultrarreformadores del equipo McGovern y las experiencias *new age* de California? ¿Por qué esta brusca voluntad de poderío? ¿Y de revancha?

Estas preguntas no son obsoletas. Incluso es urgente responderlas si se quiere comprender el estado actual de Estados Unidos. El de George Bush. El de la deuda bajo la gloria... Pero comprender el capitalismo estadounidense exige también que se tome en cuenta el largo plazo, las evoluciones más profundas, con demasiada frecuencia olvidadas. Algunos datos básicos

están, en efecto, en el origen tanto de la potencia como de la debilidad
norteamericana.

## Demasiadas humillaciones, insuficientes certidumbres

La llegada de Ronald Reagan a la Casa Blanca coincidía con una pertur-
bación muy particular de la conciencia norteamericana, que se podría
caracterizar con una frase: demasiadas humillaciones, insuficientes certidumbres.

Respecto de las humillaciones, los diez años precedentes a la elección de
Reagan apenas habían ofrecido a Estados Unidos más que una serie interminable de reveses internacionales. Y no de los menores. Como si el
desastre de Vietnam y el de Camboya hubieran anunciado irresistiblemente
el repliegue general. En Africa, en la misma época, la URSS o sus aliados
cubanos se anotaban éxitos que se creían decisivos: en Etiopía, en Angola,
en Guinea y en Mozambique. En el Cercano Oriente y Oriente Medio,
Estados Unidos perdía con el sha de Irán, gendarme del Golfo, a su mejor
aliado; permanecía sin influencia en una guerra civil libanesa —comen-
zada en 1975— ampliamente manipulada por los sirios, y Kissinger, el
mismo año, tenía dificultades para que Israel aceptase los acuerdos de
no intervención en el Sinaí. En las puertas mismas de Estados Unidos, en
Centroamérica, la caída de Somoza en Nicaragua y la llegada al poder de
los sandinistas anunciaba el fin de la doctrina Monroe, que hacía del continente latinoamericano un "coto de caza privado" estadounidense, un territorio inviolable.

Humillaciones, repliegue, impotencia... En todo el planeta, la influencia
norteamericana parecía en retroceso en provecho del expansionismo soviético. La bandera de las barras y estrellas quemada en las calles del hemisferio sur, Estados Unidos despreciado, desafiado, acusado: tal era la
imagen del mundo que recibía a diario el telespectador medio de Houston,
Springfield o Detroit. Las humillaciones y el cansancio se sumaban a una
brizna de rabia impotente: no se necesitaba nada más para que naciera
poco a poco en la opinión pública una oscura nostalgia de la grandeza. Y
del poderío. Si Ronald Reagan no hubiera existido entonces —con las
ideas claras y el vocabulario de John Wayne—, sin duda inevitablemente
hubiera sido necesario inventarlo. ¡America is back!

Peor que esta avalancha de humillaciones fue sin duda ese grave déficit de
certidumbres que sentía entonces vagamente Estados Unidos. También en
este terreno los años setenta habían sido años negros. La confianza había sido
reemplazada por la duda, el "sueño norteamericano" había sido sustituido
por el "mal norteamericano" (para tomar el título de una obra de Michel
Crozier). ¿Qué "mal"? Al volver en esa época a Harvard, donde había
enseñado diez años antes, Crozier describía así su sensación: "Todo era
parecido, y sin embargo diferente; todo en realidad había cambiado de

significado. El sueño se había disipado, no quedaban más que palabras, una retórica vacía" (*Le mal américain*, Fayard, 1980).

Pero ese "mal norteamericano" no era solamente una de esas melancolías imprecisas a las que se abandonan a veces las naciones. Afectaba a las mismas instituciones, a su derecho, que en ese país aferrado a la Biblia y a la Constitución son la verdadera patria de cada norteamericano. La crisis de Watergate, las mentiras y después la dimisión de Richard Nixon habían conmovido gravemente aquella confianza. Hasta el punto que la presidencia de Jimmy Carter había sido la de un ejecutivo debilitado, al que el Congreso no oponía una alternativa viable. Crisis de las instituciones, crisis de Estados Unidos...

¿Cómo gobernar, en aquel entonces, la primera potencia del mundo cuando los principios del *check and balance*, inspirados en Montesquieu, paralizan literalmente al Poder Ejecutivo? Henry Kissinger cuenta en sus *Memorias* cómo debió usar continuamente la astucia para preservar algunos secretos esenciales para la aplicación de su política exterior.

En este clima, el abstencionismo político, tradicional entre los estadounidenses (rara vez inferior al 50 %) daba paso al disgusto puro y simple. A fines de los años setenta, la opinión pública no esperaba ya gran cosa de la política. Pero, confusamente, esperaba un salvador.

Eso no es todo. Otros males, más insidiosos, comenzaban entonces a corroer a Estados Unidos. El culto al derecho convertido en fetichismo jurídico es uno de ellos. Un verdadero delirio del enjuiciamiento se apoderó de los norteamericanos. Hay también que tener en cuenta que, en el mismo momento, atravesaba el Atlántico una nueva moda según la cual el reino del derecho, fundado sobre una jurisprudencia en constante evolución, derivaría en una superioridad creciente de Estados Unidos sobre la Europa continental. La realidad es muy diferente. Ese delirio del enjuiciamiento hace la fortuna de los *lawyers* (abogados), pero convierte en opaca, asmática, enloquecedora, la máquina judicial del estado de derecho. Todo puede proporcionar motivos para iniciar procesos, y los abogados que acechan la caza mayor no renuncian a perseguir la menor con un olfato de perros de presa. Un ejemplo de esto fue célebre, el caso de la sociedad IBM, que se vio obligada a alquilar un edificio entero en Washington para alojar a los abogados que había contratado para un proceso —uno solo— contra el Estado.

El derecho, fundador de Estados Unidos, eminente regulador de la "sociedad de los contratos", se convirtió en un bosque impenetrable en el que se entremezclan, con la jurisprudencia, los innumerables reglamentos federales y locales.

Pero otro fundamento de la sociedad norteamericana se debilitó peligrosamente en esa época: el movimiento asociativo, esas innumerables células locales, deportivas, corporativistas, caritativas, etc., que admiraba Tocqueville y a las que sustentaba el conjunto de la sociedad civil. Esas

mil y una asociaciones, a menudo pintorescas pero muy vitales —y poderosas—, que difundían una idea determinada del bien público y del civismo. Estados Unidos, desencantado, se encontraba mal armado para
defenderse de ese sentimiento que apenas pertenece a sus tradiciones: el
cinismo pícaro. En cuanto a la famosa "mayoría silenciosa", sentía dolorosamente esta disgregación del tejido social y del sistema político. Esta es
la causa de una aspiración general a un retorno a los valores tradicionales,
una sed de certezas, incluso elementales o arcaicas, que sentía una sociedad desorientada por la rapidez de los cambios y la ebriedad de la "permisi-
vidad" llegada de California.

El discurso vigoroso y simplificador de Ronald Reagan llegará oportu-
namente para colmar estas expectativas. El sabrá explotar a la vez un
contexto económico favorable —el exceso de burocracia y el intervencionismo del Estado federal— y un clima intelectual. Sin hablar de la
situación internacional, que multiplicará los efectos del mensaje: Estados
Unidos vuelve.

## El nuevo desafío norteamericano

Ronald Reagan, candidato del partido republicano, es triunfalmente
elegido el 4 de noviembre de 1980 con nueve millones de votos de ventaja
sobre Jimmy Carter. Cuarenta y cuatro estados sobre cincuenta y uno
votaron por él. Se impone a Carter incluso en Nueva York y en los estados
industriales del norte, bastiones tradicionales de los demócratas. En 1984, su
reelección será más triunfal todavía, pues tendrá diecisiete millones de votos
de ventaja y triunfará en cuarenta y nueve estados.

Ningún comentarista esperaba realmente semejante victoria de Reagan,
quien representaba al ala conservadora del partido republicano. Su programa,
impregnado de la gran mitología de los fundadores y los pioneros, que
defiende con un arte consumado de la actuación y de la comunicación, se
reduce a algunos grandes principios.

Reagan afirma en primer lugar su voluntad de conducir Estados Unidos
al primer puesto en la escena internacional. Se trata de terminar de una
vez por todas con las humillaciones y las derrotas. Nunca más imágenes
tan terribles como la de los últimos helicópteros del ejército de Estados
Unidos procediendo, en medio de la catástrofe, a la evacuación de Saigón,
o la de los cuerpos de los soldados calcinados en el desierto iraní de
Tabas después del fracaso, en abril de 1980, del intento de liberación de los
rehenes de la embajada americana en Teherán. Nunca más aliados aban-
donados, ni la capitulación lastimosa frente a las "fuerzas del mal". Estados
Unidos es la primera potencia militar del mundo, y en lo sucesivo tiene
intenciones de demostrarlo. Especialmente frente al hegemonismo soviético de fines de la era Breznev. Es, por otra parte, a los soviéticos a quienes

Reagan lanzará pronto un fabuloso desafío: la "guerra de las galaxias", o "iniciativa de defensa estratégica" (IDE).

¿De qué se trata? En un discurso televisado, calculando sus efectos pero visiblemente con total convicción, Ronald Reagan se explicaba el 23 de marzo de 1983 delante de todo Estados Unidos. Se trata ni más ni menos, dice, de poner fin a toda posibilidad de una guerra nuclear construyendo, en el espacio, un escudo capaz de interceptar todos los misiles soviéticos. Utilizando determinadas técnicas comprobadas (detección electrónica, satélites destructores), otras que deberán ser probadas (láser, cañones de haces de electrones, etc.), la IDE aspira a poner definitivamente a salvo el suelo norteamericano.

El proyecto, que será objeto de innumerables polémicas por parte de los expertos, es enormemente utópico. Algunos de sus componentes, en efecto, requieren un "salto tecnológico" mayor, y nadie está seguro de su total fiabilidad. Financieramente, es extraordinariamente arriesgado, incluso para el país más rico del mundo. 250 mil millones de dólares se prevén necesarios para su realización, de los cuales el 10 % es solamente para la investigación. Esto ya es una suma considerable. Pero además son previsibles mayores exigencias económicas que nadie puede calcular.

En cambio, la "guerra de las galaxias" es un indiscutible éxito periodístico y político. Su concepción futurista y su objetivo (¡Basta de guerras!) harán soñar a la opinión pública internacional, y fascinarán hasta a los más escépticos. ¿Qué cosa más seductora a priori que el concepto puramente defensivo de ese escudo, que detiene la espada de Damocles del fuego nuclear? Soñando en voz alta con una próxima victoria del escudo sobre la espada, Reagan pone en marcha una retórica imparable. ¿El "escudo" no es por excelencia el arma de los "justos", mientras la espada es la de los "malvados"? ("Escudo del Desierto" será por otra parte el primer nombre codificado dado en agosto de 1990 a la operación de réplica a la anexión de Kuwait por Saddam Hussein: operación transformada posteriormente en "Tormenta del Desierto". Los adversarios de la IDE, especialmente en Europa, se esforzarán vanamente en desprestigiarla denunciando las "ambiciones escondidas" de Reagan —romper en provecho de Estados Unidos el equilibrio nuclear, protegiendo prioritariamente los puntos estratégicos—, y el impacto de la "guerra de las galaxias" será considerable. Y el mensaje será percibido como algo claro y limpio: Estados Unidos recupera la iniciativa, pero la "guerra de las galaxias" sólo pone en juego armas defensivas. Es, en la retórica reaganiana, una reacción a la vez militar y... pacifista. Agreguemos que algunas victorias militares norteamericanas en el Golfo, en enero y febrero de 1991, fueron posibles gracias a la tecnología aplicada en el marco de la IDE.

En cuanto al formidable desafío —tecnológico y financiero— lanzado a la URSS, se revelará aún más eficaz de lo que se podía imaginar. Hacia fines de los años ochenta, después de varios años de Perestroika, algunos responsables soviéticos reconocieron el papel desempeñado por la "guerra de las galaxias" en la capitulación ideológica del sistema soviético. En esta gigantesca partida de póquer planetario que representaba la carrera armamentista, esta vez la URSS ya no podrá "seguir". Pero, para Estados Unidos, el impulso tecnológico que representa la IDE es todo beneficio. El espacio, la informática, el láser: allí se juega en efecto la supremacía del siglo XXI.

En la misma época, la administración Reagan multiplica las acciones políticas y diplomáticas de sostén a los aliados de Estados Unidos. Instalación de cohetes Pershing en Europa para afrontar el reto de los SS 20 del Ejército Rojo, financiación de los movimientos anticomunistas en Angola, Afganistán y Nicaragua: en todas partes se muestra la misma voluntad, la de hacer retroceder la influencia soviética. ¡Estados Unidos vuelve!

A este regreso internacional se agrega, evidentemente, en el plano interno una renovación voluntaria y sin complejos del capitalismo norteamericano en su versión más conquistadora. El equipo Reagan exalta al emprendedor, denuncia los derroches del Estado federal y, sobre todo, el impuesto, ese impuesto calamitoso que desalienta las iniciativas y frena las fuerzas vivas de Estados Unidos. Estados Unidos, ese continente del sueño y del riesgo donde cualquiera puede convertirse en Rockefeller, con tal de que no estén constreñidas las leyes sacrosantas de la libre empresa; a condición también de que todos se acuerden de que una "mano invisible" —la de Adam Smith y de los padres fundadores del liberalismo— pondrá el enriquecimiento de cada uno al servicio de todos. ¡Enriquézcanse! ¡Que los ricos se hagan más ricos! ¡Que los pobres se pongan a trabajar, en lugar de esperar del Estado todas esas ayudas y esos "programas sociales", que siempre son sólo una coartada de la pereza! En cuanto a las necesidades elementales de los más desprotegidos y de los marginados, la caridad ya se ocupará de ellos. Ese no es asunto del Estado. El mensaje es simple y creíble.

Aún mejor, saca nuevas fuerzas de los fracasos anteriores y de la crisis del credo keynesiano plasmada en la recesión de los años setenta. Esta, en efecto, parecía señalar el fin de una teoría fundada en el estímulo de la demanda y el déficit presupuestario y que, antes, había contribuido —especialmente en Europa— al éxito de los "treinta años gloriosos" (1945-1975).

En 1980, Estados Unidos no es el único que ha enterrado las ideas de Keynes.

Detengámonos aquí un instante. Reagan, como vamos a verlo, sobre todo ha reformado desregulando, reduciendo el papel del Estado. Hay un solo terreno donde, por el contrario, ha reformado la potencia federal, y dado a Estados Unidos un verdadero proyecto prioritario a largo plazo. Este terreno es el de la defensa. En él el éxito ha superado las mejores expectativas, como acaba de demostrarlo una vez más la guerra del Golfo.

Retengamos, nosotros, esta noción de largo plazo, pues en todos los otros terrenos el Estados Unidos de Reagan lo olvidaba, mientras que constituye la fuerza primordial de las industrias alemana y japonesa.

Estados Unidos no es el único en haber enterrado a Keynes. En Europa, las políticas que buscaban lograr un nuevo impulso por medio del consumo —la de Jacques Chirac en 1975, la de Helmut Schmidt en 1978— fracasaron. La lección extraída de esos fracasos contradice opiniones que antes estaban sólidamente arraigadas: contrariamente a lo que se había enseñado en todas las universidades, se demostraba, en efecto, que el paro y la inflación pueden coexistir. La famosa curva de Philips, que postulaba lo contrario, ya no es válida frente a esta enfermedad económica nueva, de nombre bárbaro y que gana terreno en todas partes: la stagflación.

Es todo un pensamiento económico que, según se cree, ha quedado obsoleto. En su lugar, y contra él, emergen nuevas corrientes —radicales—, de las que el reaganismo será la más importante. Los teóricos de la oferta (*Supply side economics*) y los economistas, con la dirección de Milton Friedman, proponen una política que adopte al revés los principios keynesianos más elementales. Sus conceptos fundamentales son: reducciones fiscales, control estricto de la moneda, desregulación y privatización. En el Estados Unidos reencontrado, donde el hombre hecho a sí mismo vuelve a tener importancia, el Estado la pierde.

Concretamente, se emprenden varias reformas espectaculares. La ERA (Economic Recovery Act) constituye la punta de lanza de esta política. Comprende tres aspectos esenciales. Primero: la desregulación de los sectores del petróleo, de las telecomunicaciones, de los transportes aéreos, de la banca y de la competencia. Esta desregulación, en realidad, había sido afrontada por Jimmy Carter en 1978. Pero a partir de entonces será aplicada con el mayor rigor. El segundo aspecto concierne al sistema fiscal. Se adopta una amplia reforma. Esta apunta a simplificar el impuesto sobre la renta, suprimiendo las deducciones y reduciendo las tasas impositivas, sobre todo las más elevadas. Tercer aspecto: la lucha contra la inflación gracias al control drástico del volumen monetario. Paul Volcker, presidente de la Reserva federal (nombrado por Jimmy Carter), se dedica a ello con una energía muy combativa. Consecuencia inmediata: el dinero se vuelve más caro, se terminó la fiesta. Las tasas de interés, en efecto, alcanzarán niveles espectaculares, superando incluso el 20 % en 1980 y 1981. En consecuencia, el dólar sube y sube, hasta superar los diez francos a comienzos de 1985. Y los consejeros de Reagan logran hacer creer que el dólar era fuerte porque la economía norteamericana era fuerte.

La administración Reagan, para completar la ERA, había emprendido la tarea de reducir, sin trabas emocionales, los gastos sociales y aumentar notablemente el presupuesto militar. La elección quizás era discutible, pero tiene el mérito de la claridad y de la coherencia. Menos traspasos sociales de dinero, política que ilustra la confianza recuperada en el individuo y en las leyes de mercado. Más créditos militares, que vigorizarán a Estados Unidos y darán a los estrategas del equipo Reagan los medios para sus ambiciones.

Política de impacto e impacto político: la "revolución conservadora", para tomar el título de un libro de Guy Sorman (Fayard, 1983), está en marcha. Va, si no a conquistar el mundo, por lo menos a fascinarlo.

## *"América, América"*

¡Estados Unidos ha vuelto! En todas partes, al cabo de pocos meses, la incredulidad de aquellos que tenían dificultades para imaginar a un cowboy de Hollywood instalado en la Casa Blanca, primero se convierte en circunspección, después en curiosidad y, por último, en admirada sorpresa. Incluso entre algunos intelectuales europeos, todavía ayer burlones. La fuerza del nuevo presidente, es cierto, se debe en parte al talento muy profesional con el cual él utiliza el impacto fantástico de los medios de comunicación. Ronald Reagan cuenta con un equipo de especialistas de la comunicación y unos dones que podrían envidiarle muchos jefes de Estado. Dosificando sus efectos, cuidando su imagen de "patrón" impasible y de norteamericano enamorado de su rancho, de su esposa y del Far West, ocupa los medios de masas sin dar jamás la impresión —como Carter— de que se agota estudiando los informes. Es un presidente que tiene tiempo... y es un

FUENTE: *Valeurs actuelles*, 3 de diciembre de 1990, pág. 43.

presidente valiente. ¿No se levantó bromeando justo después del atentado del que fue objeto el 30 de marzo de 1981? ¿No sufrió, sin problemas, una intervención quirúrgica muy publicitada? Se lo llamará el "gran comunicador", y Estados Unidos podrá pronto, sin dificultades, exportar su imagen.

Pero Ronald Reagan es también un intuitivo, capaz de deslizarse sobre la ola liberal de los años ochenta. Saca provecho del pesimismo de la social-democracia europea. Su programa está de moda. El lo sabe. Sabe usarlo. Como ilusionista, si es necesario. Pues es capaz, mejor que cualquiera, de disimular las debilidades y los puntos débiles. Ese déficit presupuestario astronómico, por ejemplo, que se profundizará año tras año hasta llegar a ser el más abismal de toda la historia norteamericana. O el sostén económico a los movimientos pro occidentales del hemisferio sur, que será limitado por un Congreso hostil.

¡No importa! A pesar de esos puntos débiles, el nuevo Estados Unidos resucitado por Ronald Reagan está pronto en el apogeo de su influencia. Parece incluso que ha vuelto a ser esa Roma mesiánica del capitalismo, capaz de nuevo de inundar el planeta con sus luces. El credo liberal reaganiano se extiende, por otra parte, como un reguero de pólvora. Los europeos, buenos alumnos, inician la conversión, pronto seguidos por los países del Tercer Mundo. Con más énfasis que nunca, el Banco Monetario Internacional para Reconstrucción y Desarrollo (BIRD) y el Fondo Monetario Internacional (FMI) estimulan entre estos últimos el recurso al mercado, la competencia, la empresa privada. En los países del sur —como en Europa— se privatiza intensamente. Y la política monetaria se inspira directamente en la de la Reserva federal americana: se trata, en última instancia, de erradicar una inflación que corroe los patrimonios, carcome los beneficios y acrecienta las desigualdades.

En resumen, a mediados de los años ochenta, el Estados Unidos de Reagan brilla de nuevo como las estrellas que adornan su bandera. De nuevo respetado (o temido), de nuevo imitado, de nuevo envidiado, ciertamente ha vuelto a tomar el *leadership*.

## Los fundamentos del poderío norteamericano

En aquella época, por lo tanto, una duda se instaló en algunas mentes. ¿Este renacimiento espectacular tiene realmente una base sólida, o lo debe todo a los talentos de prestidigitador de Reagan? ¿Debe sus éxitos, como proclama en todas partes, a las virtudes "ideológicas" y filosóficas del reaganismo, o se explica *sobre todo* por algunas cartas de triunfo específicas —por no decir privilegios— de que goza Estados Unidos? Plantear la pregunta así ya es responder a ella. Pues, en realidad, la "renovación" reaganiana, que fascinará a tantos dirigentes en el planeta, no es verdaderamente un milagro económico del estilo del que pueden enorgullecerse, por ejemplo, la RFA, el Japón y Corea del Sur. En el caso de Estados Unidos, el juego está un poco falseado, pues este país goza de verdaderos privilegios.

En primer lugar, goza de un activo financiero sin equivalente en el mundo, prodigiosa herencia económica, financiera y tecnológica, cuyos dividendos percibe, y que Reagan encuentra a su llegada a la Casa Blanca. Enumerémoslos:

—*El stock de capital*, en primer lugar, que Estados Unidos ha acumulado desde el fin de la guerra es incomparable. Dentro de sus fronteras, posee redes inmensas de infraestructuras, a menudo modernas: aeropuertos, autopistas, universidades, fábricas, patrimonio inmobiliario, etc. En el extranjero, sus multinacionales controlan activos financieros gigantescos, y fuertemente subvalorados por medio de una contabilidad a menudo establecida en términos de costos de adquisición, sin tener en cuenta las actuales revaluaciones. En consecuencia, en 1980, el stock de inversiones norteamericanas en el exterior se eleva a doscientos quince mil millones de dólares (Paul Mentré, *L'Amérique et Nous*, Dunod, 1989). Esta herencia, esas adquisiciones en capital, no solamente han proporcionado a Estados Unidos sustanciales rentas, sino que le permiten gozar de un buen margen de adelanto: en 1988, las inversiones directas de las empresas norteamericanas en el extranjero representaban aún, en stock, tres veces las de los japoneses.

—*Los recursos naturales* de Estados Unidos, en segundo lugar, están entre los más importantes del globo. Sus reservas energéticas, especialmente de gas natural y de carbón, son inmensas. Posee casi todos los metales, a excepción de algunos minerales estratégicos. Por último, la población estadounidense, cuarta del planeta por el número de habitantes, pero primera entre los países desarrollados, constituye una riqueza sin equivalentes en el mundo. Estados Unidos, en suma, está sentado sobre un montón de oro. Una posición obviamente más cómoda que la de Japón, por ejemplo, que no tiene ni materias primas, ni recursos energéticos y que, con una población que comienza a envejecer, carecerá cada vez más de mano de obra en su pequeño territorio.

—*En el aspecto tecnológico*, Estados Unidos goza de una ventaja comparativa igualmente importante. Los más grandes investigadores, los mejores ingenieros, los más brillantes estudiantes, van, con o sin Reagan, a trabajar en Estados Unidos. Aportan con ellos ese famoso capital que todo el mundo conviene en reconocer como el más precioso: la materia gris. Un detalle prueba, por sí solo, esta ventaja: el número de premios Nobel que se conceden regularmente a los científicos norteamericanos. Año tras año, el *brain drain* (drenaje de cerebros), o sea la atracción y reunión de los cerebros, alimenta a Estados Unidos en inteligencia. Porque Estados Unidos les permite expandirse: no es una ganancia circunstancial, sino una ventaja conquistada. Y cuyo alcance se subestima a menudo: todo el mundo sabe que el famoso misil Patriot lleva componentes japoneses, pero se ignora el hecho de que Sony no podría producir sus cámaras de vídeo sin los circuitos integrados de Motorola.

—*El privilegio monetario*, por lo tanto, se revela como determinante. Desde 1945 (acuerdos de Bretton Woods), en efecto, el dólar sirve de moneda de referencia en las transacciones internacionales. Es asimismo la principal moneda de reserva que acumulan los bancos centrales de la mayor parte de los países. Extraordinario privilegio imperial, el que permite a Estados Unidos pagar, prestarse y financiar sus gastos con su propia moneda. Un privilegio que, en la práctica, tiene mayor importancia de lo que parece. El economista norteamericano John Nueller lo explica sin rodeos (*Le Monde*, 10 de julio de 1990):

Imagínese por un instante que todas las personas que usted encuentra acepten en pago los talones girados por usted. Añada a eso que todos los beneficiarios de sus talones, así repartidos a través del mundo, omiten cobrarlos y se sirven de ellos como forma de moneda para cubrir sus propios gastos. Eso tendría, para sus finanzas, dos consecuencias importantes. La primera sería que, si todo el mundo aceptara sus talones, usted ya no necesitaría usar billetes de banco, le bastaría con su talonario. La segunda consecuencia sería que, al revisar su extracto bancario, tendría la sorpresa de descubrir la existencia de un saldo de dinero superior al importe de la suma no gastada por usted. ¿Por qué? Por el motivo expuesto antes, a saber: que los cheques girados por usted circularían, sin ser jamás cobrados, pasando incesantemente de mano en mano. En cuanto a los resultados prácticos, serían los de poner a su disposición más recursos para consumir y para invertir. Cuanto más los otros usaran sus cheques como moneda, más abundantes serían los recursos suplementarios de que usted dispondría...

Partiendo de ese razonamiento, Nueller estima que Estados Unidos ha podido disponer de *alrededor de quinientos mil millones de dólares* más de lo recaudado de los impuestos pagados por los contribuyentes norteamericanos, y de los préstamos suscritos por los ahorradores norteamericanos o extranjeros. Quinientos mil millones de dólares es el equivalente de alrededor de *treinta y un años* de ayuda pública estadounidense al Tercer Mundo (ésta se eleva, en efecto, a dieciséis mil millones de dólares anuales).

Ese privilegio monetario es de una importancia considerable. Pero se incrementa con algunos privilegios financieros que no son de menor importancia. Así, se estima en un billón doscientos mil millones de dólares la suma que circula cada día por las redes financieras norteamericanas. Es más que el producto bruto interno (PIB) anual de Francia. Por lo tanto Estados Unidos reina sobre el dinero. El suyo y el de los otros. El dólar es a la vez el signo y el instrumento de este poderío.

—*La hegemonía cultural*, por su parte, sobrevive a todas las vicisitudes de la historia estadounidense. Más aún, no deja de reforzarse. Como si la norteamericanización del planeta fuera un proceso irresistible, sacando su fuerza de su propio movimiento, superando sin languidecer las críticas o resistencias locales. Para miles de millones de personas en el mundo, y en China comunista quizá más que en ninguna otra parte, el acceso a la modernidad se identifica con el modo de vida y de pensamiento norteamericano. Esta hegemonía cultural se apoya en por lo menos tres factores, que son el idioma, las universidades y los medios de comunicación.

En cuanto al idioma, es evidente. *El inglés es un esperanto* casi universal en el mundo. Usado por los turistas, es cierto, pero sobre todo por los científicos y los hombres de negocios. Ningún producto en el mundo está tan solicitado como éste: el inglés, el idioma norteamericano, el del imperio... Lo que resulta más insoportable para los habitantes de Quebec, por ejemplo, es que los nuevos inmigrantes, que llegan de Latinoamérica o de Asia, quieran aprender el inglés y no otro idioma. Es más, existe actualmente, en el campo financiero o tecnológico, un lenguaje universal que no solamente usa el inglés, sino que forma su léxico a partir de los conceptos desarrollados en las universidades norteamericanas. Es realmente un conjunto de valores, de costumbres, de esquemas de pensamiento, que se encuentran difundidos permanentemente en todo el planeta.

El segundo instrumento de hegemonía cultural es, sin duda, el más poderoso. Corresponde a la influencia casi universal del sistema de enseñanza superior norteamericano. En efecto (Harvard, Stanford, Wharton, Berkeley, Yale, UCLA...) las que atraen a los mejores individuos llegados del mundo entero. La calidad de su enseñanza, sus recursos y su esplendor son tales que la elite internacional se encuentra allí. Esto no es solamente satisfactorio para el amor propio norteamericano, es prodigiosamente eficaz a largo plazo. Estados Unidos, en efecto, puede difundir al más alto nivel su cultura, sus valores, sus métodos, que los antiguos estudiantes extranjeros de Stanford o Berkeley propagarán una vez regresados a su país. En consecuencia, la mayoría de los nuevos dirigentes de los países latinoamericanos se han formado en esas universidades. Y su influencia comienza a ejercerse de manera positiva en favor del desarrollo económico de varios de esos países; México y Chile son los dos mejores ejemplos.

En cuanto a los jóvenes ejecutivos europeos, todos sueñan con el mágico "Master" que les abrirá las puertas de las mejores empresas. En materia de enseñanza económica, Estados Unidos goza siempre de un monopolio casi absoluto. Su eficacia es tal que, cada vez más, la cultura económica internacional simplemente ignora lo que no es norteamericano. Por lo tanto, la economía social de mercado a la alemana es casi desconocida por los responsables económicos, y en general por el gran público en todo el mundo.

Este privilegio cultural es globalmente, sin duda, más eficaz y más útil que lo que se imagina. Proporciona a Estados Unidos ventajas comparables a las de la riqueza minera de la Inglaterra del siglo XIX.

Instrumento complementario de la hegemonía cultural, por último, los medios de comunicación representan el más espectacular, el más conocido y por lo tanto el más criticado de los vectores de norteamericanización. No entremos aquí en el interminable debate que suscitan periódicamente —y no solamente en Francia— los defensores de la "cultura nacional" amenazada por la "subcultura norteamericana". Recordemos solamente una evidencia: en materia de televisión o de cine, la industria y los modelos estadounidenses simplemente se han impuesto en el mundo entero. Para lo mejor (a veces) o para lo peor (a menudo). Pero siempre para el mayor provecho de Estados Unidos.

En este terreno, la profesionalidad y la producción en serie han permitido a Estados Unidos imponerse en casi todos los mercados. El refuerzo de la leyes del mercado en materia de industria cultural, especialmente la privatización de los canales de televisión, favorece naturalmente a los norteamericanos en este aspecto. En efecto, en numerosos países los grupos privados de comunicación llamados multimedios se revelan, por definición, más sensibles a los imperativos de la rentabilidad inmediata que los antiguos monopolios estatales. Las series norteamericanas, vendidas siete u ocho veces más baratas de lo que costarían —por la misma duración— las producciones nacionales, gozan siempre de grandes ventajas. Sin hablar de las decenas de emisiones de entretenimiento, los innumerables juegos y concursos televisados que son producidos por las televisiones nacionales —y no comprados—, pero que están *directamente inspirados* en el modelo neoamericano.

¡Estados Unidos vuelve!

¿Pero realmente se había ido? Toda la ambigüedad reside en este punto. Una ambigüedad que explica la mayoría de los contrasentidos, las falsas interpretaciones —las ilusiones— sobre el reaganismo. En 1980, Estados Unidos realmente conocía una decadencia y un retroceso relativos. Pero las bases de su poder, las ventajas conquistadas en primer término por el carácter del pueblo norteamericano, y en segundo por los privilegios concedidos por la historia, estaban siempre allí. De manera que se adjudican un poco a la ligera a Reagan —y al reaganismo— los éxitos económicos que, a veces, se debían más a la situación misma de Estados Unidos que a la calidad de sus dirigentes o a la pertinencia de su política. ¡Extraordinaria ilusión óptica! Viviendo de lo adquirido, generalmente a crédito, aprovechando sus privilegios heredados y gozando de una supremacía cultural ya antigua, Estados Unidos pudo dominar sin dificultad la curva de los "años Reagan", mientras daba la impresión de que recuperaba, con grandes esfuerzos, su corpulencia.

Y el resto del mundo, aturdido, incrédulo o envidioso, asistía al acto de prestidigitación, imaginándose que se trataba de una receta milagrosa. ¿Milagro? ¿Milagroso el "reaganismo"? En realidad, la cuestión era saber si, con Reagan, los estadounidenses sacaban o no el mejor partido de su herencia; si continuaban haciéndola fructificar. Considerada con la perspectiva actual, la experiencia de los últimos diez años no es tan concluyente. Se puede incluso sostener que, en algún aspecto, los norteamericanos han dilapidado esta herencia. Y que la "primavera reaganiana" se parecía sobre todo a los últimos fuegos artificiales que arrojan los imperios decadentes. Fuegos que aplauden los espectadores de fuera, engañados por la ilusión de la potencia y la potencia de la ilusión.

Diez años después del retorno de su gloria, muchas esperanzas se apagan en Estados Unidos. El universo optimista de Mickey Mouse, el de la nave espacial, de la guerra de las galaxias y de las OPA (Oferta Pública de Compra) victoriosas, ya no es El Dorado que muchos aún imaginan. Detrás del decorado y los focos se esconde actualmente una realidad muy distinta.

## Capítulo 2

### AMERICA BACKWARDS:
### ESTADOS UNIDOS RETROCEDE [1]

Cerca del esplendor de la naturaleza más bella del mundo, al lado de los centros de negocios más prestigiosos, ¿qué es lo que impacta hoy al visitante de una gran ciudad norteamericana? La suciedad, la herrumbre, las inmundicias, las *degradaciones* de todo tipo. Los peatones deben pasar bajo andamios de chapa ondulada para protegerse no de las obras, sino de la caída de piedras de las fachadas. ¿Dónde ocurre esto? No en Praga, donde sin embargo uno se había acostumbrado a ello desde hace cuarenta años, sino en Nueva York, sí, ¡en la "ciudad de Nueva York"!

Degradación es la palabra. Un Estados Unidos nuevo y que se degrada. Físicamente, eso impacta al primer golpe de vista. Pero, apenas se observa un poco, se descubre también una degradación social. ¿Qué ha pasado para que, entre todos los países desarrollados, Estados Unidos haya llegado a ser el primero en el crimen y en la droga, y el último en las vacunaciones y la tasa de participación en las elecciones?

¿Cómo comprenderlo? ¿Cómo explicarlo? Como todos, siento la necesidad imperiosa de hallar una respuesta a estas preguntas turbadoras. Pero, en primer lugar, es necesario mirar y comparar.

¿Degradación de las grandes ciudades norteamericanas? Las dos capitales están casi en quiebra.

A fines de 1990, le faltaban a la ciudad de Washington 200 millones de dólares para completar su presupuesto; Washington, cuyo antiguo alcalde, Marion Barry, fue condenado en agosto a seis meses de prisión por posesión y uso de droga. El nuevo alcalde de Nueva York, el honorable David Dinkins, se vio obligado, para reducir el enorme déficit presupuestario de la ciudad, a despedir, a partir del verano de 1991, a 30.000 funcionarios municipales, entre ellos 4000 profesores, o sea el 10 % de los efectivos permanentes. Debe

---

[1] Numerosas cifras y desarrollos de este capítulo se han extraído de un estudio de Christian Morrison, profesor de la Universidad de Paris I Panthéon - Sorbonne.

también insultar a los manes del emperador romano Vespasiano, cerrando todos los baños públicos, todos los centros de tratamiento de drogadictos (cuando Nueva York cuenta con más de 500.000 toxicómanos sobre 7 millones de habitantes), así como la mayor parte de los albergues destinados a las 80.000 personas sin hogar. Sin hablar del zoológico de Central Park, ni de las treinta piscinas municipales. Sin hablar de la iluminación urbana, que será reducida en un tercio cuando la criminalidad está en constante aumento, ni del programa de reciclaje de la basura doméstica que será suspendido durante un año. La casi totalidad de las grandes ciudades norteamericanas se encuentran en situaciones análogas.

Y después, esos aeropuertos mal mantenidos; esos barrios leprosos del Bronx, de South-Dallas, de otras partes, donde se exhibe una miseria extrema de la que los franceses o los alemanes han perdido hasta la memoria; esos nuevos *homeless* (sin hogar) de San Francisco, quienes, a pesar de tener un empleo regular, no son capaces —gracias a la especulación inmobiliaria— de pagar un alquiler y viven... en sus automóviles; esas grandes ciudades ("ciudad" no es verdaderamente la palabra exacta; H. G. Wells las designaba como *uncities*, "no ciudades") como Houston, Washington o Los Angeles, asoladas por la "guerra del crack" y la delincuencia; esos guetos negros, de nuevo en efervescencia como en los años sesenta ("Los negros pagan la factura de los años Reagan —proclama el conocido productor cinematográfico Spike Lee—. Todo el movimiento de los derechos cívicos ha sido destruido").

Y, de hecho, la criminalidad norteamericana —sobre todo negra— ha aumentado en proporciones vertiginosas. En Nueva York se registran cinco asesinatos *cada día*, pero hay una decena de ciudades que son todavía más homicidas. En Washington, la nueva alcaldesa, señora Sharon Pratt Dixon, habrá podido constatar al tomar posesión del cargo que la ciudad, con 483 asesinatos en 1990, había batido por tercer año consecutivo su propio récord. Sólo en el año 1989 se registraron 21.000 asesinatos en todo el país (se preveían 23.000 para 1990). Hoy, más de un millón de ciudadanos estadounidenses están en prisión, y más de tres millones, bajo control judicial.

En diez años, la población penal americana casi se ha triplicado superando ahora en un 30 % la tasa récord de Sudáfrica (4,26 % contra 3,33 %) ¿Qué palabra habrá que inventar para designar ese "Gulag"? ¿Qué le pasa, pues, a Estados Unidos?

Otra cosa: incluso si, como hemos visto, las multinacionales norteamericanas continúan invirtiendo con éxito en el mundo entero, ¡qué cambio desde hace veinte años, desde la época del "desafío norteamericano"! Hoy, cada mes, la prensa anuncia que un nuevo edificio símbolo (¡el Rockefeller Center!), un nuevo estudio de Hollywood o una sociedad acaban de ser comprados por los japoneses (como MCA adquirida por el grupo Matsushita, o CBS por Sony). Por otra parte, la NASA y su trayectoria espacial, todavía ayer símbolo de una prodigiosa aventura —una "nueva frontera"— lanzada por John Fitzgerald Kennedy, hoy acumula disgusto tras disgusto. Y Hubble, el fabuloso telescopio espacial lanzado a precio de oro el 24 de abril de 1990, que se ha revelado, por negligencia de sus constructores, miope e irreparable. También en los aeropuertos se multiplican las dificultades con los aviones, las pérdidas —o los robos— de equipajes.

En cuanto a los magníficos *golden boys* del período Reagan, esos jóvenes superdotados de las finanzas, que lucían trajes de 2000 dólares y eran capaces de hacer fortuna en tres meses, están en la ruina. O en prisión. La mayor quiebra de todos los tiempos es la de las cajas de ahorro (Savings and Loan), que habían hecho espectaculares movimientos en la Bolsa, y dejaron un agujero del que nadie sabe si no alcanzará los quinientos mil millones de dólares, o sea el equivalente de, por lo menos, 10.000 francos por cada norteamericano. A pagar por el conjunto de los contribuyentes. ¿Qué le pasa a Estados Unidos? En su libro *Naissance et Déclin des grands puissances* (Payot, 1989), el historiador Paul Kennedy no vacila en escribir que Estados Unidos, como el imperio de los Habsburgo en el siglo XVII o la Inglaterra de fines del siglo XIX, ha entrado en una etapa de decadencia histórica.

¿Decadencia histórica? El pronóstico es quizás exagerado.

En cualquier caso, el debate está abierto. El analista político Joseph S. Nye Jr. (*Bound to Lead. The changing nature of american power*, Basic Books, 1990 —ver J. M. Siroen, análisis de la SEDEIS, enero 1991) toma la posición contraria a la de Kennedy:

—Estados Unidos es el único país que tendrá una posición fuerte en todos los terrenos (militar, económico, técnico, recursos naturales...).

—Domina sin competencia el espacio, las comunicaciones, la cultura y el lenguaje científico: ¿dónde están los premios Nobel japoneses?

—¿No es, por otra parte, turbador constatar que, en Occidente, la tesis de la decadencia haya sido más aplicada, por los mejores cerebros, a veces anticomunistas, en Estados Unidos que en la Unión Soviética? (¡En Francia, naturalmente, el conciudadano de Sartre se siente más bien ajeno!)

No obstante, Nye aísla un elemento común a todas las decadencias que es la incapacidad de los gobiernos para dominar los déficit del Estado, es decir, para hacer aceptar los impuestos. Todo pasa en la actualidad como si los privilegios que su país heredó equivalieran, en la mente de los ciudadanos americanos, a una exoneración fiscal permanente.

Ahora bien, si hay actualmente una cosa difícil de hacer aceptar a los norteamericanos es sobre todo el aumento de los impuestos. No olvidemos la lección de Walter Mondale, el candidato demócrata, quien en 1984 no había podido evitar el mensaje de que quizás habría que aumentar algún día ciertos impuestos. Fue vencido en cuarenta y nueve estados sobre cincuenta.

Yo tengo, por mi parte, tendencia a pensar que la frontera que separa a un país en situación de progreso de un país en decadencia está representada, en gran medida, por la preferencia por la construcción del futuro por un lado, el goce del presente por el otro. Ahora bien, esta preferencia se mide, como veremos, por los impuestos, los préstamos y la tasa de interés.

Sea como fuere, decadencia histórica o no, hay un cierto *desarrollo* norteamericano. Hasta el punto de que la meditación melancólica, estoica o tranquilizadora sobre la decadencia norteamericana, se ha convertido, según el economista Bernard Cazes, en una "industria floreciente". Del mismo modo, los libros vertebrados en torno a profecías apocalípticas son actualmente *best-sellers* en Estados Unidos. ¡Como en Moscú! Los abogados especializados en quiebras, por su parte, nunca han trabajado tanto. Las nuevas

FUENTE: *Le Monde*, 20 de octubre de 1990, pág. 2.

películas de moda —como *Ghost, Pacific Heights, Desperate Hours*— evocan, todas, lo que es revelador, el terror de los estadounidenses amenazados de perder... su casa, porque no pueden pagar los intereses de sus préstamos.

En cuanto a la reciente extensión del flagelo de la droga, favorecida por la aparición del "crack" (un derivado muy barato de la cocaína), es vertiginosa. En la primavera de 1988, una encuesta minuciosa revelaba que veintitrés millones de norteamericanos habían consumido droga en los treinta días precedentes. Entre ellos, seis millones se entregaban más o menos regularmente al consumo de cocaína, y 500.000 al de la heroína. Entre los escolares de enseñanza primaria y secundaria, uno de cada dos fumaba marihuana, y uno de cada 3 aspiraba cocaína. Ese mismo año, el *National Narcotics Intelligence Consumers Committee* (NNICC) evaluaba en veintidós millones de dólares las ventas al por menor solamente de cocaína en Estados Unidos y —marginalmente— en Europa. En un voluminoso estudio hecho público el 9 de enero de 1991, el Organo Internacional de Control de Estupefacientes (OICS), que depende de las Naciones Unidas y cuya sede está en Viena, evalúa en *60 mil millones de dólares por año* (seis veces más que en 1984) el costo socioeconómico del abuso de drogas en Estados Unidos. Es verdad que el mismo informe estima que el consumo de droga había comenzado a decrecer en Estados Unidos. Y el presidente George Bush se felicitó por la eficacia de las medidas muy rigurosas aplicadas. Pero las cifras siguen siendo elevadas. Además, el informe indica que el consumo de anfetaminas continúa creciendo. Todos esos estudios atestiguan el desarrollo norteamericano.

Ese desarrollo no afecta solamente a los individuos tomados aisladamente y atrapados en toda clase de terrores, desde la inseguridad a la droga, la desocupación, el sobreendeudamiento y el odio racial. Parece apoderarse de Estados Unidos mismo, tomado globalmente, que ve actualmente agrietarse el *American dream*, ese gran "sueño norteamericano" que, desde los peregrinos del *Mayflower*, lo impulsaba hacia adelante. Asimismo, el *melting pot* (crisol) donde debían fundirse, asimilándose, los inmigrantes llegados de la Tierra entera, no es más que un lejano recuerdo. El Estados Unidos de los años noventa está en el camino de lo que ya se llama una "neotribalización". En una palabra, las diferentes comunidades, lejos de asimilarse, se atrincheran progresivamente en sus diferencias, sus idiomas, sus culturas.

Por otra parte, actualmente, todo el mundo se atrinchera. La primera vez que fui a Estados Unidos, en 1960, me había impresionado la constatación de que las puertas jamás se cerraban con llave, incluso cuando se salía de vacaciones durante quince días. Era inútil hacerlo: no había prácticamente robos, ni siquiera en la ciudad. La última vez comí en Nueva York en un edificio que da sobre el Central Park y en el que, para setenta y cinco departamentos, los arrendatarios pagan veinte guardias presentes día y noche en cuatro equipos de cinco.

Estas son las imágenes brutales, sorprendentes, inquietantes, que todo visitante relata actualmente de un viaje a Estados Unidos. Queda por intentar comprender qué ha pasado realmente en diez años. Tras los focos deslumbrantes de la era Reagan.

## Estados Unidos cortado en dos

En esta sociedad norteamericana dislocada, una nueva noción aparece bajo la pluma de los periodistas, sociólogos o especialistas en asuntos criminales: el *dualismo*. Una noción que parecía hasta ahora reservada a los observadores del Tercer Mundo, y que servía especialmente para describir determinadas sociedades como Brasil o Sudáfrica. El dualismo es el corte, la segregación fáctica, el *"apartheid* económico" en vigor en una sociedad que se mueve definitiva y cruelmente "en dos velocidades". Una sociedad donde las diferentes categorías de población viven, de hecho, en dos planetas diferentes que cada año se alejan un poco más uno del otro. Ahora bien, aquel dualismo se *generalizó* en Estados Unidos, especialmente bajo el efecto de la política ultraliberal de Reagan. Dualismo entre ricos y pobres, es cierto, pero también entre las grandes universidades y un sistema escolar deteriorado; dualismo entre los hospitales y clínicas ultramodernos, y toda una infraestructura hospitalaria tan costosa como ya superada; dualismo industrial, en fin, que aísla a las industrias punteras —muy a menudo ligadas al presupuesto de Defensa— que colocan a Estados Unidos en el pelotón de vanguardia, y que contrastan con los retrasos acumulativos de otros numerosos sectores.

El resultado más importante del liberalismo reaganiano ha sido probablemente el aumento de la separación entre ricos y pobres. Esto se pretendió que fuera el "precio a pagar" para "devolver su vigor" a Estados Unidos. Un precio muy elevado para un resultado económico mediocre. Pero, sobre

**Desigualdades de la distribución de las rentas familiares 1947-1986 (coeficiente de Gini*)**

*. El *coeficiente de Gini*, comprendido entre 0 y 1, mide la desigualdad de la distribución de las rentas en la sociedad. Para un valor (teórico) nulo del coeficiente, la distribución de las rentas es perfectamente igual; un alza del coeficiente corresponde a una mayor desigualdad en la distribución de las rentas.

FUENTE: US Bureau of Census.

todo, a pesar de la recuperación, y contrariamente a lo que esperaban los teóricos del *supply side*, el número de pobres no ha disminuido en el curso de los últimos diez años. Incluso ha aumentado ligeramente, mientras se *triplicaba* el número de los millonarios en dólares. En cuanto a los ingresos de los 40 millones de norteamericanos más pobres, se calcula que *han disminuido en un 10 %* en diez años. Y, si se define como "pobres" a todos los que disponen de ingresos inferiores a la mitad del promedio nacional, entonces se constata que la población norteamericana cuenta actualmente con un 17 % *de pobres*, frente a 5 % en la RFA y los países escandinavos, 8 % en Suiza y 12 % en Gran Bretaña. Algunos expertos, que discuten esa forma de cálculo, estiman incluso que los pobres representan, en realidad, el *20 % de la población estadounidense*. Un récord para los países industrializados. Y estas estadísticas no toman en cuenta a los inmigrantes clandestinos, cada vez más numerosos, especialmente en California.

Un estudio más exhaustivo, basado en las cifras oficiales del *Congressional Budget Office*, publicado en 1989, llegaba a las siguientes conclusiones: "La brecha entre norteamericanos ricos y pobres se ha ensanchado hasta tal punto durante los años ochenta que los dos millones y medio de ricos van a percibir, en 1990, prácticamente el mismo volumen neto de ingresos que los cien millones de personas que se encuentran en la base de la pirámide".

Nadie se asombrará, en esas condiciones, de que se multipliquen en todas partes de Estados Unidos escenas dignas de algunas repúblicas del hemisferio sur: pequeñas villas miseria colindando con suntuosas mansiones, filas de parados alineados en las aceras a dos pasos de las tiendas de lujo insolente, miserables sin hogar taconeando para calentarse los pies en los quicios de las puertas, en medio de cubos de basura rotos y papeles grasientos. La clase media, por su parte, esa famosa *middle class* que fue el orgullo de Estados Unidos y su mejor factor de estabilidad, ve *disminuir* sus efectivos año tras año. *Nueva geografía social: pobres más pobres frente a ricos más ricos.* ¿Qué le ha pasado a Estados Unidos?

Naturalmente, "este dualismo entraña un germen de tensiones sociales, una lucha de clases" anárquica y esporádica de la que, allá lejos, en Moscú, los jóvenes diplomados soviéticos convertidos recientemente al liberalismo reaganiano no tienen la menor idea. Los ricos norteamericanos se quejan, en efecto, de la inseguridad creciente en las grandes ciudades, y de esta "degradación del entorno" que entraña *ipso facto* la multiplicación de pobres. Como es lógico, las empresas de servicios de vigilancia, guardajurados y guardaespaldas, representan uno de los raros sectores en plena expansión, mientras que las ventas de armas de fuego baten todos los récords. Endurecida, inquieta, la sociedad estadounidense se arma hasta los dientes. En una encuesta realizada en 1990 por el semanario *Time* en Nueva York, el 60 % de las personas consultadas confesaron que se preocupaban *todo el tiempo* o *a menudo* por los crímenes, y el 26 % sólo raramente. En esa misma encuesta,

FUENTE: *Cabu en Amérique*, Ed. du Seuil, 1990, pág. 139.

el 68 % respondió que la calidad de vida es inferior que hace cinco años. En Nueva York, es tal la inseguridad que apareció un nuevo negocio: la venta de carteras y ropa interior antibalas para niños. Es necesario saber que, en las ciudades norteamericanas, la tasa de homicidios de jóvenes es de *cuatro a setenta y tres veces* más elevada que en... Bangladesh, uno de los países más pobres del planeta.

Visiblemente, los "ricos" atrincherados en sus mansiones tienen dificultades para admitir que ya no viven en un país comparable a Suecia o a Suiza, sino, cada vez más, en una especie de tercer mundo más desarrollado que otros, pero que se vuelve igualmente carente de igualdad.

Un tercer mundo lleno de ricos, donde la noción de justicia social sería considerada como subversiva, casi indecente, siendo el único sustituto aceptable la "lucha contra la pobreza" por medio de la caridad. Un mundo donde la generalización de la Seguridad Social sería interpretada como una expedición punitiva contra las clases dirigentes.

## *"La hoguera de las vanidades"*

Publicada en 1987 en Estados Unidos (traducción francesa en setiembre de 1988), una novela de Tom Wolfe, *La hoguera de las vanidades*, ilustra perfectamente los temores y las fatalidades de este nuevo Estados Unidos preso del "dualismo". ¿Qué cuenta? Una historia de la que todos los norteamericanos le dirán a usted que "corresponde" perfectamente a la realidad de los años ochenta. Tom Wolfe, por otra parte, ha sido el inventor del *new journalism* estadounidense. Su novela huele a reportaje. Un joven ejecutivo que ha ido a buscar a su amante, Maria, al aeropuerto Kennedy, vuelve con ella a Nueva York. Se hace de noche y, al aproximarse a un cruce de diferentes autopistas a distintos niveles, se equivoca de carril. Como los automóviles marchan muy pegados entre ellos, no puede cambiar de carril, y debe salir en el Bronx al volante de su Mercedes de 48.000 dólares. Se pierde, da vueltas hasta el momento en que ve una rampa de acceso a la autopista. Vacila, pues no corresponde a la dirección que él quiere. "¡Qué importa", le dice Maria, "al menos es la civilización!". Pero, sobre la rampa, un montón de neumáticos lo obliga a detenerse. Sale para despejar el camino cuando dos jóvenes negros se dirigen hacia él. Presa del pánico, McCoy lanza un neumático hacia el primero, quien se lo devuelve, luego salta al automóvil donde Maria, aterrada, ha tomado el volante. Ella zigzaguea entre neumáticos y cubos de basura para escapar de la trampa, oye un ruido en el parachoques trasero, el segundo negro no se ve ya, y alcanzan la autopista.

Cuando ve a Maria un poco más calmada, McCoy le habla de ese ruido y le propone avisar a la policía. Llegados al departamento donde acostumbran encontrarse, él insiste. "Quizás hemos herido a ese tipo", le dice, "hay que informarlo". Pero Maria explota. "Voy a decirte lo que ha pasado. Vengo de Carolina del Sur y te lo diré en inglés, textualmente. Dos negros han intentado matarnos en esa jungla, hemos salido de esa jungla y todavía respiramos, y eso es todo." Por debilidad, y porque quiere esconder esta relación a su esposa, McCoy renuncia a avisar a la policía. Su destino está decidido. Es inocente, pero es rico y blanco. Debe expiar todo el odio acumulado contra las personas de su clase.

De hecho, el joven negro atropellado por el Mercedes, Henry Lamb, morirá un año más tarde sin haber recobrado jamás el conocimiento. La policía va a buscar al propietario de ese automóvil. Maria mentirá, negándose a reconocer que ella iba al volante, y el otro negro dará un falso testimonio, culpando a McCoy. Este se convertirá en el centro de un combate despiadado, conducido por tres hombres encarnizadamente empeñados en destruirlo: un pastor negro del Bronx, el fiscal municipal de ese barrio y un periodista inglés. Cada uno de ellos tiene sus razones para querer hacer condenar a un blanco rico, o, en el caso del periodista, explotar un negocio redondo: el rey de las acciones de Wall Street ha asesinado a un joven negro, y huido.

El telón de fondo de toda esta novela es la oposición abismal entre, por un lado, el lujo y el poder, y por el otro, la miseria sórdida y la carencia absoluta del Bronx. McCoy se matriculó en la Universidad de Yale, gana centenares de miles de dólares por año, posee un departamento suntuoso de tres millones de dólares. Cuando sale de su casa, cada mañana, bajo el palio que corona la entrada, puede ver una alfombra de tulipanes amarillos pagada por los vecinos del Park Avenue. El mismo lujo en el quincuagésimo piso del edificio de vidrio donde trabaja. Como todos los *golden boys*, se siente dueño del universo. En el otro extremo, está el Bronx con sus millares de jóvenes negros drogados o *dealers* (vendedores de droga) acampando en las escaleras de los edificios, donde pasa de todo, droga, sexo, violencia... Aquí, cuando uno se muda, hay que contar que los vecinos acuden a robar una parte de los muebles. Pero el joven Henry Lamb, aplastado por el Mercedes de McCoy, era la excepción. Alumno aplicado, llegó, a los dieciocho años, a saber leer correctamente, lo que basta para entrar al City College de Nueva York. Entre Park Avenue y el Bronx, el contraste es tan vertiginoso como entre Soweto y los jardines con piscinas en las afueras de Johannesburgo. Solamente los maestros, los policías y los jueces del Bronx representan el nexo entre esos dos mundos; jueces que no se atreven a alejarse más de doscientos metros del tribunal, y viven mediocremente de sus magros salarios.

Acorralado entre la prensa y la política, convertido en símbolo y chivo expiatorio, McCoy, el rico y seductor McCoy, zozobrará en la aventura. Como zozobraron a partir de ese momento muchas vanidades norteamericanas.

Es cierto que las desigualdades no surgieron ayer en Estados Unidos, y que la miseria del Bronx existía mucho antes de Reagan. Pero este dualismo formidable que separa actualmente a ricos y pobres, exacerbado en los años

ochenta, parece literalmente haber *cambiado de naturaleza*. En su último libro
—*The Politics of Rich and Poor*—, que fue un *best-seller*, Kevin Phillips considera acabado el tiempo en el que los ricos podían enriquecerse impunemente
sin suscitar ninguna reacción. No le parece inimaginable que, algún día, las
revueltas populares sacudan gravemente a Estados Unidos. La misma
hipótesis fue abordada el 4 de mayo de 1990 por la revista británica *The
Economist* en un artículo largo y documentado. ¿Qué le ha pasado a Estados
Unidos?

## Enseñanza enferma, salud enferma, democracia enferma

El mismo dualismo de consecuencias amenazantes caracteriza actualmente a sectores enteros de la sociedad norteamericana. Incluidos algunos
de aquellos que, aún ayer, constituían su fuerza y mantenían su vitalidad.

FUENTE: *Punch*, 7 de setiembre de 1990, pág. 23.

Solamente dos palabras —dos hechos— sobre lo que probablemente sea
lo más importante: las enfermedades de la democracia estadounidense.

Primer hecho: la participación de los ciudadanos norteamericanos en las
elecciones es la más baja de todas las democracias occidentales; la tasa de
abstención, cualesquiera que sean las elecciones, representa los dos tercios
del electorado, con una práctica exclusión de hecho de las categorías sociales
menos favorecidas, como si éstas estuvieran inhibidas, alienadas, hasta  el
punto de no comprender siquiera que cada elección decide un poco su suerte.
Se da aquí un nuevo fenómeno que, por su amplitud, afecta a la mayoría de
los países occidentales, y que parece ligado a varias características surgidas
del modelo neoamericano: antes, los pobres se rebelaban; hoy, embrutecidos

por el opio de su miseria ordinaria, no mediatizable, ni siquiera votan ya.

Segundo hecho: desde la antigüedad, se reconocía a un país civilizado por el hecho de que sabía contar su población (recordemos el censo de Herodes citado en los Evangelios); ahora bien, parece atribuible a un cierto retroceso del civismo el que del 10 % al 15 % de la población norteamericana supuestamente en situación legal ¡incluso no sea censada!

En materia de educación, la situación es casi increíble. Es cierto que, si se considera solamente la educación terciaria (*graduate education*), el sistema estadounidense sigue siendo el mejor del mundo. Es en Estados Unidos donde se publica, cada año, *más de la tercera parte* de los artículos científicos. De 1976 a 1986 Estados Unidos ha duplicado el número de sus investigadores. Seguramente, las grandes universidades norteamericanas que practican una selección rigurosa siguen estando a la altura de su reputación. Disponen, por otra parte, de medios financieros y humanos que todos los países del mundo pueden envidiar a Estados Unidos.

Pero este sistema educativo prestigioso —y costoso para las familias— coexiste, en la enseñanza primaria y secundaria, con un sistema escolar muy mediocre. Encuestas recientes encaminadas a evaluar el grado de conocimientos científicos de los alumnos de diez, trece y diecisiete años, han revelado que Estados Unidos se situaba *en la última posición* entre los países industrializados. Después de los dieciséis años, la mayoría de los alumnos norteamericanos no siguen ninguna enseñanza científica. Y, en las otras disciplinas, no son casi nada mejores. En geografía, los alumnos de dieciocho a veinticuatro se clasifican en el último puesto en una muestra de ocho países. Que no nos asombre, en esas condiciones, que el 45 % de los estadounidenses adultos se muestre incapaz de situar Centroamérica en un mapa, y que la mayoría de ellos no sepa dónde se encuentran Gran Bretaña, Francia o Japón. En otro terreno, más vital todavía, uno no puede dejar de sorprenderse al enterarse de que el 40 % de los jóvenes norteamericanos que ingresan, a los dieciocho años, en los *colleges*, reconocen que no saben leer correctamente.

¿En qué país el porcentaje de los analfabetos es más elevado? ¿En Portugal o en el Reino Unido? Respuesta: en el Reino Unido. ¿En Polonia o en Estados Unidos? Respuesta: en Estados Unidos.

¿Cómo es posible? La respuesta no está clara. Las nuevas ideas, según las cuales cuando el mercado marcha bien todo funciona, no explican ya nada.

¿Sí o no? ¿La calidad general de la enseñanza constituye, para cualquier país, un valor en sí mismo? Si se cree así, ¿por qué la de Estados Unidos se ha deteriorado tanto durante los últimos años, si no precisamente porque ese deterioro es sólo un aspecto más del modelo económico neoamericano en el que está incorporada? Ahora bien, en Europa también se observa que la enseñanza pública comienza a deteriorarse, y especialmente en los países considerados como los más desarrollados: Reino Unido, Francia, Italia. Precisamente en aquellos países europeos que, al no pertenecer al modelo renano, son los más permeables al modelo neoamericano.

Este dualismo entre una enseñanza de muy alto nivel, reservada a una pequeña minoría, y un sistema primario o secundario en quiebra, distingue en efecto radicalmente a Estados Unidos de países como Japón o Alemania. En estos últimos, la mayoría de los alumnos se clasifican cerca del promedio, y los resultados muy malos son prácticamente desconocidos. Es verdad que, al otro lado del Atlántico, la selección sólo se practica por apenas 200 colegios y universidades sobre 3600. En cuanto al trabajo realizado "en casa", todas las encuestas indican que en Estados Unidos rara vez supera una hora al día, ¡ante tres horas de promedio mirando la televisión! Se está lejos, cada vez más lejos, de un Estados Unidos prototipo de la sociedad moderna, ávida de aprender.

La degradación del sistema de enseñanza norteamericano se consideró lo bastante grave como para que, en 1983, Ronald Reagan decidiera crear una comisión nacional, que eligió para su informe un título muy directo: *A nation at risk* (*Una nación en peligro*). En él se revela que el nivel de enseñanza norteamericano es actualmente *inferior* al de 1957, en el momento en que el lanzamiento del primer Sputnik por los soviéticos había conducido a Estados Unidos a interrogarse sobre sus propias capacidades.

En 1990, una decena de especialistas, reunidos en la Universidad de Columbia por la American Assembly fundada por Eisenhower, publicaron su informe (*The global economy - American's role in the decade*, Norton, 1990). Entre las conclusiones, hay tres que merecen ser destacadas: "El sistema de educación norteamericano está al borde de la ruina"; la tasa de ahorro en Estados Unidos es escandalosamente baja; lo que es lógico, puesto que la administración Reagan "ha presentado, de manera repetida, el déficit comercial como una señal de vigor económico".

¿Estados Unidos sigue siendo, a pesar de todo, *la* sociedad saludable por excelencia, como encarnada por esos adolescentes de mejillas sonrosadas y constitución atlética que muestran los anuncios publicitarios? Ya no es así. El mismo dualismo, empeorado por el reaganismo, afecta hoy —y gravemente— al conjunto del sistema sanitario americano. Globalmente, claro, Estados Unidos es, de todos los países de la OCDE ,* el que gasta más para la salud (con más del 10 % del PIB). Muchas clínicas y hospitales americanos están considerados entre los mejores del mundo en su especialidad. Lo mismo ocurre en materia de investigación médica, de medicamentos y de nuevos tratamientos. Estados Unidos sigue estando en términos generales a la cabeza.

Pero esos logros puntuales no deben hacer olvidar un estado general del sistema bastante más desastroso de lo que cabe imaginarse. Al respecto, algunas estadísticas recientes pueden producir un sobresalto. En cuanto a la *mortalidad infantil*, Estados Unidos, con una tasa del 10 % (el doble de la japonesa), se clasifica actualmente en el vigésimo segundo lugar del rango

* Organización de Cooperación y Desarrollo Económico. [T.]

mundial. Y la alta mortandad de algunas minorías étnicas no basta para explicar este atraso. Incluso entre los lactantes blancos, en efecto, existe una distancia notable en relación con un buen número de países desarrollados. Respecto a la *vacunación,* las tasas norteamericanas son, en promedio, inferiores al 40 % de las de otros países industrializados, e incluso más bajas que las de algunos países en vías de desarrollo. En cuanto a la *tasa de embarazadas* entre las adolescentes (de 15 a 19 años) es del 10 %, diez veces más alta que en Japón.

Todas estas cifras reflejan la descomposición familiar y la extensión de la pobreza en una sociedad cada vez más atomizada y más dura. Así, Estados Unidos se clasifica actualmente a la cabeza en cuanto al porcentaje de niños menores cuyos padres se divorcian. Por otra parte, una quinta parte de los niños norteamericanos viven por debajo del umbral de la pobreza, y, en 1987, 12 millones de niños no estaban cubiertos por ningún seguro de enfermedad. O sea, un aumento del 14 % desde 1981. Es cierto que en Estados Unidos no existe un sistema de asistencia sanitaria generalizada, y que el gasto público en salud (41 %) se sitúa en el nivel más bajo de todos los países de la OCDE.

¿Cuál fue, en este aspecto, la política reaganiana? En nombre de la restauración de las estructuras familiares, se opuso ferozmente a todo sistema de seguridad social. Esta es la razón de que la mitad de los empleados de las PYME no goce de ninguna protección social y, para ellos, el plazo *medio* de despido sea de... ¡dos días!

En cuanto a la reducción drástica de los presupuestos y programas sociales, no hizo más que agravar una situación global que resultaba ya poco envidiable. Hoy, el peor déficit que sufre un Estados Unidos que está, sin embargo, acribillado de deudas, no es un déficit financiero sino social. Un déficit que ninguna caridad o compasión individual es capaz de corregir. Por querer "revigorizar" demasiado al Estados Unidos de los triunfadores, el equipo de Reagan lo arrojó realmente a la zanja de la historia, la de los "perdedores", o simplemente la de los norteamericanos "medios". Ya que no se ocupó de lo "social", ¿el reaganismo al menos restauró la economía? ¡Ay...!

## La industria en retroceso

La industria norteamericana está en retroceso. La única objeción a esta constatación es la importancia de la producción de las multinacionales norteamericanas en el exterior (20 % ante el 5 % de los japoneses), pero, incluso en este aspecto, ¡qué cambio desde hace un cuarto de siglo! En 1967, Jean-Jacques Servan-Schreiber comenzaba el primer capítulo de su *best-seller Le Défi américain (El desafío americano,* Denoël) con esta frase: "La tercera potencia industrial mundial, después de Estados Unidos y la URSS, podría muy bien ser dentro de quince años, no Europa, sino *la Industria Americana en Europa*". Desde esa época, el flujo de las inversiones a través del Atlántico ha cambiado de dirección, cada año más.

El 24 de setiembre de 1990, la revista *Fortune* publicaba un artículo de título espectacular: "¿Hacia la desaparición del *made in USA*?".

Durante los "años Reagan", la mayoría de los 18 millones de nuevos empleos creados lo fueron *no en la industria* sino en el sector terciario. El de los servicios. Pequeños oficios precarios, generalmente en la hostelería, el comercio y, sobre todo, los servicios de vigilancia... La industria, por su parte, perdía simultáneamente dos millones de empleos y conocía déficit comerciales récord. En numerosos sectores, había sido alcanzada, y hasta aplastada, por los japoneses. En los automóviles, por ejemplo, un gigante como General Motors anunciaba, en el tercer trimestre de 1990, pérdidas de dos mil millones de dólares. Ford registraba sus "peores resultados desde 1982", y Chrysler, cada vez en peor situación, acumulaba en tres meses 214 millones de dólares de pérdidas suplementarias. En total, el déficit comercial de la industria automovilística norteamericana se elevaba a los sesenta mil millones de dólares.

Es cierto que es conocida la extraordinaria capacidad que tiene Estados Unidos para sacar partido de una dificultad, para extraer fuerzas de un fracaso. Pero hay plazos incomprensibles, y la cuestión de los plazos no se plantea más que a partir del momento en que se vuelve a partir en el buen sentido. No ha sido el caso. En el mismo momento en que la guerra del Golfo acababa de terminar, el Consejo Americano de Competitividad, compuesto por responsables de los medios industriales y universitarios, anunció que, para 15 de las 94 tecnologías clave en los años venideros, Estados Unidos no estaría ya presente en la escena internacional de aquí a 1995. No se consideran ya competitivos más que para 25 de esas 94 tecnologías. No es una casualidad que los famosos misiles Patriot no hubieran podido cumplir su misión sin determinados componentes japoneses... Aquí, una vez más, aparece la noción clave del futuro a largo plazo. Las proezas del ejército norteamericano en el Golfo en 1991 se deben a decisiones tomadas en los años sesenta y setenta.

Desde esa época, se ha sacrificado cada vez más el futuro al presente, el largo plazo al corto plazo. Es gracioso ver cómo incluso un hombre como Carl Icahn se ve forzado a admitirlo. Carl Icahn, el pionero de los *raiders* que compró TWA, condena en efecto la atmósfera de casino de la economía estadounidense a la que ve fluctuar por encima de sus medios. "La infraestructura se desmorona —dice—, ya no se construye, ya no se mantiene más." E Icahn compara a Estados Unidos con una granja donde la primera generación ha plantado, la segunda ha cosechado y la tercera ve llegar al juez que viene para embargarla. Es lo que comienza a pasar en Estados Unidos con los japoneses.

La calidad de la producción y de la eficiencia también está en relativa regresión. A comienzos de noviembre de 1990, doscientos ejecutivos, todos ellos pertenecientes a firmas norteamericanas proveedoras de piezas a Toyota, debieron escuchar a uno de los dirigentes de la firma japonesa darles algunas informaciones turbadoras. Por ejemplo ésta: el porcentaje de las piezas defectuosas de las fábricas norteamericanas es actualmente *cien veces más elevado que en Japón*. Y los constructores estadounidenses se encuentran, cada vez más, obligados a concluir alianzas con los japoneses o los europeos a fin de *importar su eficiencia*.

El mismo fenómeno se detecta en la industria aeronáutica, donde, a

**LOS JAPONESES COMPRAN AMERICA**

*TRADUCCION:*
*¡....Y GRACIAS A ESOS 30 MILLONES DE POBRES, NOS HAN HECHO UNA REBAJA!*

FUENTE: *Cabu en Amérique*, Ed. de Seuil, 1991, pág. 246

pesar de la importancia incomparable de la ayuda procedente directa o indirectamente de los mandos militares del Pentágono, el retroceso de las grandes empresas norteamericanas ha permitido a los europeos, con Airbus, apropiarse del 30 % del mercado mundial. Se comprueba una situación idéntica en sectores altamente estratégicos, como la electrónica o la informática. Los estadounidenses , que inventaron el transistor y el circuito integrado, no conservan más que el 10 % del mercado mundial, en vez del 60 % de fines de los años sesenta. Y de cada cien prensas que encarga, la General Motors compra como mínimo ochenta en el extranjero, donde son más baratas, más modernas y más fiables.

En este aspecto, hemos de subrayar el talento y el coraje extraordinarios que necesitó Reagan para conseguir del Congreso y de la opinión pública que, a pesar de esa asombrosa regresión industrial, Estados Unidos no sucumbiera a la tentación proteccionista para contrarrestar la penetración comercial.

Cinco razones, por lo menos, explican este retroceso industrial. Corresponden a la desaparición de las cinco sobre las que se fundaba la prosperidad de la posguerra. Los autores de un informe redactado por encargo del célebre MIT de Harvard (*Made in America*, de Michael Dertouzos, Richard Lester y Robert Solow, MIT Press, 1989; InterEditions, 1990) las enumeran minuciosamente:

1. La dimensión relativa del mercado interno norteamericano se ha reducido, y las industrias de Estados Unidos no están ya preparadas para competir con los japoneses o los europeos en la conquista de los mercados extranjeros.

2. La superioridad tecnológica de Estados Unidos no es ya del todo evidente, y las innovaciones se hacen a menudo en el extranjero. El ritmo de introducción de las innovaciones dentro del sistema productivo, o de puesta a punto de nuevos productos, es por otra parte claramente más rápido en Japón o en Europa que en Estados Unidos (cuatro años frente a siete, en la industria automovilística).

3. La calificación de los obreros norteamericanos, ayer superior a la de los países competidores, ha bajado de forma considerable.

4. La riqueza acumulada en Estados Unidos era tal que permitió, en otra época, aceptar los desafíos más inverosímiles, como el desembarco en la Luna. Eso hoy no sería posible.

5. Por último, los métodos estadounidenses de administración, que eran reconocidos y envidiados, ya no son –ni de lejos– los mejores. Cada vez más, los japoneses y los europeos superan a los norteamericanos en ese terreno. Y éstos a veces se ven reducidos a copiar métodos desarrollados en otra parte: producción a flujos forzados, circulos de calidad, etc.

De forma general, la fascinación por la Bolsa, la economía especulativa y las ganancias milagrosas, que marcaron los años ochenta, han actuado, por lo tanto, contra la industria. Es verdad que en la época de los jóvenes *golden boys* multimillonarios, en la hora de la economía-casino, apenas se iniciaba a los jóvenes diplomados americanos que llegaban al mercado del trabajo a elegir el camino duro, fatigoso y austero de la producción industrial. Por lo tanto, la caricatura bursátil del capitalismo, se volvió realmente contra el mismo capitalismo. Y, mientras las finanzas ocupaban todas las mentes, la industria languidecía.

En abril de 1991, la Comisión trilateral (que reunió a los dirigentes de empresas y sindicatos, así como políticos y economistas de Estados Unidos, Europa y Japón) realizó su Asamblea General en Tokio. Sin embargo, los japoneses sacaron sus propias conclusiones de las comprobaciones precedentes. Dijeron: "Hemos contribuido ampliamente a la reindustrialización de Gran Bretaña desde hace diez años. Nuestra próxima tarea es la reindustrialización de Estados Unidos..."

## La pesadilla de los déficit

Pero lo que más amenaza al Estados Unidos de después de Reagan no es, pese a todo, la decadencia industrial ni el dualismo social; son los déficit vertiginosos, sin precedentes. Esta no es la menor de las paradojas a inscribir en el pasivo de un presidente que prometía reducir el peso del Estado, devolviendo a su país los medios de su independencia. Hoy son *todavía* cifras que dificultan, cada noche, el sueño de buena cantidad de responsables norteamericanos, pero ya no los mismos que ayer. En los años sesenta y setenta (recordémoslo) bajo Kennedy, Johnson o Nixon, una cifra simple y terrible se difundía cada mañana en los boletines informativos de todas las radios: el recuento de los *boys* caídos en Vietnam. Hoy, otra cifra se muestra, permanentemente, en un tablero luminoso de la calle 42 de Nueva York. Es la de la deuda del Estado Federal norteamericano. A finales de 1990, alcanzaba la increíble suma de *tres billones cien mil millones de dólares*, o sea alrededor de tres años de la totalidad de los ingresos presupuestarios, o aun treinta y cinco años de un déficit presupuestario ya enorme de por sí, como veremos.

En cuanto a las otras cifras, hablan por sí solas y podríamos, de forma interminable, alinear las más catastróficas de ellas. Limitémonos a algunos ejemplos. La balanza de pagos, que estaba casi en equilibrio a fines de los años setenta, acusaba en 1987 un déficit de 180 mil millones de dólares, o sea el 3,5 % del PIB. Este déficit alcanzó los 85 mil millones de dólares (1,5 % del PIB) en 1989, pero sigue siendo enorme. Este déficit proviene de la industria, cuando incluso, para los productos agrícolas, el saldo sigue siendo excedentario. Pero esto no es muy consolador. País exportador de productos agrícolas, importador de productos industriales... ¡Estados Unidos ve acercarse así la estructura de sus intercambios a la de los países subdesarrollados!

En materia presupuestaria, la situación no es más brillante, y la deuda dejada por Ronald Reagan está en consonancia con una especie de falsedad electoralista. ¿Se podía pretender impunemente, en efecto, reducir los impuestos aumentando al mismo tiempo los gastos militares, y sin tocar significativamente los otros gastos? El economista Lester Thurow, del MIT *, propuso el siguiente epitafio para Ronald Reagan: "Aquí yace el hombre que condujo a una gran potencia de la categoría de acreedor mundial a la de deudor, con una rapidez desconocida hasta entonces".

En los últimos años, el déficit fiscal ha sido, por lo tanto, de alrededor de 150 mil millones de dólares por año (3 % del PIB). Pero, ¿cómo reducirlo? Ninguno de los poderes norteamericanos quiere decidirse a traicionar sus compromisos electorales. No es conveniente, para el presidente, aceptar un aumento de los impuestos o un descenso de los gastos militares. Para el Congreso, no es conveniente tocar los gastos sociales. El regreso al equilibrio no es inminente.

Ahora bien, en teoría, esa famosa vuelta al equilibrio —en cinco años— ha

* Massachusetts Institute of Technology (Instituto de Tecnología de Massachusetts). [T.]

sido impuesta por una ley, la ley Graham Rudman Hollings, que preveía, en caso de necesidad, recortes automáticos en los créditos. Pero el Congreso y el presidente tienen dificultades para ponerse de acuerdo a fin de aplicar esta ley. A fines de octubre de 1990, se pudo asistir en Washington al espectáculo, humillante para la mayor potencia del mundo, de un presidente incapaz de concentrar un acuerdo, y amenazado con suspender el sueldo a los funcionarios federales...

Esos déficit, naturalmente, paralizan el poder político y lo inhiben para proseguir determinados programas que son sin embargo vitales, especialmente en materia de educación, de investigación y de infraestructuras. Sin hablar del hecho de que, con ocasión del desencadenamiento de la crisis del Golfo, a fines del verano de 1990, el mundo estupefacto pudo ver al poderoso Estados Unidos obligado a tender la mano a sus aliados para financiar su compromiso militar.

En este aspecto, encuentro simplemente indecentes algunas burlas. Pues lo asombroso no es que entonces se hubieran pedido contribuciones —principalmente a los países árabes del Golfo—, sino que esto no se hubiera hecho antes y, para comenzar, a nosotros mismos, los europeos occidentales, que, desde la época de Stalin, sin duda habríamos conocido la suerte de los checos y de los húngaros si los soldados norteamericanos no hubieran venido a asegurar nuestra defensa, gratuitamente o poco menos.

## El mayor deudor del mundo

Es natural que, en un mundo normal, los ricos presten a los pobres, y los países ricos a los países pobres, que pueden así acelerar su desarrollo. Hay en esta complementariedad una de las justificaciones profundas de la ética liberal. Así, hace un siglo Inglaterra y Francia eran los dos grandes países prestamistas del mundo; lo mismo que Estados Unidos hasta los años setenta. Pero, desde 1980, y es un fenómeno sin precedentes, sucede lo contrario: la mayor potencia económica del mundo se convirtió en el mayor prestatario.

Y eso por una sola razón, que merece reflexionarse bajo la óptica de la ética liberal tan exaltada por los reaganianos: la población norteamericana ya casi no ahorra; en lugar de preparar el futuro conforme a los virtuosos principios del puritanismo, se lanza con todas sus fuerzas al endeudamiento para el consumo, el goce inmediato. En Estados Unidos, las nuevas costumbres financieras de la población y del Estado ofenden a la pobreza de muchos y afectan el futuro de todos. Veámoslo con mayor detalle.

La deuda neta externa de América (es decir, su deuda frente al extranjero restada de sus créditos) alcanzaba, en 1989, a 600 mil millones de dólares, o sea la mitad de la deuda total del Tercer Mundo. Estados Unidos se convirtió, pues, en el mayor deudor del mundo, cuando era su mayor acreedor hace menos de quince años. Primera consecuencia: una dependencia creciente de Estados Unidos frente a sus acreedores.

Al no disponer de un ahorro interno suficiente para financiar sus inversiones, está obligado a tomar prestado cada año alrededor de 150 mil millones de dólares (el 3 % del PIB), especialmente de los japoneses y los alemanes, cuyos excedentes financieros están a la medida de su propio endeudamiento. Cruel revancha de la Historia, los vencidos de la última guerra, las hormigas alemana y japonesa volando en auxilio de la cigarra americana. Y humillante dependencia: a cada nueva adjudicación de títulos del Estado, el Tesoro norteamericano debe confiar en la buena voluntad de los suscriptores japoneses. Para atraer a los inversores extranjeros, Estados Unidos se ve obligado además a mantener tasas de interés elevadas, que gravan la inversión y frenan la activación.

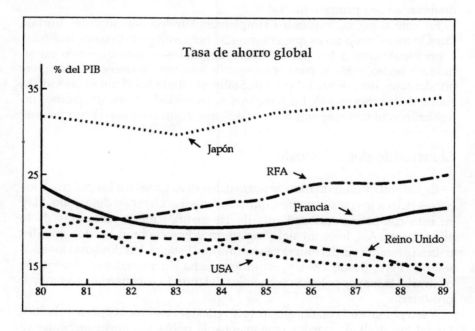

**Tasa de ahorro global**

FUENTE: Dirección de Previsión, 1989.

Pero la deuda que encadena a Estados Unidos a sus acreedores debilita asimismo a sus empresas. Cuando incluso eran, antiguamente, reputadas por su virtud financiera, pues se encontraban poco endeudadas, se lanzaron a suscribir préstamos a gran escala. El volumen de estos préstamos se *ha triplicado desde 1980*. Y la correlación de sus deudas con sus capitales propios se ha duplicado en el mismo período. Es un síntoma evidente de fragilidad. La *Brookings Institution* estima, por otra parte, que en caso de

recesión económica grave el 10 % de las más grandes empresas norteamericanas quebrarían.

Por último, hay que subrayar que esta debilidad sin precedentes de la
economía y de las finanzas de Estados Unidos constituye en el futuro
inmediato un peligroso factor de inestabilidad para el resto del mundo.
En 1982, recordémoslo, una crisis formidable del sistema financiero
mundial se evitó por muy poco, después de que México había anunciado
que era incapaz de cumplir sus compromisos. Entonces Estados Unidos
empezó a conocer dificultades. En efecto, los grandes bancos norteamericanos están actualmente debilitados por la caída del mercado inmobiliario
y los incumplimientos en cadena de algunos de sus deudores, especialmente aquellos que emitieron los famosos *junk bonds* en plena ruina.

*"Too big to fail"*; si supera ciertas dimensiones, todo banco puede estar
seguro de contar con el sostén de lo poderes públicos, pues la quiebra de uno
de esos grandes establecimientos podría, poco a poco, propagarse rápidamente por el mundo. Es el llamado efecto de "ala de mariposa": un aleteo de
mariposa en Tokio o en Chicago puede provocar un tornado en París... Esta
es la razón de que, tras diez años de ultraliberalismo, todo el futuro del
sistema financiero estadounidense esté supeditado a la ayuda del gobierno
federal.

Mordaz, pero peligrosa ironía de la historia: hoy es la "insostenible
liviandad del fuerte", como escribe magistralmente Paul Mentré, lo que
amenaza al mundo.

Capítulo 3

# LAS FINANZAS Y LA GLORIA

El Boeing descendía hacia el aeropuerto Kennedy. Mi vecino me dice: "¡Qué hermoso país! Aquí, al menos, se puede hacer una verdadera fortuna en poco tiempo".

Simple trivialidad. Pero, a propósito, ¿cómo se puede hacer fortuna rápidamente sin pasar por el casino? No hay más que dos soluciones; la primera es industrial: inventar y vender. La segunda es comercial: comprar y vender. No obstante, el comerciante no se limita jamás simplemente a vender; agrega siempre un servicio, un valor añadido. Es tarea del financiero obtener un beneficio sobre lo que revende tal como está, sin añadirle nada (valores mobiliarios en los mercados financieros, mercancías en las Bolsas de comercio). Para él la primera cuestión es, por lo tanto, saber cómo debe hacer para encontrar el dinero necesario para comprar.

No hay más que tres medios.

## 1. La autofinanciación

Son los recursos que una empresa retira tras haber cubierto sus amortizaciones, dado un dividendo a sus accionistas y pagado sus impuestos.

La autofinanciación presenta una gran ventaja para el empresario; con este método, está tranquilo, no tiene que pedir nada a nadie y hace lo que quiere con el dinero que ha ganado. El industrial que ama su oficio, y detesta embrollarse en las cuestiones financieras, se contenta con esto. Pero el verdadero financiero jamás, pues este método no es lo bastante rápido. El crecimiento interno no le basta. Debe ir a buscar recursos en el exterior para desarrollar sus negocios tan rápidamente como sea posible.

Tradicionalmente, los países anglosajones eran aquellos donde la autofinanciación era la más elevada, pero han sido superados en ese aspecto por Alemania, donde esa tasa es de aproximadamente el 90 %. Al contrario, la de las empresas japonesas se mantiene entre las más bajas (alrededor del 70 %). Los otros países de la Europa continental, y especialmente Francia, se sitúan, en conjunto, entre ambos. Las financiaciones externas, en especial el préstamo, no son más que un recurso subsidiario, salvo para aquellos que saben franquear todos los obstáculos para hacer fortuna rápidamente, "*make rich quick*".

## 2. El préstamo

Dejando de lado las técnicas nuevas llamadas de titularización de los créditos, en general una empresa toma prestado, ya sea en su banco, ya sea colocando en el mercado financiero una emisión de obligaciones. Mientras que la vía bancaria es tradicionalmente secreta, la vía bursátil implica que se sea conocido y apreciado por los suscriptores, lo que supone una mediatización tanto más importante cuanto más recientemente se "ha establecido" uno.

El préstamo presenta tres inconvenientes. En primer lugar, su importe está tradicionalmente limitado en función de los fondos propios del prestatario: "Sólo se presta a los ricos". En segundo lugar, el préstamo es caro, sobre todo en nuestra época, puesto que la tasa de interés real en los países desarrollados supera desde hace unos diez años todos los récords constatados en el curso de los dos siglos precedentes. Por último, son raros los préstamos a perpetuidad; el prestatario debe, por lo tanto, no solamente pagar los intereses de sus deudas, sino, en principio, reembolsar el capital.

Todo esto es bastante coercitivo, engorroso poco dinámico. Esta es la razón por la que desde hace unos quince años, la imaginación de los financieros anglosajones, aprovechando la desregulación, ha ideado nuevas técnicas que permiten a un prestatario obtener sumas considerables, a condición de convencer a los prestamistas de que será capaz de obtener rápidamente beneficios muy importantes. Los prestatarios pueden entonces comprar más para vender mejor. Los métodos empleados con mayor frecuencia han sido la emisión de *junk bonds* en el mercado y la apertura por los bancos de créditos llamados "de palanca" (LEO).

Estos nuevos métodos no interesan más que de forma accesoria a las empresas poderosas, que tienen una situación sólida. Pero, si usted sólo es un joven ambicioso y preparado, ¿qué hacer? ¿Cómo contribuir, haciendo usted mismo su fortuna personal rápidamente, a la *democratización* (esta palabra aparece sin cesar en los discursos reaganianos) de una economía oligárquica, víctima de la somnolencia de los gigantes? Es a esta pregunta a la que, en 1983, un ingenioso financiero, Fred Joseph, director ejecutivo de Drexel Burnham Lambert, ha encontrado una respuesta que marcará un hito en la historia económica y financiera, y que puede contarse de la siguiente forma.

Fred Joseph propone una estrategia en tres etapas.

En una primera etapa, gracias a su talento, usted descubre una empresa fuertemente desvalorizada, cuyo valor bursátil es muy inferior al valor real de sus activos financieros.

En una segunda etapa, su banquero, también ambicioso y sagaz como usted, le presta un triple servicio. Comienza por darlo a conocer en el mercado, convirtiéndose en su intermediario. Todo comienza así: *las finanzas y la gloria*, en este sistema, forman una pareja indisoluble. Su banquero coloca entonces a cuenta de usted una emisión de esos famosos *junk bonds*, expresión mal traducida al francés como "obligaciones podridas".* Son solamente más caras porque son más arriesgadas. Son más arriesgadas porque el emisor, el deudor, es el joven ambicioso y sagaz, pero poco afortunado, solo o casi solo, y que deberá lanzarse a una operación muy arriesgada para poder hacer fortuna. Por lo tanto, es normal que los suscriptores, es decir el  mercado, le hagan pagar unas tasas de interés mucho más elevadas que, por ejemplo, a IBM... Esta etapa, que consiste en convencer al público de que le preste generosas sumas cuando usted carece precisamente de fiador, de "crédito", es evidentemente la más difícil de franquear. Por ello el dinámico banquero le brinda un tercer servicio, especialmente concebido para los candidatos a la fortuna: un préstamo directo, también a tasa elevada, por medio del que da ejemplo a los mercados, comprometiéndose él mismo junto a usted. Este préstamo está destinado a permitirle comprar una empresa, a pesar de la debilidad de sus propios medios, gracias a un efecto de palanca (LBO-*Leveraged Buy Out*). ¡Es asunto suyo, luego, obtener los beneficios suficientes como para satisfacer al banquero y a usted mismo!

Veamos dónde está la innovación. Consiste en arbitrar un riesgo elevado contra una tasa de interés también elevada. Los bancos tradicionales sólo practican muy prudentemente esta diferenciación de las tasas, pues tienen un comportamiento *institucional* que da prioridad al control de sus riesgos, a la seguridad de sus créditos, es decir, dan prioridad al largo plazo sobre el corto plazo. Por el contrario, aquel que concede un préstamo a tasa y a riesgo elevados es un individuo que otorga prioridad al importe de los intereses que va a cobrar a partir del próximo vencimiento, y a los *beneficios* que así podrá exhibir, poco preocupado por lo que pueda pasar a largo plazo. El futuro no es su negocio. Su negocio es destacarse, conquistar y ganar inmediatamente.

A lo largo de este libro, veremos que el combate entre los dos capitalismos se sitúa precisamente en este punto: es un combate del corto plazo contra el largo plazo, del presente contra el futuro.

* En español sería "bonos de chatarra". [T.]

Pero pasemos ahora a la tercera fase del proceso, en la que el futuro *golden boy*, habiendo tomado prestado para constituirse un "botín de guerra", sólo debe mostrarse animado por el empeño y la ambición de buscador de oro, dispuesto a lanzarse sobre su presa, a pasar al acto del *raider*. Si comienza a actuar bien, pagando a los accionistas un precio más elevado que el valor bursátil anterior, pero inferior al valor real de los activos, ya sólo le resta proceder al *assets-stripping*, expresión neutra que, también, se traduce al francés de manera peyorativa como "despedazamiento de los activos", porque entre nosotros, en Europa, la empresa no es sólo una mercancía. De cualquier manera, en aquel momento el prestatario no solamente puede reembolsar el préstamo, sino que ha logrado un beneficio inmediato que comparte con su banquero. Es el fin del primer acto de su *success story*.

Estamos en Hollywood. Comentando la multiplicación de las operaciones de esta naturaleza, Felix Rohatyn, el gerente asociado de Lazard Frères, el que antiguamente salvó las finanzas de la ciudad de Nueva York, no ha vacilado en declarar que Wall Street es peor que Hollywood. En efecto hay que señalar que, dejando aparte la compasión por la suerte de las empresas así despedazadas y por su personal, las operaciones de este tipo han llegado a poner en crisis un amplio sector del sistema financiero norteamericano. Michel François-Poncet, presidente de Paribas, dio al respecto algunas cifras notables: después del crack de 1987, las autoridades monetarias de los países desarrollados decidieron imponer a sus bancos medidas prudenciales, resumidas en la famosa "ratio Cooke", que limita el volumen de los créditos que pueden otorgar los bancos. El resultado ha sido que la participación de los bancos norteamericanos, en el conjunto de los financiamientos de las empresas (lo que se llama la tasa de intermediación), pasó del 80 % en 1970 a solamente el 20 % en 1990. Otra consecuencia es que mientras en 1970 ocho bancos estadounidenses figuraban entre los veinticinco primeros del mundo, en 1990 el primero norteamericano, el Citicorp, ocupaba el vigésimo cuarto lugar. Pero cuanto más limitaban los bancos norteameamericanos sus compromisos crediticios, más debían comprometerse en operaciones de *alto rendimiento*, es decir de *alto riesgo*, a fin de mantener sus beneficios. Así, en 1990, el importe de sus compromisos en LBO (190 mil millones) representaba por sí solo tres veces sus riesgos regionales, es decir, sus créditos sobre el conjunto de los países subdesarrollados (64 mil millones de dólares).

Desde el crack bursátil del 19 de octubre de 1987, la prensa especializada no cesa de advertir sobre la evolución alarmante del número de quiebras de instituciones financieras estadounidenses. Después de la brusca caída de los volúmenes de actividades, los bancos comerciales norteamericanos, en vez de comportarse como instituciones prudentes, preocupadas ante todo por el largo plazo, se han visto obligados por las exigencias mismas del sistema capitalista norteamericano a lanzarse hacia el provecho inmediato, es decir, hacia las actividades más arriesgadas. Y, a fin de cuentas, es el contribuyente quien deberá pagar la factura.

### 3. El aumento del capital

Pero volvamos a la historia de nuestro héroe. Quiere convertirse en un caballero de las finanzas. Ahora bien, él sabe perfectamente que los verdaderos caballeros de las finanzas, los que, partiendo de la nada, llegan a entrar en la corte de los grandes, son aquellos que, no contentándose ni con comprar con sus ahorros, ni con tomar prestados los de los demás, llegan a conseguir en el mercado, gracias a su nombre, a su sola reputación, aumentos de capital, o sea dinero contante y sonante que presenta la doble característica casi milagrosa de ser a la vez eterno y más barato.

Contrariamente al préstamo, ese dinero es eterno, puesto que el capital de una sociedad no es reembolsable; contrariamente al préstamo, que cuesta como mínimo del 8 al 12 % anual en los países desarrollados, los dividendos raramente superan el 3 o el 4 % del valor de las acciones. Ahora bien, los riesgos que asume el accionista son ilimitados. ¿Cómo se logra, pues, que suscriba, cuando el emisor no es una empresa consolidada que ha demostrado con creces su solidez sino el simple aspirante a genio financiero cuyo destino seguimos aquí? La respuesta nos la da una vez más su misma heroicidad y su capacidad para "vender esperanzas".

Comprar con el propio ahorro es una inversión mediocre. Tomar prestado para comprar es ya una opción sólida. Obtener, gracias sólo al nombre, fondos propios en el mercado, es un rasgo exclusivo de los dioses de las finanzas. Hay, por otra parte, otras divinidades, los banqueros de inversión que apenas invierten, casi no asumen riesgos, pero cuya función principal, que consiste en hacer comprar y vender a los demás, supone el mayor talento de convicción, el sentido más alto de la perfecta combinación financiera. Ellos perciben comisiones sobre cada transacción, tanto en las ventas como en las compras. Esto se justifica dado que prestan el más precioso de los servicios al buscador de oro: decirle dónde cavar para descubrir pepitas.

Este es, simplificado, el origen de la "burbuja financiera", "capitalismo financiero", "financiación de la economía". Es el valor psicológico que los mercados asocian a la gloria de sus héroes favoritos. Y es necesario. El oxígeno del capitalismo es la esperanza de las ganancias. Sin esta esperanza no hay empresa, pero, incluso en la Bolsa, hay que saber conservarla.

## "Una especie de delirio"

Más que nunca, más que en ninguna otra parte, las economías anglosajonas se caracterizan desde los años ochenta por la importancia de su mercado bursátil, contrariamente a lo que sucede en los países alpinos, donde los bancos desempeñan el papel principal en la financiación de empresas.

Esta importancia tradicional de los mercados financieros se reforzó aún más en Estados Unidos cuando la coyuntura financiera fue excepcionalmente favorable durante los años ochenta. Entre 1980 y 1989, el índice Dow Jones se multiplicó por tres. En cuanto a los mercados a plazo y de opciones, se desarrollaron considerablemente. En Chicago, actualmente, se realiza un volumen de negocios de dos a tres veces superior al de Nueva York. ¡Alza de la Bolsa! ¡Explosión de las finanzas! De sus ritos, de sus pompas y de sus magias... Los intermediarios financieros, en efecto, se han multiplicado —y enriquecido— al mismo ritmo. Nuevas empresas financieras, todavía ayer poco conocidas por el gran público, han accedido al rango de estrellas, objeto de innumerables reportajes. Destronaban al mismo tiempo a empresas tan prestigiosas como IBM, Apple o Colgate. Esas sociedades se llamaban Drexel Burnham Lambert, Shearson Lehman Hutton o Wasserstein Parella, etc. Participaban de una mitología que conjugaba una magia muy "al día", la de la especulación bursátil, con las lentejuelas y los volantes del negocio del espectáculo. Y como siempre en Estados Unidos, ese triunfo de las finanzas sobre la industria se indicaba —y realzaba— por la gloria de fulgurantes éxitos individuales.

Perfectos desconocidos se hicieron súbitamente tan célebres como si hubieran pasado por Hollywood, y la prensa se extasió ante sus fortunas tan colosales como rápidamente adquiridas. Hombres como Michael Milken, el rey de los *junk bonds* —esas "obligaciones de pacotilla" de alto rendimiento, utilizadas, como ya hemos visto, para la financiación de los proyectos de alto riesgo—, hoy en prisión con una condena de diez años Ivan Boesky, árbitro genial de la Rolls Royce (tres años de prisión y cien millones de dólares de multa); Donald Trump, el más megalómano de los hombres de negocios, propietario —entre otras cosas— del Taj Mahal enteramente financiado con *junk bonds*, fueron promovidos, durante algunos años, a la categoría de héroes del capitalismo norteamericano. Pero, ¿qué clase de capitalismo? ¿Y cómo no se vio allí un mal presagio para la economía de Estados Unidos?

Maurice Allais, el premio Nobel de Economía de 1988, no vaciló en declarar que la economía estadounidense "parece haberse abandonado a una especie de delirio financiero especulativo, donde aparecen ganancias enormes sin fundamento real, cuyos efectos desmoralizadores realmente se subestiman".

Efectos desmoralizadores: para ser fieles al maniqueísmo americano, los "malvados" de las finanzas han proliferado y pervertido un poco más las "leyes" de esta nueva jungla. Se trata principalmente de los *raiders*, grandes especialistas de las ofertas públicas de compra (OPA) hostiles y del desmembramiento —despedazamiento— de las empresas, revendidas "por departamentos" con prodigiosos beneficios. "Malvados" de toda calaña. Algunos siguieron los pasos de Carl Icahn; después de haber aterrorizado a la opinión, compró la compañía aérea TWA y, comprándose simultáneamente una virtud, se transformó en un director de empresa ejemplar, cuidadoso de los intereses de su sociedad. Otros, como Irwin Jacobs, no obedecen más que a la lógica financiera más exclusiva, la de la máxima rentabilidad y de la ganancia rápida. Otros, por último, como Jimmy Goldsmith, se comportan como cruzados del liberalismo económico y atacan incansablemente al estatalismo rampante. Es para defender esta idea que Goldsmith intentó comprar el gigante de los neumáticos, Goodyear, y que adquirió, tras una OPA hostil, el conglomerado Crown Zellerbach. "Jimmy" asegura querer eliminar la burocracia que invade a las empresas como una mala hierba, y expulsar a los dirigentes perezosos que viven "a sus anchas" sin preocuparse por los intereses de los accionistas. Pero que se preocupan sobre todo por realizar fabulosas plusvalías.

Sin duda, la práctica de las OPAS, las compras y las fusiones de empresas no representan un fenómeno nuevo en Estados Unidos. Contrariamente a una idea muy extendida, el *número* de esas operaciones realizadas durante los años ochenta (de 2 a 3000 por año) fue incluso inferior —la mitad— al de los años 1968-1972. Fue en 1970 cuando se alcanzó el máximo histórico, con 6000 operaciones. Pero, si se toma en cuenta no ya el número sino el *monto* de dichas operaciones, entonces los "años Reagan" marcan una verdadera explosión. El monto total pasó de 20 mil millones de dólares por año para el período 1968-1972, a 90 mil millones de dólares para el período 1980-1985, y a 247 mil millones para el año 1988. En *porcentaje* del PIB, las operaciones de fusiones-adquisiciones representaron en 1983-1985 una parte *dos veces más elevada* que durante los años 1968-1972. (*Le Retour du capital [La vuelta del capital]*, bajo la dirección de Baudouin Prot y Michel de Rosen, Ed. Odile Jacob, 1990.)

Pero, sobre todo, cambiaron en gran medida de naturaleza desde 1982, como ha mostrado Edward J. Epstein ("*¿Quién posee las empresas? El conflicto entre dirigentes y accionistas*", Nueva York, Twentieth Century Fund, 1988, traducido al francés como *Capitalisme de fin de siècle*, París, Fundation Saint-Simon, 1989):

Las fusiones y las compras, evidentemente, no son una novedad: por lo menos desde hace treinta años, las sociedades norteamericanas han recurrido a ellas para aumentar su parte del mercado, diversificar los riesgos, mejorar los balances o, en numerosos casos, aprovechar ciertas ventajas fiscales. Pero, hasta los años ochenta, la inmensa mayoría de las funciones y adquisiciones se hacían "amistosamente", o al menos con la aprobación de los consejos de administración de las dos partes afectadas, aunque sólo fuera porque las leyes de los diferentes Estados las tornaban extremadamente difíciles y potencialmente peligrosas para las empresas. En Illinois, por ejemplo, la ley sobre las adquisiciones (Illinois Business Take Over Act) autorizaba a la administración a intervenir si el 10 % de los accionistas de la sociedad objeto de la adquisición residía en el Estado. Anulando esas disposiciones en junio de 1982, la Corte Suprema invalidó simultáneamente otras leyes similares, lo que modificó radicalmente la situación y facilitó en gran medida las ofertas de compra hostiles.

Mientras las fusiones y las adquisiciones convencionales, sobre todo cuando el iniciador era un conglomerado, se dirigían a la expansión del grupo, a riesgo de provocar una baja momentánea del valor de las acciones, los recientes cambios de dirección tenían por objeto desmembrar la sociedad adquirida, vendiendo sus diversos departamentos para hacer subir el precio de las acciones.

## La espiral del "darse importancia"

Vedetismo de las empresas financieras, *success stories* para sus dirigentes: no es asombroso, en esas condiciones, que el sector financiero norteamericano absorba una gran parte de la elite intelectual del país. Fue un duro golpe para la industria. Esta, que ya tenía dificultades para reclutar los ingenieros y financieros que necesitaba, vio a sus mejores ejecutivos y a sus jóvenes diplomados irse hacia los bancos o las correldurías. Se ganaba allí mucho más dinero. Sin ensuciarse las manos, ni siquiera los zapatos, como en la fábrica.

¡Pero no vayamos a imaginar que aquí nos interesan sólo las locuras estadounidenses de los años ochenta! Basta con informarse, en París, sobre las remuneraciones de los jóvenes campeones de las finanzas que trabajan en los departamentos comerciales. Ganan a menudo el doble, y a veces el triple, que sus compañeros de estudios que trabajan a su lado, en la misma institución financiera, pero en sectores a la vez menos especulativos y menos especializados. La misma competencia, el mismo talento, pero elecciones de riesgo diferentes y, en consecuencia, salarios con diferencia de 1 a 3. He ahí uno de los puntos precisos donde se desarrolla cotidianamente la batalla de capitalismo contra capitalismo.

En Estados Unidos, con su absorción de cerebros internacionales, sus éxitos fulgurantes, esas sumas enormes que se manejan, esas operaciones más espectaculares que una película de suspenso, se encontraban reunidos todos los elementos para un gran espectáculo periodístico ininterrumpido. Para los medios de comunicación, en efecto, las finanzas espectaculares, como las que invadieron entonces Wall Street, constituyen una ganga. Muy pronto, los juegos financieros ocuparán en los diarios un lugar que nunca habían tenido hasta entonces. No pasa un solo día sin que un periódico —y no solamente el austero *Wall Street Journal*— mencione uno de los episodios más *exciting* de ese gran Western: una OPA muy sangrienta, una ganancia fabulosa, un "golpe" astuto o retorcido. Sin contar con las disputas personales de esos nuevos reyes de la Bolsa, de vida privada muy agitada. (Así, las peleas de Donald Trump con su intratable esposa, que le reclamaba el divorcio y... la mitad de su fortuna, han sido portada de numerosas revistas.) Las finanzas, pero también la vida económica en general, se desarrollan actualmente bajo las luces de las candilejas. Para lo mejor y —casi siempre— para lo peor.

Esta publicidad, que desborda el marco de Wall Street, ha modificado la imagen de los empresarios y de los grandes gerentes. Se han vuelto cada vez más sensibles al hecho de que la prensa hable de ellos como de "grandes capitanes" de industria, de héroes de historieta o de videoclip enfrentados a espantosos dragones y triunfando en las solapadas adversidades de la Bolsa. Durante los años ochenta proliferó todo un vocabulario, cuyas connotaciones sería instructivo estudiar minuciosamente. Por lo general son guerreras y, con los *caballeros* blancos o negros, las *píldoras envenenadas*, las *esposas* policiales o los *paracaídas de oro*, asimilan la economía y las finanzas a *La guerra de las galaxias*. Un folletín bastante más divertido de seguir —y de contar— que las alzas de productividad en la fabricación automovilística, o las alternativas de la informática en los mercados internacionales.

Héroes ambiguos de esos duelos bursátiles titánicos, los dirigentes se convertían también, para los medios de comunicación y la opinión pública, en semidioses liberados de las limitaciones terrestres, manejando miles de millones, manipulando los activos y los oficios, jugándose fronteras y Estados. ¿Cómo algunos hubieran podido evitar la megalomanía? Y, ¿cómo no habrían cambiado progresivamente sus métodos de administración, para responder mejor a la imagen de sí mismo que les devolvían los medios de comunicación? Sería erróneo creer que las fusiones, adquisiciones u OPAS obedecen siempre a motivaciones racionales.

A veces se requiere una "bonita operación" para satisfacer el ego del presidente, y recoger algunos grandes titulares lisonjeros de la prensa; se requiere otra para evitar que la dirección de una empresa sea considerada por su propio personal como timorata o conservadora. Y una buena OPA servirá para dorar los blasones de una empresa...

Esta espiral de la gloria, del empaque y del poderío financiero ha arrastrado literalmente a todo el Estados Unidos de los "años Reagan" detrás de Wall Street. Y las finanzas, más aún que en el pasado, se han puesto en consonancia. Hay que sacrificárselo todo. La política económica está así subordinada a los cambios de humor de Wall Street. Cuando el índice se mueve, cuando las tasas se agitan, Estados Unidos tiene fiebre. Un mal volumen de comercio exterior, o una tendencia al aumento del desempleo, significan el enloquecimiento del mercado. El impacto bursátil de un acontecimiento termina por volverse más importante que el mismo acontecimiento. Que bajen las exportaciones, o que la producción se detenga, no son un problema en sí mismos. Lo que es preocupante es la reacción de los mercados.

## La ley del mercado

En ese contexto, la industria parece un poco el pariente pobre, la prima provinciana sin muchos atractivos y cuyos vestidos pasados de moda hacen sonreír. El informe publicado en 1990 por el Massachusetts Institute of

Technology (MIT) subraya hasta qué punto la industria y las finanzas rara vez hacen buena pareja. Las oleadas de OPAS conmovieron fuertemente la autoconfianza de la industria. En cuanto a los *raiders*, esos predadores obsesionados por la ganancia inmediata, no se puede esperar de ellos ninguna clase de "estrategia industrial". Esta locura financiera, escribe el MIT, "ha contribuido a centrar exageradamente la atención de las empresas en la rentabilidad inmediata". ¡Es un buen eufemismo!

El mercado financiero llega así, en última instancia, a ejercer una verdadera tutela sobre la economía en general y sobre las empresas en particular. Empuja a estas últimas a adoptar comportamientos y estrategias que, desde un estricto punto de vista económico e industrial, se apartan de la racionalidad de la que aquél se proclama defensor.

En primer lugar, la Bolsa exige de la empresa que produzca *enseguida* una rentabilidad máxima de sus fondos propios. Hay que satisfacer a los accionistas, que se han vuelto más exigentes al hacer de su infidelidad un arma. La empresa se atará, por lo tanto, al compromiso de brindarles dividendos "competitivos". Por otra parte, un nivel elevado del valor de la acción constituirá el mejor medio para ponerse a resguardo de una OPA hostil, disuadiendo a los eventuales compradores. Por lo tanto, se pondrá todo en acción para maximizar los beneficios a corto plazo, para poder presentar *cada trimestre* en Wall Street resultados satisfactorios. Cada tres meses, en efecto, las empresas rinden cuentas al mercado, que las espera para analizarlas, escudriñarlas, compararlas, pasarlas por la criba de la crítica. ¡Cada tres meses! Es lo que se llama actualmente la "tiranía del *quarterly report* [informe trimestral]".

Ahora bien, cualquier gerente sabe que el método más eficaz para aumentar los beneficios a corto plazo consiste en recortar los gastos menos urgentes: publicidad, investigación, formación, prospección a largo plazo, etc. Pero ésos son normalmente los gastos que permiten a una empresa preparar el futuro, concibiendo nuevos productos, mejorando sus técnicas de producción, elevando la calificación de su personal y preparando la futura comercialización de sus productos. Si se practican recortes exagerados en esos gastos, la empresa se encuentra, en un plazo más o menos largo, amenazada. Aquí, la lógica financiera se opone claramente a la lógica industrial.

Pero los efectos provocados por la fiebre de las OPAS no son menos peligrosos para las empresas. Las que se encuentran comprometidas en una OPA (sea como comprador, sea como "presa") acumulan, para realizar la operación o resistirse a ella, deudas que pesarán en el balance. Las empresas deberán soportar —y a veces durante mucho tiempo— gastos financieros considerables que desequilibran sus cuentas de explotación. Un ejemplo: el grupo RJR Nabisco Inc. arrastra una rémora de cerca de veintidós mil millones de dólares de deudas contraídas en ocasión de su compra por KKR. Para cubrir una parte de ese tremendo endeudamiento, los dirigentes de KKR se han visto obligados a vender todas las filiales del grupo BSN.

## La gloria de los vencidos

Estos apremios financieros no son los únicos que pesan sobre las empresas. Las amenazas de OPA o de incursiones, que se ciernen permanentemente sobre sus dirigentes, les impulsan a dedicar mucho tiempo y energías a elaborar estrategias de defensa, a comprometerse en una guerrilla bursátil totalmente improductiva en el plano comercial e industrial. Podemos preguntarnos si la vocación principal de un industrial es el poner interminablemente a punto, con batallones de juristas de fantásticos honorarios, "píldoras envenenadas" o "paracaídas de oro", destinados a controlar las tomas de control hostiles, en lugar de utilizar ese tiempo para... producir y vender. Se ignora cuánto tiempo se requirió para la puesta a punto de los "paracaídas de oro", destinados a proteger a los antiguos presidente y director general de Nabisco contra las consecuencias personales de la compra de su grupo por KKR. Pero se conocían sus gastos: ambos directivos recibieron respectivamente de su empresa ¡53 y 45 millones de dólares! Puntualicemos: 50 millones de dólares representan más o menos 250 millones de francos, que, prudentemente colocados a una tasa de interés del 10 %, aseguran a los interesados una renta anual de alrededor de 25 millones, o sea de cinco a diez veces el salario de los directores ejecutivos franceses mejor remunerados. He ahí, ¿no es cierto?, lo que se podría llamar la "gloria de los vencidos".

En cuanto a la infidelidad de los accionistas, el correr hacia el que más ofrece, el negocio redondo, la acción más inmediatamente rentable, constituye para ellos —al pie de la letra— la nueva regla de oro.

Para un accionista, en la lógica del nuevo modelo anglosajón de capitalismo, infidelidad es sinónimo de racionalidad. Y eso es todo.

Pero precisamente esta racionalidad constituye una mayor desventaja para las empresas que ya no pueden contar con un capitalismo estable.

El accionista rey, para emplear una expresión de Alexandre de Juniac y Stéphane Mayer (*La vuelta del capital, op. cit.*) se preocupa bastante poco por la empresa en la que ha invertido. Necesita dividendos y plusvalías. Esta tendencia —y es una paradoja— es particularmente marcada entre los inversores institucionales (principalmente fondos de jubilación y compañías aseguradoras), cuyo peso en el mercado norteamericano es enorme. Poseen, en efecto, del 40 al 60 % de la capitalización de Wall Street, pero, a diferencia de lo que pasa todavía en Japón y, en cierta medida, en Europa, no juegan allí una función de "reguladores" o de "gendarmes" del mercado. Los inversores institucionales norteamericanos buscan ante todo el óptimo rendimiento a corto plazo de su cartera. Su única preocupación es presentar en cada vencimiento a los ahorradores, cuyos fondos manejan, unos resultados récord. Se trata de aparecer como los mejores gestores en las clasificaciones cada vez más frecuentes que comparan los fondos entre ellos.

Esta obsesión por los resultados a corto plazo les incita a veces —en el caso de OPA— a la "traición" pura y simple, como ya dijimos con anterioridad. Son muchos, en efecto, los que administran las jubilaciones de los empleados de las grandes empresas. Cuando una de éstas es atacada, tienen mucho interés en ponerse del lado del agresor para realizar plusvalías.

Con tales accionistas y tales estrategias, se está lejos de la empresa concebida como una comunidad de intereses, ligada por una poderosa *affectio societatis* que reúne a los accionistas, los empleados y la dirección. La empresa es sólo una máquina de *cash-flow*, sacudida por las olas del mercado, y amenazada por las imprevisibles tormentas de la especulación bursátil.

## Un capitalismo sin propietarios

Es difícil, para los europeos, y en especial para los franceses, a menudo atados a su empresa como a una especie de familia, no experimentar cierto malestar frente a esta lógica. Pues se trata realmente de una lógica. En Estados Unidos, para los nuevos accionistas racionales que dominan ahora el mercado, la empresa es sólo "un paquete de acciones", según la vieja expresión de Keynes. Por otra parte, en Estados Unidos todo es para vender —incluso a los japoneses—, es sólo una cuestión de precio. El filósofo francés Michel Serres, que enseña en Estados Unidos, lo ha dicho muy bien: "En Estados Unidos, el dinero es el fin, las cosas son los medios. En Europa, es al contrario: con dinero, se pueden hacer cosas". En ese país, es tan habitual (y fácil) comprar una empresa como un edificio o una obra de arte. Es, pues, perfectamente lógico que el accionista rey haga lo que quiera en la empresa que acaba de comprar. La despedaza para vender lo que no le interesa. Trata a sus colaboradores como al producto de su capital, es decir, como a una mercancía.

¿Sí o no? ¿El buen funcionamiento del capitalismo exige que se trate a los trabajadores como una mercancía? ¡Buen campo de batalla! ¿Sí o no, la empresa capitalista puede vivir sin propietario? ¡Polémico campo de batalla, éste también! Con la diferencia de que puede debatirse como una paradoja con un toque de humor. Es lo que hacía recientemente el semanario británico *The Economist*: "¿El capitalismo anglosajón es todavía un capitalismo de propietarios?"

"Empresa busca propietarios", "Empresa busca accionistas estables". Con estas dos demandas hoy se pueden llenar los diarios de pequeños anuncios. En efecto, la gloria de las nuevas finanzas en el nuevo capitalismo anglosajón es la de hacer desaparecer a los propietarios destruyendo la lógica del accionista estable.

## ¿Ganancia de hoy o de mañana?

Detengámonos un momento en otra paradoja que parece un guiño de la historia dirigido a... Karl Marx. En todo el mundo se vuelve a descubrir la legitimidad de la ganancia. Es el alma del capitalismo. En Francia, los gobiernos socialistas se adhirieron a este principio desde 1982-1983, dando la espalda a las utopías del programa común. En el Este, el hundimiento del comunismo desemboca en una rehabilitación general —y sin matices— del mercado. Todos admiten, en suma, la idea según la cual la persecución de los beneficios constituye para las empresas y los empresarios el más eficaz de los estimulantes. La ganancia es legítima. Más aún, la rentabilidad, la ganancia, los márgenes de beneficio, son los verdaderos motores —los únicos— de una economía dinámica. Ahora bien, es de Estados Unidos, de la patria misma del capitalismo, de donde nos llega una lección inesperada: *La ganancia puede también debilitar la empresa, castigar la economía, entorpecer el desarrollo.* Lo mismo que "demasiado impuesto mata el impuesto", se podría decir que "esforzarse demasiado para la ganancia de hoy perjudica la ganancia de mañana".

Con excepción de algunos milagros que dependen de la moda o de la suerte, el éxito perdurable de un producto se construye día a día. Pasa por la preparación de métodos de fabricación, de una red de distribución. Exige que se sepa convencer a los clientes y que se asegure —entre otras cosas— el seguimiento posventa. La microinformática sólo ha triunfado entre el gran público siete u ocho años después de su lanzamiento. Los aparatos y las cámaras de vídeo tardaron más de diez años en popularizarse.

Ahora bien, esta tenacidad va acompañada, inevitablemente, de sacrificios financieros. Una empresa debe aceptar sufrir pérdidas antes de obtener los primeros beneficios. Y no solamente porque es necesario cubrir los costos de lanzamiento. A menudo es indispensable vender a precios "demasiado bajos", cercenando los beneficios, para conquistar un mercado. Estrategia elemental de la que los japoneses son los campeones. Ellos atacan masivamente el mercado, concentrando sus esfuerzos en los niveles más bajos de calidad, aceptando sacrificios enormes sobre los precios, y por lo tanto sobre sus márgenes de beneficio. Al obrar así, eliminan a sus competidores, amortizan los costos fijos y, progresivamente, elevan el nivel de los productos. Recordemos lo que eran los automóviles japoneses hace quince años. Eran pequeños, mal acabados, frágiles y sin encanto, pero muy baratos. Hoy, rivalizan con los poderosos alemanes o los elegantes italianos. Y los japoneses, está comprobado, se han convertido en los primeros fabricantes mundiales de automóviles. Pero este éxito es el fruto de una estrategia que implica, al principio, costosos sacrificios.

## La ganancia contra el desarrollo

Contrariamente a esta estrategia, los norteamericanos han preferido a menudo centrarse cada vez más en los segmentos del mercado industrial más rentables, que aseguran ganancias inmediatas. Se han retirado rápidamente de las actividades donde su supremacía estaba amenazada, o bien de aquellas donde los esfuerzos requeridos se mostraban demasiado largos y costosos. Prácticamente jamás han elaborado políticas industriales y comerciales a largo plazo para conquistar o reconquistar mercados enteros. En el sector de los equipos de diagnosis empleados en medicina, los de tomografía y ecografía, por ejemplo, son las firmas norteamericanas las que, en un primer momento, han lanzado esos productos. Pero luego se han estancado en los sectores "punteros", los del material destinado a los grandes centros de investigación y a los hospitales más modernos. Al mismo tiempo, la gama de los productos corrientes fue abandonada a los japoneses. Éstos se precipitaron a tomarla, y se apoderaron en primer lugar del mercado de los hospitales menos prestigiosos; después, ya asegurado este campo, han mejorado sus productos y se lanzan ahora a competir directamente con los norteamericanos en los materiales de alta tecnología.

La misma diferencia de estrategia puede observarse, con ligeras variantes, en la electrónica, donde las empresas norteamericanas han abandonado la producción de los productos de consumo masivo, ya sea para centrarse en la alta tecnología militar, ya sea para orientarse decididamente hacia otras actividades más rentables (alquiler de vehículos, o servicios financieros).

En su famoso libro *El Japón que puede decir no* –nunca traducido por completo, pero del que circulan en Francia numerosas traducciones piratas– Akio Morita, P-DG de Sony, no se anda con rodeos al criticar esta imprevisión de los directivos estadounidenses: "Los norteamericanos –escribe– ganan dinero con las adquisiciones y fusiones, pero ya no saben producir nuevos objetos. Mientras nosotros planificamos para diez años, ellos no se interesan más que por los beneficios a obtener en los próximos diez minutos. A este ritmo, la economía norteamericana se ha convertido en una economía fantasma".

Incluso algunos responsables estadounidenses comparten parcialmente esta severa sentencia. Richard Darman, director del Presupuesto de Estados Unidos, denunció el *now-nowism* (todo, inmediatamente) es decir "la impaciencia del consumidor, no del constructor; del egoísta, no del pionero". Keynes temía que este comportamiento, inspirado por el "espíritu financiero", suplantara al "espíritu empresario". Al menos es coherente con la nueva tiranía financiera contra la que se debaten los industriales norteamericanos. Incluso los más grandes. IBM, por ejemplo, invierte cerca del 50 % de sus ganancias en dividendos. Rank Xerox distribuye más del 60 % de éstas. En cambio, los bancos que financian a las empresas japonesas son infinitamente menos golosos. Ellos pertenecen a menudo, directa o indirectamente, al mismo grupo. La mayoría posee una parte significativa del capital de la empresa. Están, por lo tanto, en buena posición para saber que exigir tasas por préstamos, o dividendos demasiado elevados, perjudicaría el desarrollo de la empresa. En suma, saben *compensar*, ganando por un lado lo que pierden por otro. Y todo el mundo se entiende. En cuanto a las empresas, que no están aplastadas bajo el peso de un capital demasiado costoso, están en mejores condiciones para elaborar —y para financiar— proyectos a largo plazo.

Este no es el caso de las empresas norteamericanas, permanentemente atormentadas por la obligación de satisfacer a sus accionistas y a sus prestamistas, atados en consecuencia a los proyectos de ganancias rápidas. Se puede comprender, en esas condiciones, que , como subraya el reciente informe del MIT (*Made in America, op. cit.*), los empresarios norteamericanos parecen ser cada vez más reticentes a la idea de asumir riesgos industriales. Asombrosa comprobación. Pues el capitalismo y la empresa son, por definición, sinónimos de riesgo. Por otra parte, toda la mitología estadounidense exalta ese riesgo, y siempre presenta la aventura industrial como la continuación de la de los pioneros. La prudencia excesiva, la búsqueda de ganancias a corto plazo, el repliegue a actividades seguras, concuerdan mal con la imagen que precisamente quería restaurar Ronald Reagan cuando declaraba, por ejemplo (en 1984, en ocasión de su viaje a China): "Nosotros somos un pueblo optimista. Como ustedes, hemos heredado infinitas extensiones de tierras y de cielo, de altas montañas, de campos fértiles, de llanuras sin horizontes. He ahí lo que nos hace descubrir en todas partes lo posible y nos da esperanzas".

Efecto perverso del "reaganismo", ironía cruel de los años ochenta: la tiranía de las finanzas acaba, paradójicamente, por atentar contra el espíritu de empresa. Es fastidioso. Y peligroso. La experiencia de los últimos años muestra que los mayores éxitos industriales se han originado frecuentemente en las mayores "asunciones de riesgos". Tenemos muchos ejemplos en un libro dedicado a la estrategia de las empresas japonesas: *Kaisha: the japanese corporation*, de J. Abegglen y G. Stalk (Nueva York, Basic Books, 1985). Los autores exponen la capacidad fantástica de los japoneses para asumir riesgos financieros e industriales. No es raro que empresas niponas se lancen inmediatamente a la producción masiva, incluso antes de saber si el producto se venderá. En consecuencia, los costos fijos son inmediatamente amortizados, lo que permite precios de lanzamiento sumamente competitivos. El ejemplo del famoso *walk-man* es revelador al respecto. Inventado por Akio Morita, su producción masiva se inició incluso cuando todavía no se había vendido ningún ejemplar.

En definitiva, la ganancia es un poco como la gasolina. Es lo que hace "funcionar" el motor capitalista. Pero si la gasolina es demasiado espesa o mal dosificada, el motor puede ahogarse. O explotar. Los directivos japoneses no omiten insistir sobre esta idea cuando critican, como Akio Morita, a sus colegas norteamericanos. Estos, dice, "descuidan a sus colaboradores, se desentienden de las necesidades de la producción y están demasiado obsesionados por Wall Street". Detrás de esas expresiones se perfila una crítica más general: la de la administración de los recursos humanos, tal como es concebida por bastantes empresarios estadounidenses. Esta forma de administración es, por otra parte, criticada por los mismos analistas norteamericanos. Citando varios estudios publicados en Estados Unidos, el informe *Ramsés* (Instituto Francés de las Relaciones Internacionales, Dunod) señalaba en su edición de 1990: "De hecho, las orientaciones adoptadas por la dirección estadounidense van contra la experiencia del mayor rendimiento y contra los análisis de los obstáculos sociales para la productividad realizados en numerosos lugares de Estados Unidos, en las universidades o en las sociedades de asesoramiento. Todos convergen hacia las conclusiones aceptadas desde hace mucho tiempo por empresas como IBM, 3M, o Hewlett-Packard: la administración permanente de una mano de obra estable es un elemento determinante de competitividad".

La carrera frenética hacia las ganancias induce a comportamientos opuestos a esta forma de administración bien entendida. Y, a fin de cuentas, el incentivo de las ganancias y el enriquecimiento desvergonzado hacen pesar amenazas sobre el conjunto del tejido social.

## Los nuevos peligros del dinero rey

El dinero y la fortuna han sido siempre uno de los fundamentos de la sociedad norteamericana, mientras que la cuna, la cultura o el honor eran los valores más apreciados por las sociedades europeas. Es el precio de la juventud de un Estado capitalista y republicano. Un Estado fundado sobre la ética protestante que, como demostró Max Weber, se acomodaba muy bien al capitalismo. ¿No es más que evidente que Estados Unidos es el país del dinero rey y del dólar triunfante? En cambio, se olvida demasiado a menudo que esa preeminencia del dólar, esa rudeza de la competencia individual en Estados Unidos, ese materialismo sin complejos, se contraponen con algunos valores importantes o instituciones específicas. Es cierto que Estados Unidos, desde su origen, está consagrado al dólar, pero mantenía una mano sobre la *Biblia* y la otra sobre la Constitución. Era una sociedad profundamente religiosa, cuyo espíritu público se encarnaba en una Constitución —la ley— de forma más solemne que entre nosotros. Y la moral tradicional implicaba obligaciones, e inspiraba mandamientos que no eran sólo formales. "Es vergonzoso para un hombre rico —decía Rockefeller— morir como tal." En cuanto al muy vivo "tejido asociativo", ya se ha dicho hasta qué punto era importante su función de amortiguador social. La sociedad norteamericana, en suma, se equilibraba manejando contradicciones fundamentales.

Ahora bien, es precisamente este equilibrio el que se encuentra hoy roto. El dinero era el rey, pero, como todas las realezas, veía su poder contenido, limitado. Hoy, su poder tiende a invadir todas las actividades sociales. En su libro *El capitalismo en todos sus estados* (Fayard, 1991), el profesor Alain Cotta subraya el vínculo que existe entre tres rasgos del nuevo capitalismo: es financiero, corrompido y objeto de publicidad. La gloria es el camino más corto de la fortuna hacia la corrupción. Esta es, por otra parte, fríamente considerada por algunos economistas neoconservadores como un método a menudo racional de administración social. Pero, a partir de estos principios, ¿qué es un ladrón, sino alguien que no tiene poder para hacerse corromper, hacerse comprar? Hay, en la lógica de ese capitalismo, una eliminación de todos los parapetos heredados de las tradiciones morales occidentales. Y la nueva inmoralidad del dinero hace aún más difíciles de soportar las contradicciones y las desigualdades de la sociedad norteamericana a medida que éstas se exacerban más.

¿Cómo justificar, por ejemplo, que Michael Eisner, el director ejecutivo de Disney, gane, él solo, más que los 4000 jardineros empleados para el mantenimiento de los parques de Disneyworld en Orlando (Florida) (es decir, alrededor de cincuenta veces el salario de un Antoine Riboud y cien veces el de un Jacques Calvet)? ¿Cómo justificar que el fantástico Michael Milken, responsable del departamento de *junk bonds* de la empresa Drexel Burnham Lambert, haya podido declarar sólo en el año 1988 un ingreso de 550 millones de dólares?

Todo Estados Unidos comienza a plantearse esta pregunta, incluso el semanario *Business Week*, que titulaba en portada recientemente: "¿Los directivos están bien pagados?" A raíz de esto se presentó ante las dos Cámaras del Congreso un proyecto de ley dirigido a limitar las remuneraciones de los directores ejecutivos. Un experto en la materia, M. M. Graef Crystal, declaró ante una comisión del Senado que el director de una gran empresa norteamericana gana como promedio 110 veces más que el sueldo medio de sus empleados. La misma diferencia es de 17 veces en Japón y 23 en Alemania. ¿De qué sirve pagarles 5 ó 6 veces más que a los directores alemanes o japoneses? Si los mecanismos del mercado funcionasen correctamente, esas diferencias deberían reflejar diferencias equivalentes de competitividad de las empresas. Ahora bien en gran medida sucede lo contrario. Lo que reina aquí no es por lo tanto la ley del mercado, sino más bien la monarquía del dinero.

El dinero entronizado amenaza con barrer toda moral. En Wall Street, todas las malversaciones imaginables han acompañado a los "locos años" ochenta. Hasta el punto de que las reglas deontológicas se encuentran profundamente deterioradas. La célebre divisa de los banqueros: *"My word is my bond"* apenas tiene sentido para los nuevos héroes de las finanzas. Para ganar más, cualquier medio es bueno. Se pagan informadores. Se contratan los servicios de detectives privados para obtener información sobre los dirigentes de la empresa que se quiere comprar. Y Wall Street inspira cada vez menos confianza, aunque absorba una corriente de ahorros que fluye del mundo entero y que Estados Unidos necesita.

Pues ciertamente ésta es la paradoja. La moral —en este caso la de los negocios— no es un simple adorno, un lujo ético. Es técnicamente necesaria para el buen funcionamiento del capitalismo. Los ambientes financieros de Wall Street lo han comprendido bien. Reaccionan a los excesos de ayer con un vigor y una severidad inimaginables en Europa. Especialmente la temible Securities and Exchange Commission (SEC), el equivalente norteamericano de la Comisión de las Operaciones de Bolsa (COB) francesa, que persigue los delitos cometidos en los mercados financieros. Los jueces golpean y golpean fuerte. De pronto —¿es una moda, un mecanismo preventivo o un justo retorno del pasado?— se desarrollan cursos de "moral de los negocios" en varias universidades, entre ellas Harvard. Vemos surgir "fondos de inversión morales" que no colocan su dinero más que en las empresas consideradas irreprochables. Unos cuarenta estados americanos han adoptado últimamente legislaciones que apuntan a combatir los abusos de las ofertas públicas de compra. El Congreso de Pennsylvania decidió incluso, a fines de abril de 1990, que las ganancias de todo accionista que hubiera vendido su inversión en un plazo menor a dieciocho meses después de una OPA serían pura y simplemente confiscadas. Y, en todo el país, una poderosa corriente popular se desarrolla contra la especulación bursátil de los inversores institucionales.

Por otra parte, Estados Unidos entero parece barrido por una poderosa ola de moralidad, una atmósfera de cruzada puritana, donde no faltan algunos excesos. Varias personalidades políticas han visto arruinada su carrera porque eran sospechosos de malversaciones —o imprudencias— financieras: Geraldine Ferraro en las elecciones presidenciales de 1984, Michael Deaver, antiguo secretario general de la Casa Blanca; John Tower, designado por George Bush para el puesto de secretario de Estado en el Ministerio de Defensa; Jim Wright, presidente de la Cámara de Representantes, etc. Estados Unidos se vuelve hipersensible a las "cuestiones monetarias".

La moral, en suma, vuelve a ser una necesidad imperativa y, por lo tanto, una inversión rentable. Estados Unidos reacciona donde se siente amenazado. Pero ese retorno de la moral no es en realidad más que uno de los episodios del gran combate que acaba de empezar entre las dos concepciones del capitalismo.

El esplendor de sus finanzas ha lesionado la economía y aún más la sociedad norteamericana. Pero, en este punto, Estados Unidos reacciona. Este no es, pues, el momento oportuno para olvidar el proverbio: *"Never sell America short"*.

Capítulo 4

# EL SEGURO ANGLOSAJON CONTRA EL SEGURO ALPINO

El que acabamos de descubrir es, realmente, un nuevo modelo de capitalismo norteamericano. Este, en efecto, ha cambiado mucho en el último período. Hace menos de un cuarto de siglo, Estados Unidos estaba todavía en la "era de los organizadores", descrita por Burnham en 1941 (*The Managerial Revolution*, The John Day Co.; Calmann-Lévy, 1967); dicho de otra manera, la de la dominación de los accionistas por la tecnoestructura. Es así como, en *El Nuevo Estado Industrial* (*The New Industrial State*, Houghton Miffin Co., 1967; Gallimard, 1968), John Kenneth Galbraith describía todavía el movimiento opuesto al actual: no el "retorno del capital" y el acrecentamiento del poder del accionista sino, por el contrario, el retroceso del poder de los capitalistas en las empresas: "El poder se transfiere, en realidad, a lo que debemos llamar un nuevo factor de producción. Ese factor es la asociación de hombres y de equipos, de competencias técnicas variadas, que el proceso moderno de la innovación tecnológica exige".

Lo que en esa época todavía parecía lo más nuevo, en Estados Unidos se situaba, por lo tanto, en las antípodas del modelo reaganiano de capitalismo, en el que los financieros toman el poder en lugar de los ingenieros, y los medios de comunicación reemplazan a los sindicatos.

¿Pero esta evolución no es universal? ¿Existe verdaderamente, como he afirmado sin vacilar, un modelo competidor de capitalismo? Sí, lo he descubierto en mi propio oficio, el ramo de los seguros. Un oficio en el que todos los debates, todos los conflictos, todas las estrategias, están invisiblemente motivados por el antagonismo de dos concepciones: el seguro alpino contra el seguro anglosajón.

## Los dos orígenes del seguro: en la montaña y en el mar

Fue visitando la filial de las AGF\* en Suiza cuando descubrí, hace algunos años, la originalidad del capitalismo alpino.

Antes, Suiza era para mí el país-símbolo del liberalismo económico, el de *laisser faire laisser passer*. Cuál no sería mi sorpresa cuando pedí al director de esta filial que me describiera su política de tarifas en seguro de automóviles, al enterarme de que no había ninguna, pues no podía tenerla dado que, en Suiza, las tarifas del seguro obligatorio automovilístico son —obligatoriamente— las mismas para todas las compañías. Yo, que durante años, en mis funciones de consejero económico del gobierno francés, había militado por la liberación de todos los precios controlados, no salía de mi asombro: en este punto, Francia es un país mucho más liberal que Suiza...

Durante el almuerzo, un banquero suizo me declaró que los bancos norteamericanos jamás podrían llegar a conquistar una parte significativa del mercado suizo autóctono. ¿Por qué? Respuesta: porque los bancos norteamericanos tienen la manía de cambiar constantemente a su personal. "¡Usted no creerá que los inversores suizos vayan a confiar su dinero a alguien que no conocen!"

Descubrí así que, en Suiza, el depósito bancario no es solamente una operación técnica, sino también un intercambio personal; y que el mercado de los seguros opera menos en función de la comparación de las tarifas —incluso en los terrenos donde éstas son libres— que según la comparación de los servicios brindados. En consecuencia, es un capitalismo en el que el precio, el aspecto material de una cosa, se considera menos importante que el servicio, es decir el conjunto de los elementos inmateriales, más o menos subjetivos, y hasta afectivos, que lo rodean. ¡Extraño!

Hay que indagar en esta paradoja, analizarla, comprenderla, pues constituye una de las mejores ilustraciones del conflicto entre los dos capitalismos. Para eso, uno debe remontarse en el tiempo, al origen del seguro, o mejor dicho a los dos orígenes muy diferentes del seguro, el origen alpino y el origen marítimo.

El seguro se originó en los altos valles de los Alpes, donde los lugareños organizaron las primeras sociedades de socorro mutuo durante el siglo XVI. De esta tradición "alpina" desciende toda una filiación de organismos comunitarios de seguro y previsión: asociaciones mutuales (guildes), corporaciones, sindicatos profesionales, movimientos mutualistas. Esta tradición "alpina" mutualiza los riesgos: cada individuo realiza un aporte relativamente independiente de la probabilidad de los riesgos que pueda correr. De manera que hay "solidaridad", y finalmente transferencia "redistributiva" dentro de la comunidad. Esta tradición se ha

---

\* Assurance Générale de France = Seguros Generales de Francia. [T.]

mantenido en el área geográfica que la vio nacer. Suiza, Alemania..., y también en los países de sensibilidad similar, Japón por ejemplo.

El otro origen del seguro es marítimo. Es el préstamo arriesgado sobre los cargamentos de los navíos venecianos y genoveses, que se desarrollará sobre todo posteriormente en Londres. Su forma característica se conformará en la taberna de un tal Lloyd, en Londres, a propósito de los cargamentos de té embarcados en los navíos ingleses. Esta filiación es diferente de la tradición "alpina": se preocupa más por un manejo especulativo del riesgo que por la seguridad. Aquí ya no se trata de redistribución y de solidaridad, sino de apreciar con la mayor exactitud la probabilidad de riesgo en cada caso concreto.

Estos dos orígenes del seguro nos remiten, hoy, a una verdadera elección de sociedad: en el sistema "alpino", el seguro constituye una forma de organización de la solidaridad; en el modelo "marítimo" tiende por el contrario a diluir la solidaridad por la precariedad de los contratos, y sobre todo, como veremos, por la hipersegmentación de las tarifas. El primero es una afirmación, y el segundo una negación del vínculo social.

Esta es la razón por la que los dos orígenes del seguro se proyectan hoy con una nueva luz sobre los dos modelos del capitalismo contemporáneo. Por una parte, el capitalismo anglosajón, fundado sobre el predominio del accionista, el beneficio financiero a corto plazo y, más generalmente, el éxito financiero individual; por otra parte, el capitalismo renano, en el que los objetivos prioritarios son la preocupación a largo plazo y la preeminencia de la empresa concebida como una comunidad que asocia el capital al trabajo.

Conforme a su origen respectivo, hoy se oponen dos lógicas profundamente diferentes del seguro. Es esta oposición la que determina, desde los orígenes de la CEE, pero sobre todo desde el Acta Unica de 1985 que prepara el mercado único de 1993, todos los debates sobre el futuro del seguro en Europa. Esos debates hacen referencia implícitamente a dos modelos.

El modelo alpino se caracteriza especialmente por la existencia de una tarifa única y obligatoria en el seguro de responsabilidad civil del automóvil. Esa tarifa obligatoria y única subsiste en Suiza, en Australia, en Alemania, en Italia. En todos esos países, el seguro depende principalmente de la esfera de la mutualización, de la solidaridad.

Por el contrario, en los países anglosajones, el origen marítimo del seguro hace que éste dependa principalmente de la esfera y del mundo financiero. Incluso para el seguro obligatorio del automóvil, las tarifas son enteramente libres, de ahí una desmutualización de los riesgos por segmentación de los mercados.

Dos grandes tipos de instituciones simbolizan esta oposición entre el modelo alpino y el modelo marítimo del seguro.

No es casualidad que el reaseguro, actividad que requiere un máximo de seguridad y de continuidad, haya elegido para sus capitales dos ciudades de los Alpes, Munich y Zurich, donde flamean las banderas de la Münchener

Rück y de la Compañía Suiza de Reaseguros. Munich es también la sede de la Allianz, primera compañía europea; Zurich la de la... Zurich y de su vecina, la Winterthur, por último, al pie de los Alpes, Trieste la de los Generali y de la RAS (Riunione Adriatica Sicurita). Todas se cuentan entre las más emblemáticas del seguro europeo. Munich, Zurich y Trieste, esas tres capitales del seguro, son las de un modelo que la historia y la geografía designan, textualmente, como el modelo alpino. Aunque se mantiene inalterable, es cada vez más discutido por la corriente de ideas favorable al modelo marítimo, reforzada por la corriente neoamericana.

El símbolo del seguro marítimo es la Lloyd's de Londres, que mantiene, como sello de su origen marítimo y aventurero, la regla según la cual cada uno de sus miembros, los 25.000 *names* (nombres), debe comprometer la totalidad de sus bienes en garantía por los riesgos que puede tener que cubrir. La Lloyd's, cuya fama entre el gran público internacional sigue siendo inmensa, sufre una grave crisis, característica de los nuevos problemas del mundo anglosajón: esta crisis es una crisis de confianza por parte de los financieros, los *names*, con respecto a los suscriptores, que los comprometen y no han sabido resistir la tentación de aceptar riesgos desmesurados. Obrando así, a corto plazo, los suscriptores practicaban la técnica de "las finanzas y la gloria". Ellos se apoderaban alegremente de los mercados y, siendo remunerados a comisión, se aseguraban de paso magníficas ganancias. Pero ahora ha llegado la hora del largo plazo. Se trata de pagar, tanto para los Lloyd's como para Estados Unidos.

## El modelo alpino, potente pero discutido

El postulado básico del modelo alpino-renano del capitalismo en general, y del seguro en particular, es el de una comunidad de intereses entre los diferentes componentes de la empresa por una parte, y entre la empresa y su clientela por otra.

En un estudio reciente, el Instituto de la Empresa señala que "las empresas alemanas deben gran parte de su eficacia a la existencia de un amplio consenso social, así como a la solidaridad en la dirección y la defensa de los negocios entre la dirección y los accionistas".

Lo que es bueno para la empresa también lo es para su cliente, tal es el postulado fundamental del BAV, oficina de control de los seguros alemanes. La principal consecuencia es que el sector de los seguros escapa al derecho común de la competencia y a la jurisdicción de la Oficina de Asociaciones Empresariales (Bundeskartekmant). En 1988, el presidente de la Oficina de Asociaciones Empresariales hizo unas declaraciones, visiblemente molesto: "El BAV ve la defensa de los intereses del cliente en función de la solvencia del asegurador. Su principal preocupación es hacer todo lo posible para que el asegurador alemán no pierda dinero, y por lo tanto obligarlo a ser rentable. El BAV, en consecuencia, no ejerce su función de defensa de los intereses del cliente. Como nadie más se encarga de ello, es normal que yo, o sea la Oficina de Asociaciones Empresariales, asuma ese papel".

El malestar provocado por esta profesión de fe no ha cambiado en nada lo esencial: en 1991, en vísperas del mercado único, subsiste tanto en Alemania como en Suiza una tarifa regulada para la responsabilidad civil obligatoria del automóvil. En Suiza, esta tarifa se fija por una comisión mixta que comprende a representantes de los asegurados. En Alemania, cada compañía calcula su tarifa, y la somete a la aprobación de la administración del BAV.

Un beneficio máximo del 3 % se deja a la discreción del asegurador. ¡Subrayemos el carácter facultativo de ese beneficio! De esta manera el beneficio, no es, pues, la finalidad de la empresa, sino ¡un suplemento opcional de su actividad!

Comprendamos bien las consecuencias: el que usted sea buen o mal conductor, joven o viejo, hombre o mujer, poco importa; para un mismo automóvil, usted paga la misma tarifa en todas las compañías de seguros.

La competencia sólo se sustenta, por lo tanto, en la calidad del servicio (rapidez y generosidad de las indemnizaciones). La solidaridad por medio de la mutualización es casi total, y termina haciendo pagar a los buenos conductores por los malos. En 1985, una gran compañía alemana reaccionó. Había comprobado que la tasa de siniestralidad era mucho más elevada para los inmigrantes que para los nativos, lo que la llevó a proponer que la tarifa de 100 % para los alemanes se elevara a 125 % para los griegos, a 150 % para los turcos, y a 200 % para los italianos. Ese criterio de selección, evidentemente contrario al principio de no discriminación entre los países de la CEE, no fue aceptado. En consecuencia, el conjunto de los países alpinos conserva una tarifa única, como Japón, donde incluso el número de las compañías de seguros está limitado por la ley: 24 en daños y 31 en vida. La ley de *Keiretsu*, la de la gran familia en la que todos los miembros son solidarios, patrones y obreros, clientes y proveedores, asegura la prosperidad de las grandes compañías aseguradoras japonesas.

Uno de los elementos más importantes de la pujanza de las compañías de seguros de los países alpinos se relaciona con la estabilidad de la clientela. En seguros multirriesgos de vivienda, la regla alemana hasta 1988 era la del contrato decenal; la Comisión de la CEE consiguió que el plazo llegara a cinco años, mientras que en la mayoría de los otros países el contrato es anual. Del mismo modo, la duración media de un contrato de seguro de vida es en Alemania de treinta años, ante seis en Gran Bretaña.

Evidentemente, las rigideces de este sistema provocan riesgos de esclerosis que van en contra de los intereses del consumidor. Sin embargo, no hay que condenar de manera intransigente. El modelo alpino de seguros se inscribe en un conjunto de valores sociales en los que la confianza recíproca, la estabilidad de las relaciones estrictamente contractuales, son en gran medida el fundamento de la estabilidad de la clientela.

En ese modelo, la preeminencia de la empresa sobre el cliente se acompaña de una preeminencia de la administración sobre el sector de los accionistas, algo impropio del sector del seguro. La administración es más fuerte en la medida en que es colectiva, conducida por una junta directiva. El consejo de vigilancia sólo tiene poder para nombrar y revocar a los miembros de la junta, y vela por los intereses de los accionistas y del personal, representado en su seno. Esta "representación del personal" es incluso a menudo asumida por funcionarios sindicales sin relación directa con la empresa. La estabilidad resultante favorece la preferencia por una larga duración en la dirección de las empresas.

Todos saben que las OPA prácticamente no existen ni en Japón ni en Suiza ni en Alemania. En Alemania, en alrededor de un tercio de las sociedades las acciones son nominativas, y sus estatutos a menudo contienen esta cláusula: "La transferencia de una acción a otro propietario no está autorizada más que con el acuerdo de la sociedad". Si la dirección, representante legal de la sociedad, rechaza esa transferencia, puede, aun en nuestros días, otorgarse a veces durante lapsos no desdeñables el asombroso privilegio de no justificar su rechazo.

Usted puede, por lo tanto, comprar una acción de determinada sociedad en la Bolsa, pero, mientras esa transacción no haya sido registrada, usted no tendrá ni derecho de voto ni derecho de participación en las ampliaciones de capital. Lo mismo sucede en Suiza, donde el ejemplo más conocido es el de la compañía de seguros La Genevoise, de la que la Allianz había adquirido el 14 %: habiéndose rechazado el registro por la dirección, ésta no disponía de ningún derecho de voto. Desde entonces —simbólicamente— es la Zurich la que ha comprado la mayoría de La Genevoise.

Se comprende que cada vez se eleven más voces, especialmente en Bruselas, para discutir algunos aspectos del modelo alpino en materia de seguros: ¿La comunidad de interés entre el asegurador y el asegurado es *a priori* tan conveniente como se supone? ¿La tarifa única no entraña la desaparición de toda verdadera competencia? Desde el momento en que los aseguradores alemanes casi carecen de estímulos para aumentar su cartera de clientes, y reducir sus costos comerciales, ¿este modelo no va necesariamente contra el interés del cliente? Apoyándose en este análisis crítico, la Comisión de Bruselas, en la preparación de las directrices llamadas "de tercer nivel", apunta a establecer una verdadera competencia en los hoy sobreprotegidos mercados "alpinos". Lo que equivale implícitamente a extender al conjunto de Europa el segundo modelo de la sociedad aseguradora: el modelo "marítimo" de los países anglosajones.

En el modelo alpino, el seguro es ante todo una institución cuyo buen funcionamiento exige que la ley del mercado sea estrictamente reglamentada. En el modelo anglosajón, el seguro es ante todo un mercado, sometido a las leyes generales de la competencia, y donde la especificidad de las compañías se limita a la aplicación de reglas optativas.

El modelo alpino se caracteriza por la potencia financiera de las compañías, que son casi las únicas en el mundo que pueden practicar con sus fondos propios ambiciosas políticas de crecimiento externo. A la inversa, el modelo marítimo refuerza su influencia ideológica, al mismo tiempo que debilita financieramente incluso a las más prestigiosas de sus compañias aseguradoras.

Esto es particularmente evidente en materia de seguros automovilísticos de responsabilidad civil. Dado que este seguro es obligatorio en los países desarrollados, donde casi todo el mundo conduce un automóvil, es la cuestión más candente. Y aún más dado que nos permitirá descubrir la extraordinaria diversidad del paisaje asegurador y de sus implicaciones político-sociales. Todos los grandes debates políticos y sociales en las democracias avanzadas estarán, en el futuro, impregnadas de los paradigmas del seguro. Es lo que anundan los debates californianos en torno a la Propuesta 103.

## La experiencia inglesa
### (o los costos de la mano invisible)

En el conjunto de los países anglosajones, las tarifas del seguro automovilístico son extremadamente libres. Comencemos por mirar la experiencia inglesa. Es la de la racionalización tarifaria.

Puesto que el cliente es el rey (¡el accionista también!), el corredor que representa sus intereses le ofrece la mejor tarifa, presentada de la manera más racional: el conjunto de los parámetros particulares del cliente, su lugar de residenda, su tipo de actividad y su vehículo determinan una posición en un modelo de *scoring* (puntuación) en caso de diferenciación tarifaria. Las tarifas ofrecidas por unas veinte compañías aseguradoras aparecen instantáneamente en orden creciente en la pantalla del corredor. Es una tarifa global, incluida la comisión, y ésta se fija también con total libertad.

Mientras que la estabilidad del seguro en el modelo alpino se basa en una distribución por redes exclusivas, que trabajan por cuenta de las compañías, al mundo marítimo le corresponde, claro, el cabotaje del corredor. El corretaje desempeña un papel esencial no solamente por su parte de mercado, sino también por su función de consejero, de gestión de siniestros, y hasta de concepción del producto. La compañía de seguros, que rige con carácter dominante en el modelo alpino, en el modelo marítimo, en última instancia, sólo tiene una función de "madre de alquiler": su principal función es la de vender más barato productos idénticos, segmento por segmento de mercado, respetando al mismo tiempo las reglas. La distribución por corretaje es tarifaria, pero la pregunta que se plantea el funcionamiento actual de los mercados anglosajones de riesgos particulares es la de saber si, a pesar de eso, no sería preferible, en interés a largo plazo de los mismos consumidores, que se mantenga cierto equilibrio —como ocurre en Francia— entre las diferentes redes de distribución.

En efecto, a partir del momento en que la circulación de la información se efectúa en tiempo real, y los productos son, por definición, idénticos, puesto que las tarifas se exhiben en la pantalla del corredor por orden creciente de precios, apenas hay ventaja comparativa en la innovación. Más aún, para que ese sistema alcance la perfección de su lógica, es necesario que los productos sean perfectamente comparables entre sí, y por lo tanto totalmente asimilables. Dicho de otra manera, hay que *evitar innovar*. La práctica confirma aquí la teoría de que, en una red donde la circulación de la información se efectúa en tiempo real, la innovación tiende a perder sus ventajas comparativas.

"En el modelo del mercado de competencia real, la economía es un sistema de mercados en cada uno de los cuales se cambia un producto homogéneo, Además, en cada mercado, los compradores y los vendedores del producto son tan numerosos que ninguno de ellos puede influir sobre el precio por el que el bien se cambia. Y ese precio, o el mecanismo de los precios, interviene como una señal que provee de toda la información necesaria para una repartición de los productos y de los factores de producción correspondientes a una situación óptima." (*Enciclopedia Económica*, McGraw-Hill; ed. fr. Económica, 1984, artículo "Capitalismo".)

Como ya hemos visto, el principio del seguro personal en los países alpinos es muy diferente: "Lo que es bueno para la empresa también lo es para el cliente". En los países anglosajones, es lo contrario: "El cliente ya es mayorcito para saber lo que es bueno para él y para elegir entre las diferentes compañías". Es por un lado, por lo tanto, la lógica pura del seguro considerado casi como un servicio público, ejercido por medio de instituciones sometidas a una reglamentación rigurosa y a una competencia moderada; y por el otro lado, el seguro concebido como un simple mercado análogo a los demás, con el límite de las reglas prudenciales. En este mercado, la compañía de seguros sólo debe hacer dos cosas: proveer productos más baratos y aportar un mínimo de seguridad.

Se trata ciertamente de una exigencia mínima. En 1970, una de las principales compañías británicas de seguros de automóvil, "Equality & Security", entró en quiebra, incapaz de afrontar sus compromisos ante más de un millón de clientes. El control de los seguros británicos estaba entonces en manos de cinco personas. Después de este acontecimiento, Gran Bretaña aceptó la directriz comunitaria de 1974 sobre el refuerzo del control.

Para poder vender su producto de seguro automovilístico, el asegurador británico debe, como hemos visto, cumplir dos condiciones: ser más barato que sus competidores, y sobre un producto comparable, es decir tan homologado como sea posible. Para ser más barato, en cuanto a costos de producción y de administración, hay que segmentar el mercado al máximo. Todos lo recursos creadores de las compañías son, por lo tanto, absorbidos por la preparación de las mejores tarifas, perfeccionadas sin cesar. No es raro que una compañía ofrezca 50.000 tarifas diferentes. Matrices multicriterios elaboran casi hasta el infinito las características más sutiles. El asegurador que triunfa sólo tiene una virtud, la de la hiper-segmentación que le permitirá encontrar la cadena tarifaria de fuerte valor agregado, el crecimiento original de variables en el que nadie había pensado todavía.

La lógica de este sistema consiste por lo tanto en poner una tarifa a cada riesgo al precio más exacto, por medio del máximo ajuste sobre las regresiones estadísticas. En consecuencia, la noción misma de comunidad de asegurados, de mutual, se ve despedazada como picadillo de carne. El acto de asegurar, sometido a la lógica de la segmentación indefinida, encuentra de este modo su naturaleza original en el mundo anglosajón, la de una apuesta para el asegurador, cuya contrapartida es un ahorro para el asegurado. El asegurado paga una prima que es la contrapartida de su probable riesgo. Si bien ya no goza de la mutualidad, tampoco soporta su peso.

Vayamos ahora al caso concreto: el accidente. En Francia, cuando dos automovilistas chocan, intercambian su resguardo de seguro. Cada uno envía el suyo a su agente general o a su corredor, que lo indemnizará enseguida gracias a la existencia de un sistema de compensación multi-lateral entre el conjunto de las compañías, el sistema IDA (Indemnisation des Dommages en Assurance) (Indemnización de los Daños en Seguros). En Gran Bretaña o en Estados Unidos no existe nada similar: el asegurado se dirige a un corredor, que intentará que la compañía correspondiente se ponga de acuerdo, en cada caso particular, con la compañía del otro automovilista. Los resultados son por lo menos inciertos.

Pero eso también forma parte de la racionalidad de las relaciones entre los asegurados y las compañías. A la mediocridad del servicio responde la infidelidad de la clientela. Desde el momento en que la mutualidad entre los asegurados es destruida por la segmentación de los mercados, el ase-gurado, al estar ya sólo ligado a su riesgo y a los criterios que lo definen, no tiene ninguna razón para mantener relaciones privilegiadas con tal o cual compañía. La lógica quiere, por lo tanto, que reaccione a las diferentes tarifas por medio del *zapping*.* En la mayoría de las compañías francesas la rotación de los seguros automovilísticos es del orden del 10 al 15 %. En Gran Bretaña, supera el 30 %. Por cierto, aquí también la referencia obligada es la

---

* Expresión propia de la informática, que significa —dicho elementalmente— la acción de borrar o borrarse determinado elemento de un programa. En este caso se puede traducir por "irse sin dejar rastro". [T.]

compañía marítima de la Lloyd's, que renegocia a veces cada hora los contratos de los navíos en las zonas peligrosas.

El *zapping* de los asegurados entraña una aceleración de los cambios de tarifas. Las compañías ofrecen tarifas de promoción cada semana, lo que aumenta aún más la rotación de la clientela, con la consecuencia bien conocida por todos los aseguradores: la administración de esa rotación es muy costosa. Los costos de adquisición de los clientes, cada vez más elevados, producen la elevación del nivel medio de las primas, que a su vez sufren variaciones cíclicas cada vez más fuertes. Variaciones cíclicas caracterizadas por la desaparición de las compañías incapaces de soportar los traumas.

Dicho de otra manera, hay un costo global de la infidelidad. Hay un costo, cada vez más visible, de la mano invisible que actúa en este mercado de los seguros.

## La experiencia californiana (donde los extremos se tocan)

California es el estado que puso en órbita a Ronald Reagan. Fue elegido presidente de Estados Unidos gracias al éxito arrollador que había obtenido en California con su política ultraliberal de desregulación y de privatización. Ahora bien, en ese país fundamentalmente conservador, donde el teléfono, la electricidad y los transportes públicos pertenecen al sector privado, el seguro, por su parte, está ahora sometido a una reglamentación tan dirigista que constituye la más asombrosa regresión de la economía de mercado en ese sector en el curso de los últimos años. ¿Qué ha pasado? Yo lo comprendí a partir de mi propia experiencia. Los AGF habían tomado, hace algunos años, una participación en una compañía de seguros americana, Progresive Corp., especializada en el seguro de "Alto riesgo automovilístico", en la circunstancia de los conductores rechazados por las otras compañías. Ya hemos visto que, en los países alpinos, los riesgos elevados se aceptan como los otros, con la misma tarifa básica. En los países anglosajones, por el contrario, el establecimiento de la tarifa es libre. Por lo tanto, en Progressive Corp., el coste medio de la prima de seguro anual, para ese tipo de riesgo ¡era de un importe comparable al valor del vehículo asegurado! Para comprender el alcance de esta tarifa, señalemos primero que la prima media en Francia es del orden de los 2000 francos, y el valor medio del vehículo del orden de los 50.000 francos. Si Progressive Corp. funcionara en Francia, su prima media sería, por los tanto, del orden de los 50.000 francos, ¡o sea un importe comparable al SMIC* anual! Esta sociedad no es más que el ejemplo extremo de lo que los consumidores ya no aceptan. En California, como en buen

* Salaire Minimum Interprofessionnel de Croissance = Salario mínimo interprofesional de crecimiento. Equivale a nuestro "salario mínimo interprofesional". [T.]

número de estados norteamericanos, el movimiento de defensa de los consumidores ha emprendido la batalla contra los abusos de algunas tarifas de seguros.

¿Cómo podría el joven negro que ha tenido dos accidentes, y que gana el SMIC, dedicar la totalidad de su salario para pagar su seguro de automóvil? Es evidente que esto es inadmisible, y se produjo un movimiento de indignación dentro de la población. Aún más considerando que, por no poder pagar la prima correspondiente a la tarifa media entre compañías, un número creciente de conductores circula sin seguro (15 % en algunos lugares de Estados Unidos), dejando sin ningún recurso a sus eventuales víctimas.

Un amplio movimiento popular se desarrolló en California a partir de 1983. Ese movimiento desembocó en un referendo popular sobre la famosa "Propuesta 103". La aplicación de ese texto hace de California la vanguardia de la regresión hacia las formas más absurdas de dirigismo en materia de seguros: todas las compañías han sido obligadas a bajar sus tarifas en un 20 %... ¡a excepción de aquellas que no parecieron lo bastante boyantes como para poder soportar tal trauma! Ahora se determinan las tasas de rentabilidad máxima de los aseguradores. Los tribunales, abrumados por los ataques de los *lawyers*, hicieron su divisa del viejo proverbio *summum jus, summa injuria*,* concluyendo en que la equidad debe imponerse sobre el derecho y que entre dos partes, una víctima pobre y una compañía de seguros rica, la función del juez es la de vaciar el *deep-pocket* (bolsillo profundo) del asegurador, cualquiera que sea la responsabilidad de cada parte. El movimiento de defensa del consumidor, que ignora el modelo alpino de seguros, hace de él su caballo de batalla en Estados Unidos. Su acción desemboca en remedios peores que la enfermedad. El dirigismo en las tarifas se extiende: la Oficina de Inspección de Seguros del Estado de Nueva York somete actualmente a una autorización obligatoria los cambios de tarifas superiores al 15 %. ¡Es más, ha multado a las compañías que habían hecho descensos de tarifas excesivos! Este tipo de regresión dirigista se extiende hasta tal punto que, a semejanza de los colegiales franceses que reclaman vigilantes, las compañías de seguros americanas reivindican ahora una reglamentación federal.

Lo más paradójico es que en Bruselas —e incluso en cierta medida en París— la única idea de moda en 1991 es aún la de la desregulación modelo Thatcher de 1980. Encontramos aquí una aplicación particular de la tendencia general de que, entre los dos modelos de capitalismo, el capitalismo renano y el capitalismo neoamericano, es el menos eficaz en los hechos el que gana en las mentes (véase el capítulo 9).

Otra aplicación de esta tendencia se encuentra en las nuevas prácticas de administración del activo de algunas compañías de seguros en el modelo

* Expresión latina que puede traducirse por "El supremo derecho es la suprema injusticia". [T.]

anglosajón, y más concretamente en Estados Unidos. Hay que hablar realmente de los "riesgos del activo" cuando las compañías británicas de seguros de vida invierten como promedio la mitad de sus activos en el mercado de las acciones. Y sin duda aún más tratándose de las compañías de seguros norteamericanas, que no vacilan en suscribir *junk bonds* y préstamos hipotecarios de dudosa calidad por valor de centenares de miles de millones de dólares.

En el modelo alpino, los márgenes financieros son estrechos y generalmente obligatorios; la política financiera de las compañías de seguros está dominada por las exigencias de la seguridad y de la continuidad. Esas exigencias las resguardan de la tiranía del *quarterly report*, es decir, de la publicación de resultados a corto plazo, a veces tanto más brillantes en cuanto cubren riesgos más graves.

## La síntesis francesa y su problemática

Podemos preguntarnos por qué los aseguradores franceses, que durante tanto tiempo han repetido incansablemente sus complejos de inferioridad, todavía ignoran hoy el valor de la síntesis empírica a la que ha llegado el seguro francés. Reúne en una amplia medida las ventajas de la tradición alpina y las de la flexibilidad anglosajona.

Hace cinco o seis años, al día siguiente del voto del Acta Unica, los aseguradores franceses estaban convencidos de que sus compañías no resistirían el choque de la competencia internacional, especialmente anglosajona. A pesar de una carga fiscal que —salvo en seguros de vida— es la más pesada del mundo desarrollado, hoy se puede comprobar que, lejos de haber retrocedido, el seguro francés ha progresado en todos los frentes.

A pesar de una completa apertura, tanto en el plano financiero como comercial, todos los intentos de las compañías extranjeras para desarrollarse en el mercado interior francés han fracasado. Incluso en los grandes riesgos industriales, donde su participación en el mercado es hoy más reducida que hace diez años.

En los seguros de daños, no son compañías extranjeras sino mutuales francesas las que, esencialmente, continúan aumentado su participación en el mercado. En los seguros de vida, son las nuevas formas de competencia interior, especialmente la de los bancos, las que han hecho retroceder a las compañías francesas. Pero ese retroceso en el interior está compensado por inversiones en el exterior, que han sido la gran sorpresa de los últimos años. Mientras las compañías anglosajonas, inhibidas ante la presión creciente de sus accionistas, se han replegado cada vez más a su mercado nacional, los dos países que se han destacado por su crecimiento externo en materia de seguros han sido Suiza y Francia.

En seguros automovilísticos, los ingleses, a menudo considerados los más baratos de Europa, ofrecen de hecho tarifas semejantes a las de las compañías francesas. Teniendo en cuenta las tasas elevadas que existen en Francia, y la realidad de una calidad de servicio claramente superior en nuestro país, significa que las prestaciones de seguros de las compañías británicas son en realidad sensiblemente más caras que las equivalentes de las empresas francesas. Los favorables resultados conseguidos se desprenden, al parecer, de un equilibrio favorable a las innovaciones del sistema de producción y de distribución. En materia de tarifas, Francia realiza una síntesis positiva entre los modelos alpino y marítimo: las tarifas del seguro de automóviles son libres, pero los aumentos para un conductor novato se limitan al 140 %, y el incremento por responsabilidad de accidente al 25 %. En lo que concierne a la distribución, la situación de los AGF puede servirnos de ejemplo: los Agentes Generales, las Redes de Asalariados y el Corretaje contribuyen de forma equitativa al volumen de negocios en Francia.

En realidad, la debilidad principal del seguro francés procede del hecho de que los contribuyentes franceses apenas comienzan a hacer cuentas. Van a descubrir muy pronto que si Francia es el campeón de las bonificaciones obligatorias entre los países de su categoría es esencialmente en razón de la tasa excepcionalmente alta de las cargas sociales pagadas por las empresas. Hay que subrayar aquí que nada es más indispensable para la competitividad de la economía nacional, para la lucha contra el desempleo y para el progreso real de la solidaridad nacional que el desarrollo de las jubilaciones suplementarias por capitalización. A condición, no obstante, de que la administración de los fondos de pensión se inspire más en la prudencia creadora característica del modelo alpino (posesión estable de acciones de los inversores institucionales), que en la administración perturbadora del modelo anglosajón (inversores institucionales inclinados a la función de especuladores a corto plazo).

Si es verdad que el seguro alpino se expone, a causa de su misma potencia y prudencia, a cierto riesgo de esclerosis; si es verdad que el seguro anglosajón se encierra en un círculo vicioso que sólo puede alimentar la reprobación popular y, finalmente, ir en contra de los objetivos apuntados por la pura economía de mercado (la eficacia se ve comprometida por la inestabilidad; la transparencia de las cifras esconde la mediocridad de los servicios ofrecidos), entonces uno se asombra de que la nueva tendencia, también entre los franceses, sea querer, también en seguros, imitar al modelo anglosajón.

Aún más cuando actualmente, en un plano general, el modelo renano se muestra a la vez más eficaz y más justo, como veremos a continuación.

## Capítulo 5

# EL OTRO CAPITALISMO

En economía, como en todo, las caricaturas se retienen mejor que los retratos perfectos; las exageraciones atraen más la atención que los matices. En una palabra, las lentejuelas y las querellas bursátiles de la economía-casino adquieren mayor notoriedad que los sutiles equilibrios de la *Sozialmarktwirtschaft* (economía social de mercado) alemán. Cuando sueña en ese capitalismo mítico que, según cree, le abrirá pronto las puertas de la prosperidad, un habitante de Tirana (Albania), Ulan-Bator (Mongolia) o Bratislava (Checoslovaquia) piensa naturalmente en el universo de los folletines norteamericanos. El mismo que vilipendiaba desde hace medio siglo la propaganda mentirosa del poder comunista. Si el antiguo poder era tan mal visto... También era hacia Estados Unidos, el de Dallas, Chicago y Wall Street, adonde querían precipitarse a cualquier precio las decenas de refugiados albaneses escapados de su fortaleza estalinista y recibidos por Francia durante el verano de 1990. La apertura de un "corrillo" bursátil en Budapest, a comienzos de 1990, fue vivida por los húngaros como la señal indiscutible de que accedían por fin al paraíso capitalista.

Se sorprendería, por lo tanto, a la mayoría de los habitantes de los antiguos países comunistas al objetarles que el capitalismo no es "uno e indivisible", que hay varios "modelos" de economía de mercado que coexisten, o que el sistema norteamericano no es indiscutiblemente el más eficaz. Seguramente se colmaría de felicidad a Lech Walesa, nuevo presidente de Polonia, asegurándole que no está completamente equivocado cuando sueña hoy —en voz alta— con un "modelo" ideal, que podría conciliar la eficacia y la supuesta prosperidad del capitalismo estadounidense con la —relativa— seguridad social del antiguo régimen comunista (véase Guy Sorman, *Sortir du socialisme*, Fayard, 1991). Un modelo en el que, para citar una broma muy difundida en Varsovia, "las personas podrían vivir como japoneses, pero sin trabajar más que como polacos".

FUENTE: *Courrier international*, nº 9, 3-9 de enero de 1991, pág. 29.

¿Es realmente conocido que Alemania no está tan alejada de esta hipótesis? Al menos en lo relativo a la duración del trabajo. Con 1633 horas anuales de trabajo real en la industria fabril, la RFA verdaderamente cumple la paradoja consistente en "trabajar menos que los franceses, siendo al mismo tiempo capaces de lograr los resultados de los japoneses" (*Futuribles*, enero de 1989). En la metalurgia alemana, ya se aplica la semana de treinta y seis horas y media, en espera de las "treinta y cinco horas" que quizá no se generalizarán en 1995 como estaba previsto, pero sí algún día. (Hay debate.) De todos los grandes países industrializados, realmente la RFA es donde, a la vez, los horarios son más cortos y los salarios más altos. Lo que no impide de ninguna manera que tenga un excedente enorme en sus intercambios con el extranjero.

Pero Alemania es sólo un ejemplo más, una encarnación particular, de ese "otro capitalismo", el modelo renano, mal conocido y mal comprendido, que va desde el norte de Europa hasta Suiza y con el que también está parcialmente emparentado Japón. Este modelo es *indiscutiblemente capitalista*: la economía de mercado, la propiedad privada y la libre empresa son la regla. Pero, desde hace diez o quince años, el modelo neoamericano se ha singularizado cada vez más en varios puntos, de los que el más importante es aquel que el sociólogo Jean Padioleau resume así: "El especulador adquiere supremacía sobre el empresario industrial, las ganancias fáciles a corto plazo minan las riquezas colectivas de la inversión a largo plazo".

El modelo renano, por su parte, corresponde a otra visión de la organización económica, a otras estructuras financieras, a otro modo de regulación social. Evidentemente, tampoco carece de defectos. Pero sus características particulares le confieren una estabilidad, un dinamismo y una potencia cada vez más notables. Se podría decir de él lo que se dice de la democracia en materia política: es seguramente el peor de los sistemas económicos, con exclusión de todos los otros. Por otra parte, es curioso constatar que, si bien el modelo renano no goza, en la opinión pública internacional, de la misma celebridad que el modelo neoamericano, este aspecto varía cuando se dirige no al gran público, sino a los decisores económicos. En agosto de 1988, la SOFRES* realizó una encuesta entre 300 empresarios europeos. Aunque los costos salariales sean claramente más elevados en la RFA que en otras partes, es masiva y espontáneamente hacia Alemania adonde iría la preferencia de esos empresarios si debieran subcontratar o importar mercancías (quedando Francia en segunda posición, y el conjunto de Bélgica, Holanda y Luxemburgo en tercera).

## El lugar del mercado en los dos modelos

Del mismo modo que no existe ninguna sociedad socialista donde todos los bienes sean gratuitos, ninguna sociedad capitalista podría considerar el conferir a todos los bienes (y servicios) un carácter comercial. Hay, en efecto, bienes que, por su naturaleza, no pueden venderse ni comprarse. Unos presentan un carácter personal, como la amistad, el amor, la generosidad, el honor; otros son por naturaleza colectivos: la democracia, las libertades públicas, los derechos del hombre, la justicia, etc.

Esos *bienes no comerciales* son, esencialmente, los mismos en los dos modelos de capitalismo. La única excepción importante se refiere, como ya veremos, a las religiones.

Pero ambos modelos se distinguen básicamente por el lugar que atribuye cada uno de ellos a los *bienes comerciales* por una parte, y a los *bienes mixtos* por otra. Es lo que intentan ilustrar a grandes rasgos las dos figuras esquemáticas siguientes.

Indican ante todo que, en el modelo neoamericano, los bienes comerciales ocupan un lugar sensiblemente más importante que en el modelo renano. En cambio, los bienes mixtos, que dependen en parte del mercado y en parte de la iniciativa pública, son más importantes en el modelo renano.

Además, esas dos figuras muestran ocho ejemplos de bienes que son tratados de manera diferente, en relación con el mercado, en los dos modelos.

* Société Française d'Etudes et de Sondages= Sociedad Francesa de Estudios y Sondeos. [T.]

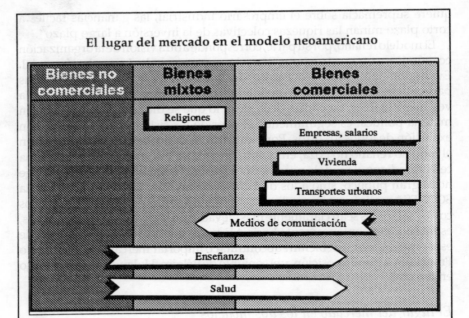

El lugar del mercado en el modelo neoamericano

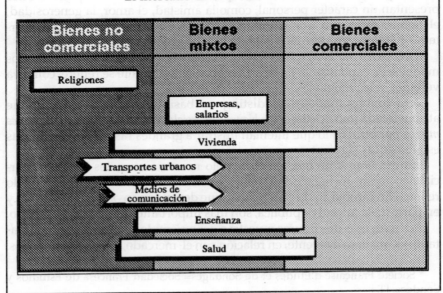

El mercado en el modelo renano

1. Las *religiones*. Las religiones funcionan esencialmente, en el modelo renano, como instituciones no comerciales (en Alemania, los sacerdotes y pastores reciben incluso un sueldo como funcionarios, del presupuesto público). En Estados Unidos se puede considerar, al parecer, que las religiones en número creciente se administran cada vez más como instituciones mixtas, con métodos publicitarios y de marketing cada vez más sofisticados.

2. La *empresa*. En el modelo neoamericano, la empresa es un bien comercial más, mientras que, por el contrario, en el modelo renano, es de naturaleza mixta, una *comunidad* al menos tanto como una *comodidad*.

3. Del mismo modo, los *salarios*, que en el modelo neoamericano dependen cada vez más de las condiciones cambiantes del mercado, en el modelo renano se fijan normalmente en función de factores ajenos a la productividad del empleado (estudios, antigüedad, baremos fijados por comisiones mixtas en el plano nacional). Son bienes comerciales para una parte, mixtos para la otra.

4. La *vivienda* es, también, en Estados Unidos casi exclusivamente un bien comercial. En los países renanos, por el contrario, la vivienda social depende a menudo de la iniciativa pública, y entonces los alquileres son en general subvencionados.

5. La situación es algo análoga en cuanto a los *transportes urbanos*, aunque, incluso en Estados Unidos, éstos están sometidos a reglamentación: uno de los raros ejemplos, por lo que sé, donde los transportes urbanos son regidos totalmente por la libre competencia es en la ciudad de Santiago de Chile, donde los "Chicago *boys*" del general Pinochet consiguieron que cualquiera pudiera crear su línea de transporte y aplicar las tarifas de su elección; en consecuencia, la densidad de autobuses es la más alta del mundo, y por esto se ha agravado la polución.

[Pero la frecuencia y el aumento del déficit de los transportes urbanos en los países del modelo renano hacen que las autoridades tiendan a privatizarlos, lo que se indica con una flecha en dirección al rectángulo "bienes comerciales".]

6. Del mismo modo, los *medios* de comunicación, en particular los canales de televisión, tradicionalmente públicos en los países renanos, están siendo sometidos a una creciente privatización, mientras que por el contrario, en Estados Unidos, donde todos los canales son tradicionalmente comerciales, se comienza a asistir al desarrollo de televisiones financieras de acuerdo con un criterio asociativo por medio de libres cotizaciones. Estas dos evoluciones opuestas están representadas por flechas en sentido contrario en el cuadro.

7. La *enseñanza* se reparte, en los dos modelos, entre las tres categorías de

bienes. Sin embargo, es evidente que en el mercado neoamericano son mayoría los establecimientos regidos por las reglas del mercado, y tienden a aumentar, como indica la flecha en dirección al rectángulo "bienes comerciales".

8. El sector de la *salud*, como el de la vivienda, pertenece a las tres categorías de bienes. Pero la originalidad del modelo renano es doble aquí también: por un lado, el papel de los hospitales públicos y de los ambulatorios, ligado a la seguridad social, es mucho más importante; por otro, contrariamente a los países anglosajones —pero también en los países latinos—, no hay tendencia a la reducción del papel de las autoridades públicas, tanto en materia de salud como en enseñanza, en beneficio del sector comercial. Este punto tiene gran importancia dado que, cuanto más creador es el capitalismo de riqueza a corto plazo, mayor es el riesgo de convertirse en destructor de valores sociales a largo plazo, si no está lo bastante acotado por los poderes públicos, y si no tiene *la competencia de otros valores sociales que no sean los monetarios*. François Perroux lo expresa a la perfección:

"Toda sociedad capitalista funciona regularmente gracias a sectores que no están impregnados ni animados por el espíritu de la ganancia y de la búsqueda de mayor beneficio. Cuando el alto funcionario, el soldado, el magistrado, el sacerdote, el artista, el sabio, son dominados por ese espíritu, la sociedad se hunde, y toda forma de economía está amenazada. Los bienes más preciosos y más nobles en la vida humana, el honor, la alegría, el afecto, el respeto por el otro, no deben considerarse parte de ningún mercado; de lo contrario, cualquier grupo social vacila sobre sus bases. Un espíritu anterior y ajeno al capitalismo sostiene durante un período variable los marcos en los que funciona la economía capitalista. Pero ésta, por su misma expansión y éxito, en la medida en que se impone a la simpatía y al reconocimiento de las masas, en la medida en que desarrolla en ellas el gusto por la comodidad y el bienestar material, lesiona las instituciones tradicionales y las estructuras mentales, sin las cuales no hay ningún orden social. El capitalismo desgasta y corrompe. Es un enorme consumidor de energías, cuyo incremento no controla." (*Le capitalisme* [*El capitalismo*], Col. "¿Qué sé?", 1962.)

Esta reflexión es verdaderamente profética; un ejemplo concreto, y que directa o indirectamente nos concierne a todos, es el transfuguismo de los *lawyers* en Estados Unidos al lado de los "bienes comerciales" del capitalismo.

En Japón entablar un juicio se considera algo vergonzoso: deben buscarse todos los medios de acuerdo para evitar llegar a este extremo. En Europa, toda la tradición de las profesiones jurídicas —y en general, todas las liberales— consiste en poner a sus miembros al amparo de las necesidades, para que puedan consagrarse libremente y de manera *desinteresada* al servicio del interés general, sin ser "ni impregnados ni animados por el espíritu de lucro": el derecho para las profesiones jurídicas, la salud para las profesiones médicas. Tal es su código deontológico, su "honor". Es esta noción de "honor" lo que explica que no se remunere a un abogado o a un médico pagándoles los precios de sus servicios, sino sus *honorarios*.

Esta tradición milenaria —se remonta para los médicos al Juramento Hipocrático—, este principio deontológico fundamental, que coloca a las profesiones liberales fuera del mercado, acaba de sufrir en Estados Unidos un cambio radical: actualmente, la profesión de abogado se ha convertido en una industria, "la industria de los procesos".

Esta nueva conquista de cierto capitalismo acaba de ser descrita con detalle en  una ilustrativa obra de Walter Kolson, *The Litigation Explosion* (Truman Talley Books, New York, 1991). Al comentar esta obra en la sección literaria del *New York Times* del 12 de mayo de 1991, Warren E. Burger, antiguo juez de Estados Unidos, subraya que este cambio sin precedentes se remonta a 1977, cuando la Corte Suprema autorizó a los abogados a hacerse publicidad por televisión. Las consecuencias fueron inmediatas: un explosivo desarrollo de la técnica del *contingency fee* (honorarios), consistente para un abogado en convencer a una eventual víctima de que le confíe su caso, presentándole el siguiente razonamiento: "Voy a hacer todo lo posible por conseguirle una indemnización. Si pierdo el juicio, usted no perderá nada, y si lo gano, usted me dará el 20 % (o el 50 %) de la indemnización que reciba". En los accidentes automovilísticos se ha extendido una práctica habitual: un abogado está sentado al lado del conductor de la ambulancia, y se apresura a hacerle firmar un acuerdo de *contingency fee* al herido...

Por ello el número de querellas contra hospitales y médicos ha aumentado 300 veces desde 1970, y para asegurarse contra las reclamaciones de que pueden ser objeto, algunos médicos deben pagar ¡hasta 300.000 francos anuales de seguro!

Como es lógico, algunos de ellos adoptan también costumbres capitalistas. Son incontables las mujeres menopáusicas a las que su ginecólogo les sugiere: "Su útero, de ahora en adelante, ya no sirve para nada, creo que sería conveniente extirpárselo...".

Consecuencia social de esos excesos del capitalismo: en los años ochenta, el número de jueces federales que han sido condenados por corrupción y fraude fue más elevado que a lo largo de los primeros 190 años de la historia de Estados Unidos... La ética de los magistrados también se resiste cada vez con mayor dificultad al "espíritu de lucro". Pero, a partir del momento en que su abogado se pone a trabajar racionalmente como *homo economicus*, buscando llevar al máximo su volumen de negocios, y lo trata en consecuencia como a un yacimiento potencial de procesos a explotar racionalmente; a partir del momento en que, siguiendo la misma lógica capitalista, su médico lo trata como a una fuente de ganancias, ¿en quién puede confiar? ¿Y qué valor tiene una sociedad que destruye la confianza?

## Un capitalismo bancario

En el capitalismo renano no hay ni *golden boys* desenfrenados ni especulación jadeante: el capitalismo está, esencialmente, en manos de los bancos y su destino no se juega en la Bolsa. En efecto, los bancos desempeñan en gran medida el papel reservado al mercado financiero y a la Bolsa en el modelo anglosajón. Por otra parte, las Bolsas de Francfurt o de Zurich tienen una importancia relativamente modesta, comparadas con las británicas o incluso francesas. La capitalización de Francfurt es inferior en un tercio a la de Londres, y nueve veces menos importante que la de Nueva York o Tokio. Igualmente, hasta un período muy reciente, no existían ni opciones ni contratos a plazo en las ciudades del otro lado del Rin. Y, en general, los mercados financieros alemanes son limitados y poco activos. En la RFA, no es en la Bolsa ni entre el público sino entre los banqueros, donde las empresas van normalmente a buscar las financiaciones que necesitan. Algunas de ellas, por otra parte —y no de las menores, como Bertelsmann, primer grupo editor y periodístico europeo— ni siquiera cotizan en Bolsa.

La situación, desde ese punto de vista, es por lo tanto opuesta a la de Gran Bretaña o Estados Unidos. Y ese contraste es perturbador, cuando se piensa en la potencia financiera de la RFA y en el dinamismo de su economía.

¿Por qué esa diferencia? En primer lugar, a causa de la importancia del sector bancario en Alemania. Todo el mundo conoce el nombre del Deutsche Bank, que controla una parte importante de la economía alemana, o incluso del Dresdner Bank o del Commerzbank. Pero pocas personas sospechan el alcance exacto de su influencia. Esta procede sobre todo del hecho de que, a diferencia de lo que pasa en Estados Unidos, ninguna reglamentación limita sus actividades. Los bancos alemanes tienen una vocación llamada "universal", o sea que hacen de todo. Otorgan los clásicos créditos y reciben depósitos. Intervienen en el mercado de las acciones y de las obligaciones; administran la tesorería de las empresas. Pero son asimismo bancos de negocios, consejeros y operadores de las fusiones y adquisiciones. Por último, mantienen redes de informaciones económicas, financieras, industriales y comerciales, que ponen a disposición de las empresas. En consecuencia, entablan relaciones duraderas y privilegiadas con su clientela. Relaciones que están marcadas por un espíritu de cooperación recíproca.

Sustitutos de los mercados bursátiles, los bancos alemanes son ante todo los financiadores de las empresas. La mayoría de estas últimas tienen su "banco de la casa", que se ocupa de las cuestiones financieras. Parece como si los banqueros dijeran a los empresarios: ¡produzca mejor, venda mucho, y déjenos arreglar los problemas de dinero! En Japón, ya lo hemos visto, la integración es aún mayor, pues a menudo los grupos poseen su propio banco, y casi se podría decir: los bancos (y las compañías de seguros) poseen sus propios grupos.

## Redes de intereses cruzados

También en Alemania, esta verdadera comunidad de trabajo entre bancos y empresas sobrepasa las estrictas relaciones financieras. En efecto, los bancos son muy a menudo accionistas en la práctica de las empresas. Y esto de dos maneras diferentes: por medio de la propiedad directa de una parte del capital, o por medio del ejercicio del derecho a voto de los accionistas que tienen su cuenta en ellos. De esta manera, por medio de este juego de la acumulación de votos, los bancos ejercen una influencia muy importante en el seno de los consejos de administración. Citemos algunos ejemplos. El Deutsche Bank posee la cuarta parte (es decir, la minoría) del gigante Daimler-Benz, que fabrica automóviles, pero también aviones y motores, de Philipp Holzman, primer grupo en la construcción y obras públicas o de Karstadt, el líder de la distribución, etc. El Dresdner Bank y el Commerzbank controlan, a su vez, más de la cuarta parte del capital de una decena de grandes empresas.

Pero, a la inversa, los grandes grupos industriales tienen asiento a menudo en el consejo de administración de los bancos, de los que son con frecuencia los principales accionistas, incluso aunque sus participaciones raramente superan el 5 %. Tal es el caso de Daimler-Benz y el Deutsche Bank. Esas participaciones cruzadas crean un verdadero tejido, una *comunidad industrial-financiera* sólida y relativamente cerrada. Esta situación entraña al menos tres consecuencias —todas favorables— en el plano económico, que se vuelven a encontrar en gran medida en Japón, como muestra el anexo Nº I sobre la fabulosa historia del mayor grupo industrial-financiero del mundo, el grupo Mitsubishi.

En primer lugar, los banqueros, por imperativos económicos favorecerán el desarrollo a largo plazo de las empresas con las que se encuentran ligados desde hace mucho, y lo estarán durante largo tiempo. Al revés de lo que sucede con los especuladores bursátiles que, cada trimestre, exigen resultados a cualquier precio, los bancos alemanes apuestan *por la duración*. Asumen riesgos a veces importantes a largo plazo de vencimiento para sostener los proyectos industriales más delicados. Citemos al respecto el caso de la Metallgesellschaft, que multiplicó la participación en el sector minero incluso cuando la crisis de las materias primas alcanzaba gran virulencia. Y el de los bancos suizos, que invirtieron sumas considerables en la relojería nacional cuando ésta parecía condenada.

Segunda consecuencia: la estabilidad de los principales accionistas es un factor de seguridad y de tranquilidad para los administradores. Por lo tanto, desempeña, en general, un papel favorable para la empresa. Los directivos no viven con la espada de Damocles de una amenaza de OPA suspendida sobre su cabeza. Pueden dedicarse plenamente a la administración de su empresa, en vez de agotar sus energías —y malgastar su tiempo— en interminables combinaciones jurídicas dedicadas a protegerlos contra las tomas de control "hostiles". Se puede ver aquí, indiscutiblemente, uno de los factores de la competitividad de la economía alemana. Y no solamente de ésta. En Japón, como veremos, el capitalismo sigue estando marcado por unos rasgos "feudales" que le son propios. Pero los dirigentes tampoco viven allí, bajo la amenaza constante de una reestructuración impuesta desde el exterior. Del mismo modo, en Suiza, los tres grandes bancos helvéticos desempeñan un papel sensiblemente diferente del de los bancos alemanes. Pero el capital de las empresas se encuentra, sin embargo, igualmente bien protegido, pues el código comercial suizo sólo permite conceder el derecho de voto de una manera muy restrictiva. Los Países Bajos, por su lado, disponen de un auténtico arsenal anti-OPA que garantiza a los empresarios una seguridad similar.

Esta relativa tranquilidad gozada por los empresarios en el modelo renano no significa que puedan dormirse o cometer errores de administración con total impunidad. Representado o no por los bancos, el "núcleo duro" de los accionistas juega el papel de controlador y de contrapoder. Podrá perfectamente sancionar a los administradores ineficaces y proteger así, indirectamente, a los pequeños accionistas.

Tercera consecuencia, por último, del papel preponderante de los bancos: existe en la RFA una red de intereses cruzados muy densa y casi impenetrable desde el exterior. En consecuencia, la economía no está dirigida —la palabra "dirigismo" horroriza a los alemanes, como veremos—, sino consensualmente conducida por un pequeño número de personas que se conocen y se ven regularmente. La importancia de las relaciones personales es a menudo decisiva. Contribuye a hacer de Alemania, como de los otros países renanos, economías que, por abiertas que sean a los intercambios comerciales a escala mundial, no dejan de estar muy protegidas financieramente contra las inversiones externas directas. Cuando una empresa se encuentra en dificultades, los bancos se dedican espontáneamente a encontrar una solución *alemana* para el problema. Esto es lo que pasó cuando el grupo Klöckner-Werke se encontró en una situación crítica: el Deutsche Bank corrió en su auxilio. Del mismo modo, la empresa de informática Nixdorf, en plena quiebra, fue rescatada por el coloso de la electrónica Siemens, y gracias a la presión de los bancos. Ocurre algo similar en materia de fusiones y adquisiciones (en inglés: *mergers and acquisitions*, M + A). Por lo tanto, se puede imaginar con qué cúmulo de dificultades toparía un comprador extranjero que quisiera lanzar una OPA en este contexto de control bancario.

Es cierto, toda regla tiene algunas excepciones, y la reputación de invulnerabilidad de las empresas alemanas frente a los compradores extranjeros hoy no es ya tan absolutamente fundada como ayer. En 1989, de las 3000 empresas de la RFA que cambiaron de dueño, 459 fueron adquiridas por extranjeros por un importe evaluado en 20 mil millones de francos (el doble que en 1988). Y, sobre esa cifra, 63 operaciones de compra se hicieron en beneficio de adquirentes... franceses (el triple que en 1986). Pero estas cifras no nos deben engañar. La mayoría de esas adquisiciones se refieren a empresas modestas o medianas. En 1989, una sola compra, la de Colonia por los seguros Victoire, representaba más de la mitad de las inversiones francesas en la RFA. Y esos injertos franceses en Alemania *representan sólo la mitad* de los injertos alemanes en Francia. Una desproporción que tiene todas las posibilidades de agravarse en beneficio de Alemania.

El modelo renano se mantiene, en lo esencial, cerrando financieramente, pero sólido. Y la economía alemana encuentra en él la estabilidad necesaria para su desarrollo a largo plazo y para su competitividad. Pero, por importante que sea, esta carta de triunfo no es la única.

## Un consenso bien dirigido

Los autores de un informe al presidente de la CEE, presentado en noviembre de 1986, sobre "la RFA, sus ideales, sus intereses y sus inhibiciones" (W. Hager y M. Noelke, European Research Associates), descubrían principalmente en la sociedad alemana "una tendencia a evitar los problemas que pudieran dividir y cuestionar el consenso". Una tendencia idéntica e igual de fuerte es perceptible en la sociedad japonesa. Es verdad que esos dos campeones de la economía mundial, ambos vencidos en la última guerra, tienen en común la misma conciencia aguda de su propia *vulnerabilidad*. En uno y otro país, la democracia política y el bienestar económico son demasiado recientes como para no ser frágiles. De ahí la facilidad con la que se impone una disciplina social específica, que es uno de los rasgos del modelo renano.

La estructura del poder y la organización de la administración en ese modelo son, en efecto, tan particulares como las del capital. El reparto de las responsabilidades es allí mayor que en otras partes. Eso no es realmente la "democratización" pregonada por Claude Bébéar sino, bajo diversas formas, una verdadera *cogestión*, que asocia en la decisión a todas las partes receptoras de lo producido: accionistas, empresarios, ejecutivos y sindicatos. Una *cogestión* que, en Alemania, una ley que data de 1976 impone a todas las empresas de más de 2000 empleados. Y que define una palabra: la *Mitbestimmung*, que por otra parte debería traducirse estrictamente por "corresponsabilidad", más que por cogestión. Esta corresponsabilidad está verdaderamente presente en todos los niveles de la empresa.

En la cumbre de ésta se encuentran dos instancias clave: el *consejo de dirección*, responsable de la administración propiamente dicha, y el *consejo de supervisión*, elegido por la junta de accionistas y encargado de supervisar la acción de la dirección. Estos dos órganos se consideran los encargados de colaborar permanentemente para asegurar la dirección armoniosa de la empresa. Existe, por lo tanto, un sistema de *check and balance* entre accionistas y dirigentes, que permite a cada uno hacerse oír sin que por eso uno predomine.

FUENTE: Plantu, *Un vague souvenir*, Le Monde Editions, 1990, pág. 40.

A esta división de los poderes en la cumbre se añade la famosa cogestión —o corresponsabilidad— con el personal. En Alemania, es el fruto de una larga tradición que se remonta a 1848. Se ejerce por medio del *consejo de establecimiento*, análogo a los comités de empresa franceses, pero con poderes claramente más extendidos. Este órgano es consultado sobre todas las cuestiones sociales (formación, despidos, horarios, forma de pago de los salarios, organización del trabajo). Y debe haber *obligatoriamente* un acuerdo en esas cuestiones entre la patronal y los consejos de establecimiento. Pero los asalariados alemanes disponen de otro medio de expresión y de acción: el consejo de supervisión, en el que ocupan un lugar sus representantes elegidos. Desde la ley de 1976, referida a las empresas con más de 2000 asalariados, su número es *igual* al de los accionistas. Es cierto que el presidente del consejo de supervisión es obligatoriamente elegido entre los accionistas y, en caso de empate en una votación, su voto será decisivo. Eso no impide que la representación y el peso de los empleados en uno de los órganos decisivos de la empresa sean significativos. En tales condiciones, el *diálogo social* se percibe como un imperativo, sin el cual las empresas no podrían funcionar.

Desde un punto de vista francés, esta organización podría parecer pesada y paralizante. Y los procesos de decisión parecen interminables. Sin embargo es preciso comprobar  que no traba de ninguna manera el dinamismo de las empresas alemanas. En cambio, refuerza el sentimiento de pertenencia que hace de la empresa una verdadera *comunidad* de intereses. A esta comunidad o colectividad de compañeros, los sociólogos americanos la llaman hoy el *stakeholder model*, en oposición al *stockholder model*: este último sólo tiene en cuenta al accionista, el poseedor de acciones (*stock*); el primero, por el contrario, trata a cada uno como un verdadero compañero, depositario de responsabilidades que lo comprometen (*stake*).

En Japón, nociones más específicas, y más ambiguas desde nuestro punto de vista, convergen en el mismo resultado: el sentimiento casi familiar —o feudal— de pertenencia a una comunidad. Así, un término específicamente japonés —*amae*—, difícilmente traducible, expresa el deseo de solidaridad y de protección, la demanda casi afectiva que debe ser satisfecha por la empresa. Del mismo modo, el liderazgo del empresario es definido por una palabra —*iemoto*—, en la que los especialistas encuentran connotaciones familiares. Según el sociólogo Marcel Bolle de Bal, "el *amae* y el *iemoto* se complementan y se equilibran mutuamente: es la conjunción de un principio femenino —el amor, el sentimiento, la emoción, el grupo— y de un principio masculino —la autoridad, la jerarquía, la productividad, el individuo—, estrechamente unidos en la construcción cotidiana de una organización duradera" (*Revue française de gestion*, febrero de 1988).

Los principios básicos que rigen la vida de las empresas japonesas, constantemente citados, sólo son la traducción sobre el terreno de esas particularidades culturales: empleo vitalicio, remuneración de la antigüedad, sindicalismo de empresa, sistema comunitario de motivación, etc.

Pero el resultado es el mismo: el sentimiento colectivo de pertenencia a la empresa, el *affectio societatis,* es tan fuerte en el modelo renano o japonés como débil se ha convertido en el modelo anglosajón.

El aumento de la incertidumbre otorga un papel creciente al sentimiento de confianza y de pertenencia. Se vuelve esencial para una empresa que todos apliquen las mismas reglas de juego, y compartan ideas e identidades que permitan un juicio común y una movilización natural. La inestabilidad externa valoriza la estabilidad interna, que lejos de ser un obstáculo para la adaptación y el cambio, puede convertirse en un factor de competitividad. Al respecto, del mismo modo que Estados Unidos no se reduce a Nueva York, ni Nueva York a Wall Street, es importante señalar que las mayores multinacionales norteamericanas han escapado incluso más en su administración social que en su administración financiera, a los apremios del corto plazo que constituyen la causa de la evolución "neoamericana" del modelo anglosajón. Tanto IBM como ATT, General Electric o McDonald's evitan cuidadosamente caer en el género de la economía-casino, donde se juega a los hombres a la ruleta. Para constituir y servir juntos a sus estados mayores multinacionales, han necesitado apostar por la estabilidad, la participación del personal en los beneficios y hasta la "corresponsabilidad".

## Fidelidad y formación

"Corresponsabilidad" es la traducción de la famosa *Mitbestimmung* alemana, que no constituye solamente una carta de triunfo para las empresas. Se revela particularmente favorable para los empleados. En primer lugar, desde un punto de vista estrictamente aritmético, sus remuneraciones están entre las más elevadas del mundo: 33 marcos la hora, ante 25 en Estados Unidos y Japón, y 22 en Francia (al tipo de cambio de 1988). Las remuneraciones son asimismo más homogéneas. Las diferencias salariales son mucho menores que en otras partes (véase B. Sausay, *El vértigo alemán*, Orban, 1985). La sociedad alemana es, en consecuencia, más igualitaria que la sociedad norteamericana o incluso que la francesa.

Más sorprendente y menos conocido: a pesar de todo, la parte de los salarios en el PIB alemán se mantiene más baja que en los otros países de la CEE (67 % en 1988 ante el 71 % en Francia, el 72 % en Italia, y el 73 % en Gran Bretaña). Incluso teniendo en cuenta el hecho de que el excedente comercial de la RFA contribuye a explicar el fenómeno, es sin embargo una realidad que, con los salarios más altos de Europa, las empresas alemanas llegan a producir márgenes de autofinanciación más amplios que las otras. Y evitando los conflictos sociales.

Sin embargo, aunque mejor pagados, los asalariados alemanes trabajan menos tiempo, como ya hemos visto, que sus colegas estadounidenses o franceses. Los mecanismos de ascenso y el sistema de promoción vigente en el modelo renano privilegian sistemáticamente la *cualificación* y la *antigüedad*. Para progresar en la jerarquía más vale demostrar fidelidad y acrecentar el propio nivel de formación, lo que resulta beneficioso para todos. No es raro encontrar en los niveles directivos de las empresas alemanas —o japonesas— a ejecutivos que han hecho toda su carrera profesional en la misma empresa, y que han ascendido pasando por todos los escalafones de la jerarquía. Esta concepción se opone radicalmente a los valores de movilidad exaltados en Estados Unidos, y que hacen del cambio de empleo y de empresa una muestra de valía y de dinamismo personal. (Esta movilidad individual como sinónimo de valía, esta autovalorización por medio de la nomadización también ha estado muy en boga en Francia durante estos últimos años. Hoy ya no lo está tanto, aunque se continúa enseñando en algunas prestigiosas escuelas... con el retraso de costumbre.)

Desde un punto de vista macroeconómico, la cogestión —o corresponsabilidad— se muestra favorable a la competitividad de la economía. Durante la crisis los años 1981-1982, la patronal y los sindicatos alcanzaron acuerdos que limitaban el incremento salarial para no agravar las dificultades de las empresas, llegando incluso los asalariados a aceptar descensos de tres o cuatro puntos de su poder adquisitivo. El resultado fue espectacular: en 1984, la economía alemana recuperaba el crecimiento, creaba de nuevo empleos y volvía a ganar áreas de mercado significativas. Del mismo modo, después de la gran huelga de 1984, los retrasos se pudieron recuperar gracias a una movilización general y concertada de todos los asalariados. Pero en 1975, al día siguiente del primer aumento petrolero, las empresas japonesas habían realizado sacrificios aún mucho más grandes.

La cogestión, si se utiliza bien, es por lo tanto un arma económica temible. Por otra parte, un último ejemplo muestra, por si fuera necesario, hasta qué punto resulta decisiva en la competencia internacional: el de la *formación*. Se conocía su importancia. La verdadera riqueza de una empresa no es su capital ni sus edificios, es la cualificación y la habilidad de sus empleados. Ahora bien, también en este terreno el modelo renano está muy adelantado. El sistema de formación se funda también sobre una cooperación muy estrecha entre las empresas y los empleados. Considerada desde hace varios años como una *prioridad* nacional, la formación se apoya en tres principios esenciales.

1. Se dispensa al *mayor número* posible. Así, en Alemania el 20 % de los trabajadores activos declara no tener ningún diploma, ante el 41,7 % en Francia. Por lo tanto, privilegia el aprendizaje, que es notablemente más desarrollado en la RFA que en Francia. En Alemania abarca el 50 % de los jóvenes, que a los dieciséis años salen del sistema de escolarización obligatoria, ante el 14 % en Francia y Gran Bretaña. En consecuencia, menos del 7 % de los jóvenes de dieciséis años se encuentran desocupados u ocupan un empleo sin formación complementaria, mientras que esta proporción es del 19 % en Francia y del 44 % en Gran Bretaña. Por último, los grados profesionales correspondientes al BEP o al CAP * franceses también se recompensan. Abarcan el 53 % de los trabajadores activos en Alemania ante el 25 % en Francia.

2. En general, el sistema de formación alemán es claramente más *igualitario* que el de Estados Unidos (véase el capítulo 2), e incluso que el de Francia.

---

* BEP = Brevet d'Etudes Professionnels = Diploma de Estudios Profesionales. CAP = Certificat d'Aptitude Professionnelle. [T.]

Si bien las elites norteamericanas (o francesas) están a veces mejor formadas que las elites alemanas, los niveles intermedios lo están mucho menos. Los sindicatos alemanes son los primeros en reconocerlo. Así, el principal de ellos, el DGB, constata que, sobre una muestra de 100 personas, las 15 mejor cualificadas lo están más en Francia que en Alemania, pero que las demás están mucho mejor formadas en la RFA. Sin duda, es por lo tanto en la *formación de los niveles intermedios* donde Alemania construye el pedestal de su dinamismo industrial y de su competitividad (véase el informe de 1990 al Ministerio de Industria de Alain Bucaille y Bérold Costa de Beauregard). En los países anglosajones, como en Francia, la formación profesional sólo funciona como un deporte de elite. En los países renanos, es un deporte de masas.

3. Esta formación profesional es *ampliamente financiada por las empresas* y por subvenciones federales. En cuanto a su contenido, marca el acento en la adquisición de comportamientos: precisión, puntualidad, fiabilidad. En Alemania, el aprendizaje es una verdadera vía de promoción, y representa el camino más normal del éxito profesional. Nueve aprendices de cada diez salen diplomados de su aprendizaje, y un 15 % continúan su formación. Además, la profesionalidad tiene sin duda un mayor reconocimiento que en Francia. "En general —se puede leer en un estudio reciente sobre la RFA—, no se llega a ostentar un cargo directivo hasta después de los cuarenta años, en función del rendimiento personal y no de los diplomas. Hay también vínculos muy estrechos entre las empresas y las universidades. Casi todos los grandes dirigentes practican la enseñanza." (Michel Godet, *Futuribles*, abril de 1989.)

La formación profesional en el marco de la fidelidad a la empresa es ya uno de los principales campos de batalla entre los dos modelos de capitalismo. Aquí, todas las empresas están comprometidas, todos los asalariados están interesados. La cuestión se resume así:

—Según el modelo anglosajón, para obtener la máxima competitividad de una empresa hay que forzar la competitividad individual de cada uno de los empleados. Por lo tanto, es necesario, siempre y sin excepciones, reclutar a los mejores y, para evitar perderlos, pagarles en todo momento su valor según el mercado. El salario es entonces esencialmente individual y precario, como el empleo mismo.

—En la concepción renano-nipona, por el contrario, se considera que esta cuestión no es la esencial. La empresa no tiene derecho a tratar a sus empleados como a un simple factor de producción, que compra y vende en el mercado como si fuera una materia prima. Tiene, al contrario, un cierto deber de seguridad, de fidelidad, de formación profesional, que cuesta caro. En consecuencia, más que pagar a cada uno su valor instantáneo según el mercado, la empresa debe ocuparse de la formación, limitar las excesivas diferencias salariales, evitar las rivalidades destructivas.

## El ordo-liberalismo [1] *

En la RFA, la convicción liberal y la desconfianza respecto al Estado están sin duda tan fuertemente arraigadas —si no aún más— como en Estados Unidos. El dirigismo económico se percibe de forma oficial como el atributo histórico de los regímenes autoritarios, y especialmente del nazismo. Por ello, desde la reforma monetaria de Ludwig Erhard en 1948, la RFA ha renegado claramente del sistema de economía dirigida, y adoptado una versión específica de la economía liberal capitalista: la *Sozialmarktwirtschaft* (la economía social de mercado). Es la base del credo de la *Weltanschauung* (visión del mundo), defendida por la escuela de Friburgo. Según esta escuela, la economía social de mercado se caracteriza por dos principios básicos:

—El dinamismo de la economía debe reposar sobre el mercado, cuya mayor libertad de funcionamiento debe ser asegurada, lo que se refiere fundamentalmente a los precios y los salarios.

—El funcionamiento del mercado no puede regir por sí solo el conjunto de la vida social. Debe ser equilibrado, contrarrestado, por la exigencia social planteada *a priori*, y cuyo garante es el Estado. El Estado alemán se definirá, por lo tanto, como Estado social.

La *Sozialmarktwirtschaft* constituye un conjunto heterogéneo:

—La corriente del *Welfare State* ** (Beveridge) hace del *Sozial-Staat* el guardián de la protección social y de la libre negociación entre los compañeros sociales.

—La corriente socialdemócrata (surgida de la República de Weimar) es la fundadora de la participación de los asalariados en la vida de la empresa y del comercio. Sobre esta base, la legislación sobre la cogestión (*Mitbestimmung*) se desarrolla continuamente en los diez primeros años de la reconstrucción alemana, y es aún hoy objeto de vivos debates en la RFA.

—La ley fundamental de 1949 —es sin duda el elemento más original— va a hacer de la administración monetaria un pilar autónomo de la estabilidad (otra palabra para expresar la política anticrisis). El estatuto actual del Bundesbank, aunque no directamente constitucional, es el mejor ejemplo.

—La autonomía del banco central se relaciona con el conjunto de la trama de los bancos comerciales, conduciéndolos a desempeñar un papel mayor en la financiación de las empresas: la política de estabilidad monetaria alemana no sería tan eficaz si los bancos comerciales no estuvieran también comprometidos en la financiación industrial a largo plazo.

—El intervencionismo del Estado, el dirigismo son condenables en la

[1] Los análisis siguientes se basan esencialmente en un estudio de Jérôme Vignon, al que doy efusivamente las gracias.

* "Ordo", en latín, distribución, disposición, clase, estado, condición, encadenamiento, regla. [T.]

** Estado de Beneficencia. [T.]

medida en que interfieren la libre competencia. La idea central es ésta, la igualdad de condiciones de la competencia.

Hace más de treinta años que estudio la economía alemana y que trabajo con alemanes, y sigo asombrado por la dificultad que tienen para hacer comprender al extranjero que su sistema económico es auténticamente liberal. Nadie discute que, desde hace aproximadamente medio siglo, toda la economía alemana se funda sobre la libertad de los intercambios comerciales. La única crítica fundada se refiere a las cuestiones de normalización. La industria alemana, desde hace más de un siglo, ha elaborado normas profesionales a las que está cada vez más atada dado que, por una parte, esas normas son generalmente muy exigentes desde el punto de vista de la calidad y que, por otra, son admitidas por los importadores de productos alemanes, es decir, por una clientela mundial.

Dejando este aspecto a un lado, la doctrina de la *Sozialmarktwirtschaft* considera que el Estado no tiene *derecho* a intervenir en la vida económica o social salvo por dos razones, que le crean verdaderos *deberes* de intervención.

La primera razón es la igualación de las condiciones de la competencia. De ahí se desprende la importancia del Bundeskartellamt, que vela cuidadosamente para evitar los acuerdos y los abusos de la posición dominante. Por otra parte, para que la igualdad de la competencia esté asegurada, es necesario que las pequeñas y medianas empresas sean ayudadas contra los excesos de poder de las grandes, lo que se consigue por medio de condiciones de crédito e impositivas ventajosas (el mismo concepto aparece en menor medida en Estados Unidos, con la Small Business Administration). Del mismo modo, para que las condiciones de la competencia sean iguales entre las diversas partes del país, es necesaria una política de distribución geográfica de las actividades económicas en función de los recursos naturales y humanos de cada región, desarrollando, muy especialmente, las infraestructuras de las regiones menos favorecidas; al respecto, la experiencia alemana es ejemplar. Por último, mientras otros países, especialmente a cargo del presupuesto militar, financian los gastos de investigación con fondos públicos, es normal que la República Federal haga lo mismo.

El segundo fundamento de las intervenciones del Estado es de carácter social. De ahí, a nivel coyuntural, las subvenciones a los astilleros navales y a las minas para "humanizar" el ritmo de las reconversiones; es esta filosofía la que ha prevalecido con gran éxito en la CECA (Comunidad Europea del Carbón y del Acero), encargada de reconvertir la mayor parte de las actividades mineras y siderúrgicas europeas. Por otra parte, estructuralmente, la doctrina alemana pretende que los representantes de los trabajadores puedan desempeñar un papel activo, en primer lugar en la administración social de las empresas, e incluso, como acabamos de ver, por medio de su participación en su administración económica y financiera.

La adhesión cada vez más fuerte de Alemania a la política agrícola común

(PAC) de la CEE constituye de alguna manera una síntesis de esos diferentes motivos de intervención: igualdad en la competencia, preocupación por las evoluciones sociales y por mejor distribución geográfica de la economía. Además, desde hace poco, la agricultura alemana desempeña un papel cada vez más positivo, gracias a las subvenciones específicas que recibe de Bruselas, en favor de la mejora del medio ambiente y de la protección de los paisajes rurales.

Por último, como hemos visto, es evidente que, en lo relativo al conjunto de accionistas de sus empresas, Alemania sigue siendo un país de tendencia fuertemente proteccionista.

Esto es, en resumen, lo que a veces se llama el "ordo-liberalismo". Es comprensible que ese liberalismo no impida de ninguna manera al Estado cumplir su función propia. Esta es la razón por la que el porcentaje de gasto público en el PIB alemán (47 a 48 %) es paradójicamente casi tan elevado como en Francia (51 %), y claramente superior al de Japón (33 %). En Alemania, como en Francia, las transferencias públicas a las empresas representan alrededor del 2 % del PIB. Es verdad que los poderes públicos de la RFA, Estado federal, están fuertemente descentralizados, lo que les impone la búsqueda del diálogo y del consenso. Asimismo, se ha dicho que "el liberalismo federal sirve de biombo al intervencionismo de los Länder". * Eso no es totalmente cierto.

En cambio, sí lo es que, como en la Suiza de los cantones, el poder central procede en Alemania de los Länder, y que las ciudades poseen una vieja tradición de independencia, con los poderes correspondientes. En consecuencia, las respectivas competencias están bien establecidas, como lo atestigua claramente la repartición de los medios presupuestarios. El presupuesto del Estado es por lo tanto de 280 mil millones de DM ante 270 para los Länder, y 180 para los municipios. El Estado toma a su cargo los servicios administrativos generales, las subvenciones a los presupuestos sociales y la defensa. Los Länder son responsables de la educación y de la seguridad pública. Las comunidades, por su parte, financian la ayuda social, las infraestructuras deportivas y culturales, etcétera.

Esta distribución impone una concertación permanente, una redistribución de los medios financieros. Por otra parte los recursos de los Länder sufren una igualación, a fin de evitar que alguno de ellos disponga de un ingreso por habitante inferior en el 5 % al promedio del conjunto. ¡Solamente el 5 %! Mientras que, entre las regiones francesas, la distancia correspondiente ¡es del orden del 30 al 40 %! Hay aquí otra enseñanza de la experiencia alemana que siempre me ha costado que se entendiera en Francia. En su mayoría, porque Francia es un país centralizado, donde la función de las colectividades locales, a pesar de la ley de descentralización Defferre, es

* *Länd* = provincia; *Länder,* (plural), provincias. [T.]

menor en relación con la del Estado central, los franceses están persuadidos de que ¡Francia es evidentemente el país de la mayor igualdad en la distribución de las riquezas, tanto en el plano geográfico como social! En realidad, todo demuestra lo contrario. Y en especial el notable ejemplo de solidaridad social y de política activa de mejor distribución geográfica de la economía, que nos ofrece Alemania.

Por último, se aplica una planificación concertada para coordinar la acción de las diferentes colectividades públicas. Esta se ejerce en el marco de contratos concertados con la perspectiva de un proyecto común. Todos estos ejemplos se citan aquí para mostrar hasta qué punto las administraciones y los políticos de Alemania son expertos en los mecanismos del consenso.

Ellos aplican esos métodos en todos o casi todos los terrenos. En materia salarial, el gobierno no interviene directamente, pero incita a las fuerzas sociales a respetar determinadas normas o a no perturbar los grandes equilibrios económicos y monetarios. En materia de salud, por ejemplo, fue el canciller Helmut Schmidt quien incitó a las patronales, los sindicatos y las mutuas sanitarias a llegar a un acuerdo sobre una reducción en los gastos de salud. Pero se está lejos de la situación francesa, donde el sector público ha desempeñado durante mucho tiempo un papel directivo en la evolución de las remuneraciones.

## Sindicatos poderosos y responsables

Pero esta concertación permanente y ese consenso modélico serían inimaginables sin la presencia activa de sindicatos poderosos, representativos y responsables. Indiscutiblemente, los sindicatos alemanes lo son. Mientras es perceptible en toda Europa un espectacular distanciamiento respecto a las organizaciones sindicales, los sindicatos alemanes, después del ligero retroceso de principios de los años ochenta, *ven de nuevo aumentar el número de sus afiliados*. La tasa de sindicalización de la población activa, una de las más altas del mundo, recuperó su nivel de los años sesenta, o sea cerca del 42 %, ante apenas un 10 % en Francia. Los sindicatos alemanes reúnen por lo tanto más de 9 millones de asalariados, de los que el 7,7 % corresponde a la Deutscher Gewerkschaftbund (DGB). Y su potencia financiera está a la medida de su representatividad, dado que las cotizaciones son relativamente altas (el 2 % del salario, descontado directamente). Ello les permite disponer de medios de acción envidiados por la mayoría de los sindicatos de todo el mundo: más de 3000 funcionarios permanentes en los servicios federales, un patrimonio que sigue siendo considerable a pesar de las dificultades afrontadas por su compañía de seguros Volkfursorge, su banco BFG, y sobre todo su sociedad inmobiliaria. Pero tienen, sobre todo, fondos de huelga, que les permiten, en caso necesario, proporcionar a los sindicatos en huelga o víctimas de un lock-out hasta el 60 % de sus salarios. Un instrumento de disuasión muy eficaz con respecto a la patronal.

Los sindicatos alemanes también han podido establecer procedimientos de selección y de formación de sus representantes para asistir a los organismos representativos. Disponen de centros de investigaciones económicas y sociales, que les permiten disponer de información actualizada. El nivel de formación de los funcionarios sindicales es, por lo tanto, particularmente elevado. En una negociación, están en condiciones de presentar desarrollos programados a medio plazo, coherentes y argumentados. Sin contar con que disponen de un medio de intervención y de presión suplementario: su presencia, por medio de sus representantes, en el Parlamento Federal. En efecto, varios diputados importantes proceden del mundo sindical: se calcula que, como promedio un 40 % de los diputados de las uniones demócrata-cristianas CDU/CSU pertenecen a un sindicato. Esta interpenetración entre el mundo sindical y el mundo político favorece sin ninguna duda el consenso y el arreglo flexible de los conflictos.

Pero a menudo esta potencia considerable está al servicio de la colectividad donde los sindicatos la colocan (véase Bérold Costa de Beauregard y Alain Bucaille, *op. cit.*). Dicho de otra manera, los sindicatos alemanes son económicamente más "responsables" que sus similares en el extranjero. Con la patronal, administran en gran parte el sistema de formación; debaten sobre la formación continua, sobre el contenido de esta enseñanza; asimismo tienen a su cargo los centros de cualificación de los parados, y contribuyen a reinsertar 150.000 personas por año.

Y también, como es sabido, sus posiciones son por lo general comedidas y razonables. Se toman en cuenta los imperativos económicos. Una actitud favorable al consenso es una actitud *pagada*, puesto que los salarios alemanes, como hemos visto, son más altos. Esa preocupación constante por no comprometer los grandes equilibrios —y no favorecer la inflación, tan temida en Alemania— se refleja especialmente en dos características del diálogo social de Alemania.

1. El proceso de negociación es regular. Abarca un período de tres o cuatro años. La última gran oleada de negociaciones salariales se remonta así a 1986-1987.

2. Durante la duración del acuerdo, los sindicatos se comprometen a no discutir las disposiciones de manera conflictiva. Este es el motivo de que el número de jornadas laborales perdidas en Alemania por huelgas sea el más bajo del mundo occidental (28.000 en 1988 ante 568.000 en Francia, 1.920.000 en Gran Bretaña, 5.644.000 en Italia y 12.215.000 en Estados Unidos).

Al lado de esos potentes sindicatos, que aplican el juego del consenso y de la cogestión, hay que señalar la extraordinaria vitalidad del sistema asociativo alemán. Las asociaciones de investigadores, por ejemplo, agrupan a unos 80.000 científicos a través de toda Alemania. Ellas difunden informaciones científicas, se ocupan de los estudios y de las condiciones de trabajo de sus miembros y constituyen, de esa manera, una verdadera administración informal, flexible y ligera, de la investigación científica. En cuanto a las asociaciones de defensa del medio ambiente, para citar otro ejemplo, han demostrado repetidas veces su potencia y su seriedad en la preparación de los informes.

En su conjunto, el movimiento asociativo que reúne y moviliza a las fuerzas vivas de la sociedad civil desempeña un papel clave en el funcionamiento, en Alemania, del modelo renano: el de un correo institucional y de un lugar de expresión de los ciudadanos.

Pero todas esas instituciones, políticas o asociativas, no serían nada si no fundaran su acción en una ética colectiva particular.

## Valores compartidos

Los países que englobamos aquí en el modelo renano tienen por último —y sobre todo— cierto número de *valores* en común. Enumeremos los principales.

1. Como hemos visto, se trata en primer lugar de sociedades relativamente igualitarias. La jerarquía de los ingresos y la escala salarial son allí mucho menos abiertos que en los países anglosajones. Además, el sistema impositivo es claramente más distributivo. No solamente la carga impositiva directa se impone sobre la carga impositiva indirecta, sino que las franjas superiores máximas del impuesto sobre beneficios son allí más altas que en Gran Bretaña (40 %), o que en Estados Unidos (33 %). También se agrega un impuesto sobre el capital que es aceptado por la opinión pública.

2. Normalmente el interés colectivo prevalece allí sobre los intereses individuales, en el sentido estricto del término. En ese modelo, la comunidad en la que se inserta el individuo reviste una importancia particular: la empresa, la ciudad, la asociación, el sindicato, son otras tantas estructuras protectoras y estabilizadoras. Y la primacía acordada al interés general es ilustrada por innumerables ejemplos, algunos de los cuales pueden sorprendernos. Así, el poderoso sindicato IG Metall aceptó, en el momento de la reunificación alemana, renunciar por iniciativa propia a la reivindicación de las 35 horas. Y hacía tres años que esperaba el fin del acuerdo con la patronal para poder negociarla. El presidente de IG Metall declaró que sus afiliados estimaban *que primero había que aceptar el desafío de la reunificación.*

Esta preferencia otorgada a lo "colectivo" no significa, sin embargo, que los países integrados al modelo renano sean adeptos al colectivismo, o incluso a la economía centralizada. Todo lo contrario. El principio del liberalismo y de la economía de mercado está inscrito en la carta fundamental de la RFA. La libre competencia, como ya hemos visto, está rigurosamente protegida por la Oficina Federal de Agrupaciones —el Bundeskartelamt—, que pudo prohibir, por ejemplo, a una empresa alemana el comprar una empresa competidora extranjera, argumentando que la libre competencia corría el riesgo de no estar ya asegurada. Es difícil imaginar semejante prohibición en Francia, donde cada compra de empresa extranjera se saluda con aplausos entusiastas. Del mismo modo, no existe planificación a la francesa —indicativa— en la RFA, en Suiza, en Japón o en los Países Bajos. El Estado no sustituye jamás allí al mercado. En el mejor de los casos, lo desvía o lo orienta. Nada más.

Y sin embargo, como su nombre lo indica, para Alemania esta economía de mercado es también una economía "social". ¿Qué quiere decir esto? Que las instituciones sociales son allí tradicionalmente poderosas. Y desde hace mucho. La seguridad social fue inventada por Bismarck en 1881. El seguro de enfermedad no exige allá más que una participación modesta de los asegurados: alrededor del 10 %, ante cerca del 20 % en Francia y del 35 % en Estados Unidos. Las jubilaciones son igualmente generosas, pues están apoyadas en gran medida sobre un ahorro individual administrado por las empresas.

Ese reequilibrio social del capitalismo renano encuentra, por último, su traducción a nivel político. Al revés de Estados Unidos, se comprueba en esos países una participación activa y masiva de los ciudadanos en la vida pública. Las tasas de abstención electoral son relativamente bajas. Los partidos son poderosos y bien estructurados. Por lo tanto, pueden asegurar a sus afiliados y a sus representantes una formación de calidad, en el seno de organismos prestigiosos como la Fundación Hébert para el SPD o la Fundación Adenauer para la CDU. Por otra parte, la ley *impone* a los políticos que participen activamente en la vida institucional: hay multas previstas para aquellos que falten al Parlamento; el voto de los parlamentarios es personal; la sucesión de mandatos está estrictamente limitada a dos.

El modelo renano es, por lo tanto, original. Encarna una síntesis equilibrada entre el capitalismo y la socialdemocracia. La impresión de equilibrio que ofrece es a priori seductora. Pero su eficacia no lo es menor.

Pero todo eso sigue siendo asombrosamente poco conocido. Es verdad que los pueblos afortunados no tienen historia. La dicha no es una *success story*.

# Capítulo 6

## LA SUPERIORIDAD ECONOMICA
## DEL MODELO RENANO

Para poder ser correctamente apreciadas, las situaciones más inauditas requieren un esfuerzo de memoria. Recordamos lo que era el equilibrio internacional tras la Segunda Guerra Mundial. Estados Unidos triunfaba totalmente, y el arma atómica apenas acababa de afirmar —dramáticamente— su *imperium* sobre el planeta. Superpotencia militar, sin haber tenido que sufrir la guerra en su propio suelo, Estados Unidos era también una formidable superpotencia económica, que, en esa época, en lugar de reducir sus impuestos, utilizaba *excedentes* presupuestarios para acudir, en el marco del plan Marshall, a socorrer a la Europa devastada. La URSS todavía no era capaz —como se comprobó durante la crisis de Berlín— de desafiarla de manera duradera. Y la cultura del vencedor —ese *American way of life* que literalmente parecían *llevar sobre ellos* los soldados norteamericanos desembarcados en Omaha Beach— fascinaba al mundo entero. Incluidos sus antiguos adversarios. Y durante mucho tiempo.

En cuanto a las dos principales "potencias del Eje", Alemania y Japón, ya sabemos a qué precio terrible pagaban su derrota. Países agotados, ciudades en ruinas, industrias destruidas y naciones traumatizadas en lo más profundo de sí mismas por la aventura trágica a la que habían sido arrastradas por sus dirigentes. Los inmensos y lúgubres campos de piedras quemadas en que se habían convertido Dresde o Nagasaki, Berlín o Hiroshima, subrayaban por sí mismos la inmensa magnitud del desastre.

## La victoria de los vencidos

Menos de medio siglo más tarde... El 19 de octubre de 1987, un *crack* bursátil sacude súbitamente las plazas financieras. En Nueva York, Wall

Street es presa del vértigo. En situación catastrófica, y para evitar lo peor, el gobierno norteamericano se resuelve a inyectar liquidez en el circuito financiero. En otros términos, por medio de la Reserva Federal abre al máximo el grifo de los dólares. ¿Pero se sabe que, antes de hacerlo, debió pedir la opinión e incluso el acuerdo de... el Banco de Japón y el Bundesbank alemán? Prodigiosa inversión en la relación de fuerzas: los vencidos de ayer dictan —cortésmente— su ley a su antiguo vencedor. Un poco más tarde, y de la misma manera, Alemania Federal impondrá al mundo sin ninguna dificultad la reunificación, casi "rescatando" a la RDA en quiebra. Pero demostrará al mismo tiempo que es capaz de soportar, sola, la carga económica. Bonn, a fines de 1989, no pide ayuda ni sostén económico. Al contrario, los alemanes firman simultáneamente con Moscú acuerdos de ayuda económica que se resumían —principalmente— en hacer financiar por Alemania... la repatriación escalonada de las divisiones del Ejército Rojo estacionadas en la antigua RDA (¡Incluyendo la construcción futura de cuarteles en tierra soviética!). La riquísima Alemania, en suma, tiene actualmente los medios para rescatar su propia independencia. Pagando al contado.

Por lo tanto, los dos antiguos vencidos, recién llegados en el capitalismo renano, se han convertido, *en menos de dos generaciones*, en los dos gigantes económicos del mundo, directos competidores de la antigua hegemonía americana. Es cierto, cada uno de ellos tiene sus razones *particulares* de su éxito. Dicho de otra manera, existe una especificidad de la economía japonesa y una especificidad de la economía alemana, diferentes entre ellas y que no podríamos encerrar en esquemas idénticos. ¡Pero eso no importa! Los rasgos comunes a esos dos capitalismos triunfantes son lo bastante numerosos como para que se pueda plantear una hipótesis de la superioridad global de un modelo. De una superioridad o, como veremos, de varias.

Pero comencemos por la economía propiamente dicha. Es hoy la madre —y el sello distintivo— del poderío real. En un mundo donde triunfa el capitalismo, aunque sólo sea gracias a la derrota de su adversario ideológico, el poder irá en primer lugar a manos de aquellos que saben sacar el mejor provecho económico. Y, en ese terreno, la superioridad del modelo renano parece cada vez más fuerte.

Si bien desde 1971 —y el fin de la convertibilidad del dólar— el dólar ya no es totalmente la moneda patrón que era después de Bretton Woods (1946), Estados Unidos aún goza de un *privilegio monetario* heredado de su antiguo poderío (véase el capítulo 1). Es cierto, y dura todavía. Pero se encuentra cada vez más amenazado por el ascenso de Alemania y Japón al rango de potencias monetarias. El marco y el yen se adueñan poco a poco de las posiciones del dólar.

En el conjunto de las reservas internacionales, las dos monedas representan cerca del 20 % de los haberes en divisas de los bancos centrales. Este porcentaje *se ha duplicado en veinte años*. Todavía el Bundesbank y el Banco de Japón se esfuerzan permanentemente por frenar la expansión internacional de su moneda, a fin de poder conservar su control. Podemos imaginar lo que hubiera ocurrido, cuál sería el peso respectivo de cada una de esas monedas, si las autoridades alemanas y japonesas hubieran elegido una política más elástica.

Pero a ese ya considerable peso real se añade lo que podría llamarse un "peso psicológico". Es un hecho que las dos monedas gozan actualmente del *status* informal de *moneda fuerte*. En la opinión pública, los activos formulados en marcos o, aunque en menor medida, en yens, significan un valor económicamente seguro. Progresivamente, los dos países se han convertido así en centros de una zona geográfica monetaria, alrededor de la que gravitan las monedas de los Estados periféricos.

## Su Majestad, el marco

Europa, con el Sistema Monetario Europeo (SME), que es de hecho una especie de zona del marco, nos proporciona un buen ejemplo. El SME data de 1979. Por iniciativa del canciller Helmut Schmidt y del presidente Giscard d'Estaing, se trataba de crear para los países de la Comunidad —a excepción de algunos, entre ellos Gran Bretaña— un sistema de cambio en el que las monedas ya no podrían "fluctuar" unas en relación con las otras más que dentro de ciertos límites. Además, se creaba una unidad de referencia, el ECU, que representaba una "reunión" de monedas europeas. Más concretamente, el objetivo del SME era doble:

1. Contener las fluctuaciones inciertas de los cambios que perjudicaban la estabilidad de los intercambios en el seno de la Comunidad.

2. Imponer una disciplina común a cada uno de los países miembro, obligados a practicar una política económica compatible con los compromisos asumidos referentes a los tipos de cambio.

Ese doble objetivo ha sido alcanzado. Y, desde ese punto de vista, el SME es un éxito indiscutible. Es cierto que han sido necesarios algunos reajustes de las paridades, pero se puede decir que las monedas se han mantenido relativamente estables entre ellas. En cuanto a la disciplina económica que se imponía cada país miembro, ¿hay que recordar a título de ejemplo que la "vuelta al rigor", decidida en 1983 por el gobierno socialista francés, fue principalmente dictada por la voluntad de permanecer dentro del SME, de respetar sus compromisos y de salvar el franco?

Pero, a pesar de todo, ha sido Alemania la que ha sacado mayor provecho del SME. ¿De qué manera? Hay que señalar por lo menos dos ventajas a favor de los alemanes.

1. Durante todos estos años, el marco se ha ido afirmando cada vez más como *moneda de referencia* en Europa. Sobre él se ajustan toda las otras monedas que forman parte del SME. En consecuencia, la política monetaria de cada Estado se encuentra, a regañadientes o no, determinada

en gran medida por la del compañero alemán. En Francia, por ejemplo, el Banco de Francia supervisa día a día, y hasta hora por hora, el tipo de cambio entre el marco y el franco. Cuando se comprueba una distancia excesiva, actúa en seguida en consecuencia. Y los otros bancos centrales europeos hacen lo mismo. Por lo tanto, cada vez que los alemanes aumentan sus tasas de interés, sus vecinos de la Comunidad se ven por lo general obligados a actuar en el mismo sentido. Del mismo modo, el establecimiento de la unión económica y monetaria, etapa esencial hacia la Europa política, depende ampliamente de la buena voluntad de los alemanes. Y no es una casualidad que el Eurofed, futuro banco central europeo, calque la mayor parte de sus estructuras y de sus reglas de administración del Bundesbank. Una condición impuesta por Alemania para avalar la unión monetaria.

2. Segunda ventaja: el privilegio del que goza Alemania, como consecuencia de su potencia monetaria, de mantener tasas de interés relativamente bajas. Como el marco es muy solicitado mundialmente a causa de su prestigio, Bonn no tiene ninguna necesidad de aumentar el precio del dinero para atraer a los capitales extranjeros. Ese poder, agregando a la baja inflación que garantiza al marco un poder de compra estable, explica el hecho de que las tasas de interés alemanas sean más bajas que en otros países. A título de ejemplo, la diferencia era, a finales de 1990, de un punto y medio con Francia, y de seis a siete puntos con Gran Bretaña. Es fácil imaginar qué gran beneficio obtienen las empresas y los hogares alemanes que desean obtener préstamos.

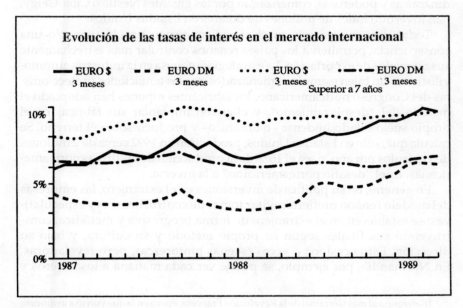

**Evolución de las tasas de interés en el mercado internacional**

FUENTE: OCDE.

## La "base de operaciones" monetaria

En Japón se observan fenómenos similares. Aunque sea en menor grado, pues ese país no pertenece a ningún sistema de cambios fijos. También en Tokio, el yen se mantiene infravalorado, las tasas de interés son bajas y crece la influencia japonesa en la escena económica. En cuanto a la pequeña Suiza, posee también una moneda envidiada por otros países. El franco es todavía la cuarta moneda en reservas en el mundo. ¡El franco suizo, que fue creado al mismo tiempo que el franco germinal,* pero cuyo valor no fue dividido por más de 300, como ocurrió con su homónimo francés! Hay que señalar que las tasas de interés suizas también se cuentan entre las más bajas del mundo.

Alemania, Japón, Suiza... Para todos esos países, la potencia monetaria representa una verdadera *fuerza de disuasión*. Asegura a sus empresarios una especie de "base de operaciones" inexpugnable, de donde parten ofensivas económicas difíciles de contener.

Una moneda fuerte permite comprar a bajo precio en el exterior. Y los japoneses, como es sabido, no se privan de hacerlo, sino que se apropian en Estados Unidos y en Europa de los más característicos emblemas de la industria o la arquitectura. Los alemanes cuentan con la misma capacidad de compra. Nadie se sorprendió al enterarse de que Volkswagen pudo hacer, en Praga, una oferta muy superior a la de Renault para la compra de la fábrica de automóviles checa Skoda. Las empresas suizas, igual de dinámicas y poderosas, comenzando por los gigantes Nestlé o Ciba-Geigy, han invertido miles de millones de dólares en Estados Unidos.

Todas esas inversiones en el extranjero tienen un objetivo y/o una consecuencia: permiten a los países renanos controlar más estrechamente sus mercados de exportación. La estrategia japonesa en la industria automovilística es un buen ejemplo. Amenazados por las tentaciones proteccionistas del Congreso norteamericano, los fabricantes nipones han adoptado el método del "desplazamiento", y eligieron implantar sus fábricas en el propio suelo estadounidense –o británico– y producir sobre el terreno. Se calcula que, sólo en Estados Unidos, producirán en 1992 cerca de 2 millones de vehículos por año, o sea el 16 % de la producción de las firmas norteamericanas. Es el "desafío norteamericano" a la inversa.

En general, en su política de inversiones en el extranjero, las empresas del modelo renano prefieren evitar tomas de control bruscas y especulativas; se establecen en el extranjero de forma progresiva y metódica, construyendo sus filiales según su propio método y su cultura, y bajo su dirección. Esto ocasiona a veces escenas pintorescas, pero reveladoras. En Normandía, por ejemplo, se puede ver cada mañana a los obreros y

---

*Referencia al mes Germinal de la Revolución Francesa, época en la que volvió a instituirse el franco como moneda en lugar del "luis". [T.]

empleados franceses haciendo escrupulosamente gimnasia a la japonesa antes de comenzar su jornada laboral: son los trabajadores de la fábrica Akai, donde las técnicas de la administración japonesa se han puesto en práctica con toda naturalidad. Con resultados indiscutibles, y a veces espectaculares: en Estados Unidos, donde se registra el mismo fenómeno, se estima que los japoneses han logrado recrear en sus filiales norteamericanas un "microclima" que les ha permitido mejorar la productividad en alrededor del 50 %, en relación con las fábricas estadounidenses similares. Bien pensado, esta pantomima es eficaz, por otra razón: es para ampliar sólidamente la empresa que se efectúan esas inversiones en el extranjero, y no para adquirir activos que se revenderán en los mejores plazos, embolsándose un beneficio.

Esta estrategia es muy eficaz. La penetración progresiva de las empresas del modelo renano se apoya sobre una base financiera sólida y potente. Y eso entraña para ellos dos ventajas mayores.

1. El mercado se encuentra *duraderamente* conquistado. Después de varios años de implantación se está, en efecto, en el mercado concreto, familiarizado con la marca, los productos y la empresa. En reciprocidad, ésta dispone de un personal, de un lugar de producción y de redes de distribución que conoce bien.

2. Las medidas proteccionistas son mucho más difíciles de aplicar contra esas empresas desplazadas. ¿Son siquiera posibles? Este es el debate que opone a europeos y japoneses sobre las "fábricas-destornillador" que estos últimos quieren implantar en la CEE, para acceder sin trabas al mercado comunitario.

Expansión internacional, influencia económica y política: tales son los dividendos que obtienen los países renanos de su estabilidad monetaria y de su poderío financiero. Son esenciales. Pero no son los únicos.

## El círculo virtuoso de la moneda fuerte

Esta expresión es familiar a los economistas. ¿Qué significa? Designa, en realidad, todos los *efectos positivos* que entraña para un país la posesión de una moneda fuerte. Efectos que pueden parecer paradójicos. A primera vista, en efecto, uno estaría tentado de pensar que una moneda fuerte constituye un *handicap* económico, haciendo más costosos los productos nacionales en el extranjero y, por lo tanto, más difíciles las exportaciones. Los países que, de vez en cuando, recurren a las devaluaciones para "dopar" sus exportaciones, lo saben bien. ¿No sería por lo tanto más lógico hablar del "círculo virtuoso de la moneda débil"? Esta observación parece anecdótica. No lo es. En efecto, esta cuestión determina la mayoría de las apuestas internacionales de los años noventa. En consecuencia, merece ser brevemente "puesta sobre la mesa".

¿Qué nos enseña la teoría económica respecto a la depreciación de la moneda? Que entraña inmediatamente dos efectos muy conocidos en la balanza comercial: las importaciones, expresadas en moneda nacional, se vuelven más caras, mientras que los productos exportados, pagados en divisas extranjeras, ven bajar sus precios. Se deduce muy lógicamente un esquema en dos etapas.

1. *A muy corto plazo*, la balanza comercial se encuentra afectada de manera negativa. Es necesario, en efecto, pagar inmediatamente importaciones más costosas, cuando incluso los compradores extranjeros no son todavía conscientes de que las exportaciones que les son destinadas han resultado más baratas. El plazo de respuesta juega en un sentido, pero no en el otro. La balanza comercial se resiente.

2. *A medio plazo*, no obstante, se recupera. El país importa menos productos extranjeros, que se han vuelto demasiado caros, y sus exportaciones han mejorado. Esta recuperación actúa en general con bastante rapidez, y sus efectos compensan la degradación inicial. En suma, se puede por lo tanto desembocar realmente en un fortalecimiento de la posición económica internacional del país afectado.

Esta concatenación automática de ambos efectos es llamada la "curva en J" por los economistas. En efecto, si se representa gráficamente la evolución de la balanza comercial en función del tiempo, se obtiene una soberbia J mayúscula. En función de esta famosa curva se han decidido muchas políticas económicas en los años cincuenta, sesenta, setenta y ochenta. Especialmente en Francia, con el plan Rueff de 1958-1959, o las devaluaciones del gobierno Mauroy en 1981-1983. Esta misma "curva en J" inspira desde 1985 la política norteamericana: se deja bajar el dólar para corregir, a cualquier precio, el vertiginoso déficit comercial. Poción mágica, remedio milagroso, la depreciación monetaria parece así poseedora de todas las virtudes.

Pero es un error. Pues esa J magnífica, cuyo trazo todavía no hace mucho se elevaba literalmente hacia el futuro radiante de los excedentes comerciales, ya no cumple sus promesas. Esta bella forma ya no resiste la prueba de los hechos, ni la crítica teórica. ¿Los hechos? Alemania (antes de la reunificación) y Japón, países de moneda fuerte, acumulan sin cesar excedentes comerciales. En cambio, Francia e Italia, que han recurrido mucho a la devaluación, no llegan a restablecer de forma duradera su balanza comercial.

En cuanto a Estados Unidos, todos saben que la caída regular del dólar desde 1985 todavía no ha conseguido recuperar sus intercambios exteriores. ¿Cómo es posible? ¿Cómo los hechos pueden desmentir tan espectacularmente un mecanismo que, en teoría, parece tan riguroso?

Aquí, la crítica teórica nos sugiere algunas medidas correctoras aplicadas a las mismas hipótesis de la "curva en J". Pueden hacerse tres observaciones.

Primero, en caso de una devaluación monetaria nada prueba que el

precio de las importaciones aumente, ni que el de los productos exportados baje *en las mismas proporciones* que la depreciación monetaria. Tanto los
importadores como los exportadores pueden tener comportamientos "al
margen", que van a contracorriente de los efectos esperados. Los exportadores, por ejemplo, pueden muy bien aprovechar la prima que se les otorga para aumentar sus precios, y por lo tanto sus márgenes de beneficio.
En cuanto a los importadores, nadie asegura que no prefieran aceptar
sacrificios en forma de precios para conservar sus parcelas del mercado en
tal o cual producto. Por otra parte, esto es más o menos lo que pasó en Francia durante el trienio 1981-1983: las empresas exportadoras francesas
aprovecharon las devaluaciones para aumentar sus precios, y compensar
así las cargas suplementarias que les imponían las medidas socialistas,
mientras los importadores ajustaban los suyos para no perder a sus
clientes.

Segunda observación: una baja de la moneda provoca bastante a menudo lo que los teóricos llaman la "inflación importada". Al ser las importaciones más caras, el alza repercute en el conjunto de los productos.
Naturalmente, esto es lo que ocurre cuando se trata del petróleo, de las
materias primas o de los bienes de equipamiento. En un plazo determinado
se desemboca, en el mejor de los casos, en una vuelta al punto de partida, y
en el peor, en una aceleración de la inflación. En consecuencia, el gobierno no
tiene otro remedio que dejar de nuevo caer su moneda, para "salvar la cara".
Y los déficit se multiplican por doquier...

Tercera observación: para que una devaluación sirva para dar un nuevo
impulso real a las exportaciones, también es necesario que las empresas
tengan la capacidad y, sobre todo, la voluntad de conquistar nuevos
mercados. De lo contrario, no podrán aprovechar la oportunidad que
se les ofrece. Y el ajuste tan esperado de la balanza comercial no sucederá.
Esto no es una perogrullada. Desde 1985, por no citar más que este ejemplo,
las insuficiencias de la industria norteamericana le impiden sacar provecho de la baja cotización del dólar y reconquistar los mercados perdidos
en manos de los japoneses y de los europeos.

La conclusión principal es muy simple: una caída de la moneda, el
"remedio" de la devaluación, es una droga suave a la que uno se acos-
tumbra. Es peligrosa, pues exime al que se entrega a ella de mirar de frente
sus verdaderas debilidades. Se parece a un elixir milagroso de efectos
fugaces que proporciona, en el mejor de los casos, la ilusión de una "mejo-
ría". Es el cebo de un círculo vicioso, cuya fatalidad conocen bien los
franceses. Se encontraron encerrados en él desde 1970 hasta 1983.

A la inversa, la estrategia de la moneda fuerte puede parecer, a primera
vista, áspera y difícil, por no decir heroica. Constituye un desafío temible
para las empresas cuyas exportaciones se encuentran gravadas, mientras los
productos extranjeros, que son más baratos, amenazan con venir a competir en su propio terreno. Es también un desafío para el país, cuya

balanza comercial puede acusar el precio de este rigor monetario. Pero en economía, como en tantas cosas, los desafíos tienen su lado bueno. Permiten movilizar las energías, impiden ceder a la comodidad, son portadores de promesas. Por otra parte, podemos comprobar que esta "estrategia de la moneda fuerte" es también la de los países que logran mejores resultados: Alemania, Japón, Suiza, Países Bajos... No es casualidad.

Además de que permite escapar de los efectos dañinos de la devaluación, como los que acabamos de enumerar, una moneda fuerte presenta, en un plazo determinado, ventajas preciosas.

En primer lugar obliga a las empresas a hacer esfuerzos de productividad, único remedio para compensar el relativo encarecimiento de sus productos. Es de alguna manera, para la administración, un aguijón eficaz sobre su pervivencia, de un modo diferente del de las amenazas de OPA. Se ha podido comprobar en Japón. En 1986 y 1987, para hacer frente a los inconvenientes del *endaka* (subida del yen en relación al dólar), la fábrica de automóviles Nissan llegó *a mejorar su productividad en un 10 % anual*, lo que le permitió disminuir en las mismas proporciones el precio de sus automóviles. En el mismo período, como es sabido, la produc-

"MEIN GOTT, SCHON WIEDER EIN RÜCKFALL!"

FUENTE: *Wirtschaftswoche*, n° 31, 27 de julio de 1990, pág. 90 ("¡Dios mío, otra vez se ha hundido!").

tividad norteamericana se hundía. Hasta el punto de que Paul Gray, presidente del MIT, podía declarar en octubre de 1990 al diario l'*Expansion*: "El problema para nosotros no es aumentar nuestra competitividad sino impedir que descienda más".

Una moneda fuerte también incita a las empresas a especializarse en los productos llamados de alta gama tecnológica. En ellos ya no es realmente el precio lo que marca la diferencia, sino la calidad, la innovación, el servicio posventa. Aspectos que implican un esfuerzo sostenido de investigación, que se revela como extremadamente provechoso para la empresa. Las máquinas-herramienta alemanas son un buen ejemplo de ello. Son caras, pero representan lo mejor que hay en su categoría. Del mismo modo, en la industria automovilística, Daimler-Benz y BMW se han especializado en automóviles de lujo, y con gran éxito. (Desde 1989, el valor global de los automóviles japoneses vendidos en Alemania. ¡El resultado no es desdeñable!)

¿No es admirable, por otra parte, que los dos países que, antes de 1940, eran los países de la baratija, de la pacotilla, sean hoy considerados los dos campeones de la calidad: Alemania y Japón? ¿No es un nuevo indicio de la existencia de un modelo germano-nipón cuya energía, en otros tiempos guerrera, se ha canalizado hacia las proezas de la conquista industrial por la vía de la disciplina monetaria?

En suma, la moneda fuerte, ese camino escarpado que exige esfuerzos, perseverancia e imaginación, es para una economía el mejor medio de resaltar sin corromperse. El círculo virtuoso de la moneda fuerte es, por lo tanto, remunerador.

Escrita hoy, esa conclusión puede parecer trivial. ¡Tanto mejor! Pero eso no debe hacernos olvidar que, durante una generación, todas las mentes destacadas, de las cuales Francia está tan bien dotada, han explicado que era más eficaz para el desarrollo económico hacer del franco francés una moneda débil, que se devaluaba cada dos años. Su pretendido keynesianismo ha llegado, hasta 1975, a ridiculizar la estúpida severidad con la que esos palurdos alemanes se privaban de las comodidades de la inflación controlada para acelerar el crecimiento económico.

Al lado de Raymond Barre, he combatido durante cinco años por la causa mal conocida, denigrada, de la moneda fuerte. Esta causa ha ganado desde 1983, sucesivamente apoyada por los ministros de Finanzas Jacques Delors, Edouard Balladur y, sobre todo, Pierre Bérégovoy. Es seguramente el mejor regalo que el ejemplo de modelo renano ha hecho a Francia.

## Las verdaderas armas de la potencia

Los resultados de la economías renanas están desde hace varios años en la portada de nuestros diarios. Y la admiración incansable de este éxito sirve de amargo contrapunto a las dificultades crecientes que encuentran las economías "anglosajonas", prisioneras de los déficit y de la inflación. Una pregunta, perfectamente lógica, se reitera sin cesar en la prensa: ¿Cómo lo hacen? ¿Cuáles son las verdaderas armas de esa potencia? A lo largo de todo este libro, intento responder a esa pregunta. Pero agreguemos aquí una observación. La fuerza de esas economías se apoya sobre todo en una *capacidad industrial* sin igual y una *agresividad comercial* obstinada.

La industria de los países renanos —esto es un hecho— es la mejor del mundo. Y tiene mucho peso. El peso del sector industrial en la economía es más importante en Alemania, en Japón o en Suecia que en los otros países de la OCDE. Representa alrededor del 30 % del PIB y de la mano de obra asalariada en un caso, y menos del 25 % en el otro. En Estados Unidos, esta parte es incluso inferior al 20 %. A la cantidad se añade la calidad, como ya hemos dicho. En la mayoría de los sectores industriales dominan los países de tipo renano: están sólidamente anclados en los sectores tradicionales y dedican un esfuerzo excepcional a las industrias del futuro. Entre las diez primeras empresas mundiales de la siderurgia, del automóvil, de la química, textiles, de la construcción naval, de la electricidad y de las agroalimentarias, se encuentran también una gran mayoría de firmas renanas, ya sean japonesas, alemanas, holandesas o suizas. (Toyota, Nissan, Daimler-Benz, Mitsubishi, Bayer, Hoechst, Basf, Nestlé, Hoffman-La Roche, Siemens, Matsushita, etc.)

Es cierto, en los sectores futuristas son menos fuertes, y los norteamericanos dominan todavía. Pero, ¿por cuánto tiempo? Ya, en los terrenos de la aeronáutica, de la informática, de la electrónica o de la óptica, los progresos de las industrias japonesas o alemanas son espectaculares. Por ejemplo, en la informática, que es desde hace treinta años un verdadero coto de caza privado norteamericano (siete de las diez primeras empresas mundiales son estadounidenses), la penetración japonesa ya inquieta a Washington. Los japoneses, en efecto, han conseguido el dominio casi total de los accesorios (pantallas, discos, impresoras), y un casi total monopolio de las memorias y los componentes. En última instancia, las computadoras son siempre norteamericanas, pero todo lo que se encuentra en su interior es japonés.

Este excepcional dinamismo de las industrias del modelo renano se fundamenta en tres factores principales.

1. Una atención muy especial referida a la *producción*. Alemanes, japoneses, suizos o suecos buscan permanentemente mejorar la calidad de sus productos, reducir los costos aumentando la productividad.

Este esfuerzo implica inversiones permanentes en máquinas y equipamientos. Los cuatro países citados tienen las tasas de inversión más elevadas de la OCDE (y hay que recalcar que, con una economía dos veces menor que la de Estados Unidos, los japoneses invierten, desde 1989, más que los estadounidenses). Esta política de producción y de dirección se basa en *métodos de administración* muy modernos. De Japón vienen los famosos "círculos de calidad", o los "stock cero", que se usan ahora en Francia para producir el XM de Citroën o el R 19 en Renault. Métodos que, por otra parte, requieren la participación y la inteligencia de todos y cada uno. Exigen que un mínimo consenso sea la regla, y que se escuche a los agentes de la producción. Y se les preste atención.

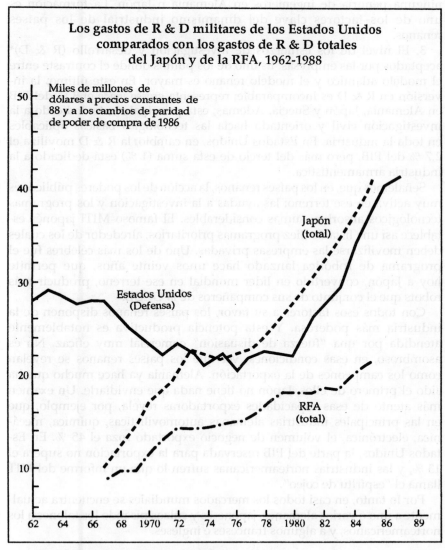

**Los gastos de R & D militares de los Estados Unidos comparados con los gastos de R & D totales del Japón y de la RFA, 1962-1988**

Miles de millones de dólares a precios constantes de 88 y a los cambios de paridad de poder de compra de 1986

Japón (total)

Estados Unidos (Defensa)

RFA (total)

FUENTE: National Science Foundation y OCDE.

2. Estos métodos, que rompen definitivamente con el taylorismo caricaturesco de los *Tiempos modernos* de Chaplin, donde cada obrero no era más que un ejecutor mecánico de gestos repetitivos, suponen la dedicación, como ya hemos dicho, de un esfuerzo particular a la *formación* (véase el capítulo 5). Este sistema de enseñanza, que reúne aprendizaje y formación continua, moviliza en los países renanos el doble de fondos que en otras partes. Pero este esfuerzo es eficaz: no se conoce ninguna penuria de ingenieros en Alemania o Japón. La formación es uno de los factores clave del dinamismo industrial de los países renanos.

3. El nivel de los esfuerzos de investigación y desarrollo (R & D)* aceptados por las empresas. Es uno de los puntos donde el contraste entre el modelo atlántico y el modelo renano es mayor. En este último, la inversión en R & D es incomparable: representa *grosso modo* el 3 % del PIB en Alemania, Japón y Suecia. Además, está principalmente dedicado a la investigación civil y orientado hacia las tecnologías básicas aplicables en toda la industria. En Estados Unidos, en cambio, la R & D moviliza el 2,7 % del PIB, pero más del tercio de esta suma (1 %) está dedicado a la industria armamentística.

Señalemos que, en los países renanos, la acción de los poderes públicos es muy activa en ese terreno: las ayudas a la investigación y los programas tecnológicos absorben sumas considerables. El famoso MITI japonés establece así una lista de diez programas prioritarios, alrededor de los cuales deben movilizarse las empresas privadas. Uno de los más célebres fue el programa de robótica lanzado hace unos veinte años, que permite hoy a Japón, convertido en líder mundial en ese terreno, producir más robots que el conjunto de sus compañeros de la OCDE.

Con todos esos factores a su favor, los países renanos disponen de la industria más poderosa. Y esta potencia productiva es notablemente atendida por una "fuerza de disuasión" comercial muy eficaz. No es asombroso, en esas condiciones, ver que los países renanos se revelan como los campeones de la exportación. Alemania ya hace mucho que ha sido el primero de ellos. Japón no tiene nada que envidiarle. Un examen más atento de esas capacidades exportadoras revela, por ejemplo, que en las principales industrias alemanas automovilísticas, química, mecánica, electrónica, el volumen de negocio exportado roza el 45 %. En Estados Unidos, la parte del PIB reservada para la exportación no supera el 13 %, y las industrias norteamericanas sufren lo que un informe del MIT llama el "espíritu de cojeo".

Por lo tanto, en casi todos los mercados mundiales se encuentra actualmente a uno o varios alemanes, japoneses y suizos pisando los talones a los norteamericanos, y a algunos franceses e ingleses.

* Research and Development (Investigación y Desarrollo). [T.]

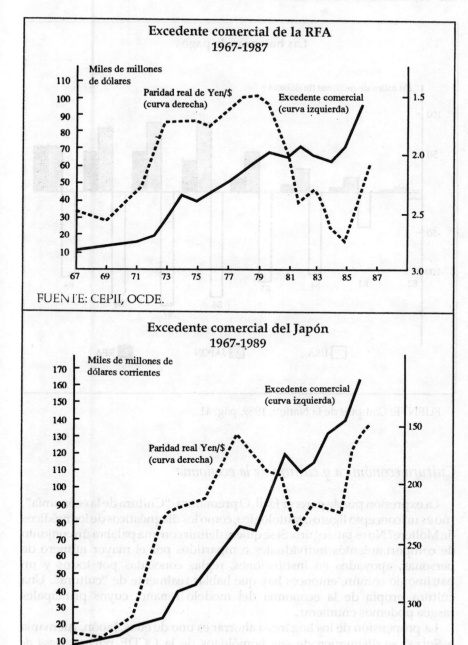

**Excedente comercial de la RFA**
**1967-1987**

Miles de millones
de dólares

Paridad real de Yen/$
(curva derecha)

Excedente comercial
(curva izquierda)

FUENTE: CEPII, OCDE.

**Excedente comercial del Japón**
**1967-1989**

Miles de millones de
dólares corrientes

Excedente comercial
(curva izquierda)

Paridad real Yen/$
(curva derecha)

FUENTE: CEPII, OCDE.

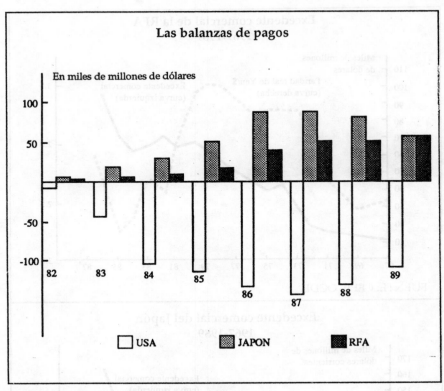

**Las balanzas de pagos**

En miles de millones de dólares

USA · JAPON · RFA

FUENTE: Comptes de la Nation, 1989, pág. 41.

## Cultura económica y cultura de la economía

La expresión puede parecer fácil. O prematura. "Cultura de la economía", ¿no es un concepto ligero o tautológico, como los diagnósticos de los médicos de Molière? No es tan seguro. Si se quiere definir con una palabra un conjunto de comportamientos individuales compartidos por el mayor número de personas, apoyados en instituciones, reglas conocidas por todos y un patrimonio común, entonces hay que hablar realmente de "cultura". Una cultura propia de la economía del modelo renano, cuyos principales rasgos podemos enumerar.

La propensión de los hogares a ahorrar es uno de ellos. Japón, Alemania o Suiza* se distinguen de sus homólogos de la OCDE por una *tasa de*

* Italia también, pero allá sirve principalmente para financiar un enorme déficit presupuestario.

*CORLO HACON, AL TOUR*
*TASAS TAN BAJAS?*

*ahorro elevada*. Este ahorro es indispensable para financiar la economía, y su insuficiencia se traduce, en numerosos países, en términos de déficit exterior. Cuando el dinero falta en casa, hay que ir a buscarlo afuera. Es lo que hace Estados Unidos, cuyos hogares son las "cigarras" del mundo desarrollado, lo compran todo a crédito y a veces están tan endeudados que deben dedicar el 25 % de sus ingresos a pagar intereses. El ahorro insuficiente es una de las explicaciones de los déficit comerciales norteamericanos. A la inversa, los alemanes y los japoneses, que cuentan con una tasa de ahorro espléndida, pueden financiar ellos mismos sus inversiones y a la vez prestar afuera con intereses ventajosos. Lo que les proporciona unos excedentes exteriores considerables.

Los grandes autores del pensamiento liberal siempre han considerado que el ritmo del progreso estaba vinculado a la capacidad de ahorrar. Esta capacidad —de la que depende la evolución de las tasas de interés— está a su vez ligada a factores culturales, a una sensibilidad colectiva que puede cambiar según las circunstancias. En 1930, en la Universidad de Yale, el economista Irving Fisher citó uno de esos factores: "La causa principal de un descenso de las tasas de interés (y por lo tanto de un aumento de ahorro) es el amor a los hijos y el deseo de proporcionarles bienestar. Cada vez que esos sentimientos se debilitan, como ocurrió en el caso del Imperio Romano, la impaciencia y las tasas de interés tienden a elevarse. La expresión de moda se convierte entonces en 'después de nosotros, el desastre', y se dilapida concienzudamente".

Sin pretender sacar conclusiones demasiado prematuras sobre el "amor a los hijos", constatemos que, entre 1980 y 1990, el ahorro nacional evolucionó en sentidos opuestos en los países renanos y en Estados Unidos. En el primer caso, *aumentó*, pasando del 31 al 35 % del PIB en Japón y

FUENTE: Desclozeaux, 130 Dessins d'observation faits au "Nouvel Observateur", Ed. Glénat, Grenoble, 1974, pág. 123.

del 22 al 26 % en Alemania, mientras que en Estados Unidos *disminuyó*, cayendo del 19 al 13 % en el mismo período (fuente: OCDE).

Observemos bien esa oposición entre el capitalismo de las cigarras que viven al día y el capitalismo de las hormigas que, hoy, preparan el mañana. Constituye quizás el dilema más fundamental de este fin de siglo y de la ética de nuestra civilización.

También se puede observar en esos países renanos que la importancia de la economía es percibida por toda la población. El resultado es un clima difuso de movilización cívica, cuyo papel no es desdeñable.

A veces nos burlamos del comportamiento de los japoneses que, cuando viajan al extranjero, están espontáneamente al acecho de todas las informaciones que pudieran ser útiles a su empresa. Se interpreta como una forma "suave" de espionaje industrial. Hay que ver sobre todo un estado de ánimo particular, un civismo de empresa, del que los alemanes tampoco están desprovistos. Ese interés popular por la economía nacional es, por otra parte, cultivado, transmitido, coordinado por instituciones. En Alemania, por ejemplo, los bancos proporcionan regularmente a sus clientes análisis económicos variados y completos. En Japón, el MITI* y las Casas de Comercio recogen en el mundo entero todas las informaciones que puedan ser útiles a las empresas. En general, las empresas dedican un esfuerzo sostenido y sistemático al análisis de lo que se hace "en otras partes". Y especialmente en los laboratorios de investigación de la competencia. ¿Cómo calificar esta curiosidad invariablemente alerta, y esta apertura hacia el exterior si no con la expresión "cultura de la economía"?

Sin duda es una "cultura" así compartida lo que explica cómo esos países han salvado de alguna manera su economía de las fatalidades electorales o políticas tan conocidas. Los ciclos políticos inestables, que implican gastos suplementarios antes de las elecciones y un retorno a un mayor rigor inmediatamente después, están prácticamente desterrados. Los bancos centrales de Alemania y de Suiza —para citar otro ejemplo— gozan, frente al poder político, de una independencia casi total. Eso les permite asegurar, contra viento y marea, una buena administración de su moneda, son los mismos estatutos del Bundesbank los que imponen ese deber a sus dirigentes. Se está lejos de la tutela que ejerce tradicionalmente, en Francia, el Ministerio de Finanzas sobre el Banco de Francia. Los cinco grandes institutos alemanes de previsión económica gozan de la misma independencia, y sus estadísticas sirven de referencia indiscutida tanto a los gobernantes como al tejido social.

Es también esta "cultura" común lo que explica la manera en que los poderes públicos adaptan su política a la preocupación permanente de reforzar la posición internacional de la economía. Es la famosa "Japan

* Ministry of the International Trade and Industry (Ministerio de Comercio Internacional e Industria). [T.]

Incorporated" la que hace de Japón una inmensa empresa lanzada a la conquista de los mercados mundiales.

Es esta misma "cultura" la que justifica la situación particular —y privilegiada— de la que goza la empresa en el modelo renano. Jamás se considera como el simple encuentro provisional de intereses convergentes, ni como una simple máquina de hacer dinero. Al revés, se concibe como una institución, una comunidad duradera que es necesario proteger. Quedando a su cargo asegurar en reciprocidad la protección de sus miembros.

## Capítulo 7

## LA SUPERIORIDAD SOCIAL
## DEL MODELO RENANO

La expresión, de entrada, es ambigua. No se puede hablar de "superioridad social" de la misma manera como lo hacemos de "superioridad económica". Y eso por una sencilla razón: en este caso, la mayoría de los criterios no son cuantificables. Los rendimientos sociales de un modelo económico no se evalúan —o no solamente— en términos de curvas, de estadísticas, de índices y de porcentajes. Todo juicio sobre las ventajas sociales de tal o cual país implica un elevado coeficiente de *subjetividad*. El tipo de sociedad de referencia, los valores compartidos por la población, la organización social (o familiar) misma, todo ello introduce distorsiones bien conocidas por los economistas. Avancemos en este terreno, pues, con prudencia...

¿Cómo se podría, a pesar de todo, definir algunos criterios significativos de comparación? Propongo tres que comparten el mérito de la sencillez y de la claridad.

1. El grado de *seguridad* ofrecido por cada modelo a sus ciudadanos. La manera en que éstos se encuentran protegidos ante riesgos mayores; enfermedad, desempleo, desequilibrios familiares, etc.

2. La reducción de las *desigualdades* sociales, y la manera en que se corrigen las exclusiones más marginales. El volumen y la forma de la ayuda ofrecida a los más desvalidos.

3. La *apertura*, es decir, la mayor o menor facilidad individual para escalar los diferentes peldaños socio-económicos.

De entrada, se impone una evidencia: en los dos primeros terrenos, el modelo renano supera muy claramente al modelo neoamericano. Digo bien, *neoamericano*, y no anglosajón. En efecto, en materia social Gran Bretaña se distingue de Estados Unidos. Y nos quedamos cortos diciendo que se distingue. Al disponer, desde hace mucho tiempo, de un sistema de seguridad social desconocido en Estados Unidos, se opone rotundamente a Estados Unidos en este terreno.

Hecha esta salvedad, veremos que la comparación entre los dos modelos conserva todo su sentido. Lo conserva todavía más en cuanto la superioridad social del modelo renano no va acompañada, como se cree muy a menudo, por un sobregasto que pesaría sobre la competitividad económica. Es cierto, la justicia social tiene un precio, y éste debe ser financiado con recursos públicos. Pero se equivocan los que piensan que esos gastos no pueden ser efectuados más que en detrimento de la economía. Veremos, al contrario, que *competitividad puede rimar con solidaridad.*

## Una salud que no tiene precio

Veamos dos anécdotas que hablan por sí solas. La primera es recogida por el periodista Jean-Paul Dubois (*Le Nouvel Observateur*). Ocurre un domingo en el Dade Medical Center de Miami (Florida). Un hombre está gravemente enfermo desde hace tres días. Sufre. Tiene fiebre. Como es domingo y todos los consultorios médicos están cerrados, se dirige al hospital, en Lejeune Boulevard. Allá le envían a Urgencias, donde una recepcionista le pregunta su nombre y le pide... 200 dólares por adelantado. "Es un aval, un depósito de garantía —le dice—. Si el médico no lo hospitaliza, sólo deberá pagar la consulta y se le devolverá la diferencia." El explica que no lleva esa cantidad encima. Ella responde que lo siente mucho, pero que deberá probar en otro sitio.

Segunda anécdota. En una pequeña ciudad de la Costa Este, un empleado de una empresa local, que sufre un dolor de muelas, se pregunta si irá al dentista. Si va, deberá hacerse extraer *necesariamente* la muela enferma. ¿Por qué? ¿Los dentistas norteamericanos son incapaces de prodigar remedios menos expeditivos? No, claro, pero nuestro hombre no tiene seguro privado, y el coste de otro tipo de intervención es demasiado elevado para su presupuesto. Entonces no tiene otra alternativa: o perder su muela o sufrir.

Estos dos ejemplos no tienen nada de extraordinario. Se relacionan con lo que decíamos acerca del "dualismo" de la sociedad estadounidense (véase el capítulo 2). Pero también muestran la ausencia de un sistema generalizado de protección social en Estados Unidos. Allí los gastos públicos de salud son, en proporción, la mitad de los de los grandes países occidentales. No existe, en Estados Unidos, un seguro obligatorio de enfermedad. Cada norteamericano debe suscribir, según sus recursos, un seguro privado, y se calcula en 35 millones el número de habitantes que no gozan de ningún seguro de ese tipo.

Los salarios de desempleo son prácticamente desconocidos, al menos a escala nacional, mientras que la duración media de los preavisos de despido en las PME es de dos días. En cuanto a las asignaciones o subsidios familiares, no existen. Los únicos programas sociales de envergadura son los que fueron establecidos por las administraciones Kennedy y Johnson, en los años sesenta. Están básicamente destinados a las personas de edad (MEDICARE) y a las personas que viven por debajo del umbral de la pobreza (MEDICAID). Pero una fracción importante de la población no se beneficia de esta protección.

El sistema social del modelo neoamericano es, por lo tanto, claramente insuficiente e incompleto. Además, se resiente gravemente de dos inconvenientes muy conocidos.

1. El delirio judicial que se ha apoderado de los norteamericanos alcanzó de lleno a la medicina (véase el capítulo 2). A diario, la prensa señala las multas colosales a las que son condenados médicos, anestesistas o dentistas, contra los que se querellaron pacientes presionados por abogados "cazadores de indemnizaciones". En efecto, se ha vuelto corriente en Estados Unidos consultar a un abogado antes de ir al médico o al hospital. A la inversa, a menudo la primera persona que se encuentra en las instituciones es el abogado de los médicos o del hospital. La menor atención médica adquiere así el aspecto de una guerrilla jurídica, cuyos resultados no son nada divertidos. En efecto, médicos y clínicas deben asegurarse contra las eventuales querellas de sus clientes (cuando encuentran compañías que los aceptan), y dedican presupuestos importantes al pago de sus abogados. Todos estos gastos, por supuesto, repercuten sobre las tarifas de la atención médica, que se vuelve prohibitiva.

2. Al revés de lo que parece, este sistema privado de protección social no es más económico que el de sus equivalentes europeos, administrados por la colectividad. Al contrario. Es en Estados Unidos donde los gastos de salud (11 % del PIB) son los más altos del mundo. Y paradójicamente, entre los países de la OCDE, es en Gran Bretaña, país de protección social universal y gratuita, donde esos gastos son más bajos: menos del 7 % del PIB.

## Los paraguas renanos

Los seguros sociales fueron creados en Alemania por Bismarck. Es lord Beveridge, su discípulo más célebre en este aspecto, quien introdujo el famoso Sistema Nacional de Salud (el NHS)* en Gran Bretaña. En Francia se empezó a aplicar en 1946 un principio análogo de protección social generalizada, y hoy el 99,9 % de la población está protegida por el sistema de seguridad social. De la misma manera, en países como Suecia, Alemania, Suiza o Japón, sólo una pequeña fracción de la población no goza de la protección social.

* National Health System. [T.]

Los alemanes están resguardados muy ampliamente contra los principales riesgos (enfermedad, accidentes de trabajo, desempleo) y gozan de un régimen básico de jubilación muy ventajoso. Suecia, patria de la socialdemocracia, está en el mismo caso. Los ciudadanos están tan bien protegidos como en Alemania, y los desocupados cuentan con sistemas eficaces, que incluyen programas de formación y de reinserción. En cuanto a Japón, cuenta con una seguridad social que es una de las más generosas del mundo: la gratuidad de las atenciones médicas es allí total y generalizada.

Hasta 1985, los gastos de salud en Alemania continuaban aumentando mucho más rápidamente que el PIB, y el equilibrio del seguro de enfermedad se encontraba amenazado. Los factores básicos de ese problema son los mismos que en otras partes: envejecimiento de la población, progresos tecnológicos acompañados por el desarrollo de nuevos equipos muy costosos (tomógrafos, ecógrafos, equipos de liptotricia...), aumento global de la demanda de atención médica y del consumo de medicamentos, ambos naturalmente estimulados por la gratuidad de las atenciones médicas. A pesar de eso, ningún país renano ha permitido que los gastos de salud superaran el 9 % del PIB. Es más, desde 1985 Alemania ha logrado controlarlos de manera ejemplar.

Sobre este problema, tan fundamental, de la calidad de las atenciones médicas y de la cuantía de los gastos de salud, hay que retener las tres cifras ya citadas: Gran Bretaña, 7 % del PIB; Alemania, 9 % del PIB; Estados Unidos, 11 % del PIB, y tomar conciencia de la extraordinaria paradoja que suponen. En efecto, de los tres países el que tiene la peor situación sanitaria es también el que más gasta, Estados Unidos. Ahora bien, Estados Unidos debería ser el que, con igual calidad, gastase menos, pues su sistema sanitario es esencialmente privado, totalmente organizado para la eficacia, con una extraordinaria sofisticación de los sistemas de control del tipo HMO (Health Management Organisation)*. Es cierto que en Inglaterra a menudo hay que hacer cola antes de ser admitido en el hospital y que el sistema alemán de los ambulatorios no deja una plena libertad de elección al paciente sobre su facultativo. Sin embargo, los hechos están ahí: en materia sanitaria, el sistema de mercado, fundado en el interés pecuniario personal del médico, no es siempre el más eficaz sino todo lo contrario. En conclusión, creo que la salud no es ciertamente un terreno que pueda, sin discernimiento, librarse a las leyes del mercado.

En cualquier caso, es evidente que no en todos los países del modelo renano se sabe, mejor que en otros, combinar la justicia social, la carga colectiva de los gastos y la eficacia administrativa. Esta aptitud particular se apoya en un conjunto de valores y de prioridades que no son los mismos

* Organización para la Administración de la Salud. [T.]

que en Estados Unidos. La idea de *responsabilidad colectiva*, por ejemplo, está profundamente arraigada en la mentalidad pública, y es respetada por las organizaciones politicas o sindicales. La consecuencia es una autodisciplina mayor que lo que a veces se piensa. Es cierto que en todas partes existen fraudes, abusos, falsos desempleados y tendencia al "abuso" de la medicina. Pero, en resumen, cada uno es consciente de los riesgos que correría si pidiera demasiado a la protección social. En Japón, por ejemplo, donde el envejecimiento de la población es preocupante, se lanzó un programa para aumentar la edad de la jubilación. En Suiza, por la mismas razones, los ciudadanos renunciaron por medio de un referéndum (con el 64 % de mayoría) a adelantar la edad de la jubilación de 65 a... 62 años.

A esta responsabilidad colectiva se añade una disciplina que los poderes públicos no tienen demasiada dificultad en hacer respetar. En Alemania, el gobierno exige del tejido social (sindicatos, patronal, médicos, asegurados, ambulatorios) que se pongan de acuerdo para limitar el aumento de los gastos sanitarios. En Suecia, es concebible que los desocupados a cargo del seguro de desempleo rechacen los empleos que éste les ofrece. Otro ejemplo extremo es que la ayuda pública a los necesitados no es en Suiza un puro y simple derecho, sino una deuda, un préstamo que deberá reembolsarse tan pronto la situación del beneficiario haya mejorado.

Tomemos ahora, uno tras otro, los puntos precedentes y preguntémonos si, en este aspecto, Francia merece ser clasificada entre los países renanos. Desgraciadamente, la respuesta es ampliamente negativa. En materia de seguro de enfermedad, el sistema francés es uno de los más frágiles, por el hecho de que todo el mundo dispensa más o menos libremente talones a la seguridad social, pero nadie tiene la impresión de pagarlos realmente: yo fijo libremente el número de las consultas y las atenciones que pido a los médicos, ellos fijan libremente las recetas que me dan; todo casi gratis. Esto no existe en ningún otro país. Cuanto más pasa el tiempo, es más evidente que se trata de una mezcla de capitalismo y socialismo particularmente seductora a corto plazo, pero perversa a largo plazo.

## Los patinazos norteamericanos

En Estados Unidos, aunque el gobierno multiplica los esfuerzos para limitar el aumento de los gastos sanitarios, generalmente también es en vano. Un buen ejemplo de este fracaso es la reforma aplicada en los hospitales para mejorar la administración y limitar los reembolsos a cargo de los programas federales. En 1984, el Congreso intentó limitar el creci- miento de los gastos de salud financiados por MEDICARE. Para conseguir- lo, decidió cambiar el sistema de reembolso a los hospitales, que estaba calculado sobre la asistencia concreta proporcionada a los enfermos. Como en Francia, cada operación médica se descomponía en diferentes apartados (cirugía, anestesia, quirófano, análisis clínicos, etc.). Cada uno de éstos era objeto de una tarifa distinta, que servía de base al reembolso a cargo de los seguros y de MEDICARE. Método muy preciso, pero particularmente complejo y que favorecía el fraude. Permitía en efecto multiplicar determinados servicios a un mismo paciente (los exámenes radiológicos, por ejemplo), a fin de poder acrecentar el importe de los reembolsos. Ante esta multiplicación de los servicios, se hacía imposible a los supervisores distinguir los útiles de los fraudulentos. Además, la aplicación de las tarifas no siempre estaba adaptada a las nuevas técnicas, lo que permitía a algunos médicos cobrar de más. La tarifa de una intervención del menisco, por ejemplo, se calculaba sobre la base de una operación de dos horas, cuando la endoscopia permite actualmente realizarla en diez minutos.

Para corregir esta situación, el Congreso estableció un sistema de pago no por servicio, sino *por patología*. A cada paciente se le reembolsa ahora en función de un precio estándar: 1000 dólares por una apendicitis, 100.000 dólares por un tratamiento de hemofilia, etc. El hospital debe acomodarse a esas tarifas. Si está mal administrado y los costos resultan superiores, peor para él. A la inversa, si sus gastos son inferiores se beneficia legítimamente. El sistema se basa, por supuesto, en el hecho, verificado estadísticamente, de que el 95 % de las enfermedades pueden agruparse en 465 patologías precisas, cuyas tarifas pueden establecerse en función de los costos medios. Esto es algo que parece sencillo, claro y controlable. Y calcular el reembolso en función del costo total del tratamiento parece un método lógico que incita a la buena gestión administrativa.

Pero la falta de una verdadera responsabilidad colectiva ha dificultado la aplicación del nuevo sistema. Algunos hospitales, mal administrados, han conocido en seguida graves dificultades financieras. En consecuencia, muchos han sucumbido a la tentación de especializarse en las patologías mejor pagadas o en las que eran más competitivas. Otros —por suerte, no tan numerosos— se esforzaron en identificar a los enfermos "de riesgo" para rechazarlos. ¿Por qué, en efecto, en un contexto que legitima el beneficio a corto plazo, no aumentar al máximo las ganancias proporcionadas por el reembolso del seguro por enfermedad? En el país del dinero rey, esto entra en la lógica de las cosas. Así se corrompió una reforma que parecía coherente. Resultado: pese a los primeros resultados alentadores, el incremento de los gastos de hospitalización no ha cesado en Estados Unidos.

Una reforma excelente, pero el resultado es nulo. ¿Por qué? Del mismo modo que los franceses no habrían construido nunca su sistema de seguridad social como lo hicieron si se hubieran informado antes en el extranjero, los autores de esta reforma habían olvidado sin duda estudiar previamente los métodos de los países renanos. Existe en efecto una especie de "autismo" estadounidense. Realmente nada es más difícil para algunas personas de aquel país que imaginar que puede haber algo más eficaz que la economía de mercado, sobre todo fuera de Estados Unidos.

## La lógica de la igualdad

Los países renanos, como hemos visto, son relativamente igualitarios. El abanico de los beneficios personales es allí claramente menos abierto que en los países anglosajones. En un plano más general, podemos comprobar que en los países renanos la clase media es ahora estadísticamente más importante que en Estados Unidos, que sin embargo ha sido el país por excelencia de la *middle class*. Si se define a la clase media como el conjunto de personas cuyos ingresos rondan la media nacional, entonces ésta sólo representa alrededor del 50 % de la población de Estados Unidos, ante el 75 % en Alemania y el 80 % en Suecia o en Suiza. En Japón, desde hace treinta años se realizan encuestas que indican que el 89 % de los japoneses se considera parte de la clase media; dato subjetivo, pero significativo.

Esta relativa limitación de las desigualdades en los países renanos significa que la lucha contra la marginación y la pobreza está en ellos mejor organizada, es más eficaz que en el modelo atlántico. En Suecia, por ejemplo, la población conserva muy vivo el recuerdo de las terribles penurias de comienzos de siglo. Una palabra designa, en sueco, lo que siempre ha sido el imperativo nacional: la palabra *trygghet*, que significa seguridad. Por lo tanto, la asistencia social y la lucha contra el desempleo, primera causa de marginación, están allí particularmente desarrolladas. El pleno empleo es un objetivo nacional que los poderes públicos se comprometen a alcanzar. Es la Arbetsmarknadsstyrelsen (Dirección Nacional de Empleo) que ha asumido dicho objetivo, y dispone para ello de un presupuesto importante.

En Estados Unidos no existen verdaderas instituciones nacionales destinadas a la llamada "lucha contra la pobreza". Son las agrupaciones o los estados quienes se encargan de ello. Pero la modestia de los recursos públicos destinados al efecto limita por lo general su alcance. Por activas, generosas y bien intencionadas que sean, las grandes y poderosas asociaciones privadas de caridad no bastan para compensar la insuficiencia. Por otra parte, el recurso a la noción de caridad individual y privada, más que a la de los derechos sociales garantizados por el Estado, está dentro de la lógica del capitalismo puro y duro que quiso restaurar Reagan. Según esta lógica, las desigualdades no solamente son legítimas, sino que constituyen un estímulo para la competencia encarnizada, de la que a la postre se beneficiará la colectividad. A comienzos de los años ochenta, tras la instalación del equipo Reagan en la Casa Blanca, tuvieron lugar en Estados Unidos innumerables debates sobre ese tema. La esencia del discurso reaganiano (simplificando) es ésta: la pobreza no es un problema político y no concierne al Estado. Es un asunto de moral y de caridad.

Hallamos la misma ideología, la misma terminología, en la señora Thatcher; el modelo que hay que calificar aquí como "reaganiano-thatcheriano" no es la faceta coyuntural de un simple cambio de política económica. Refleja la aparición de una nueva moral, hecha para y por los triunfadores —ricos— caritativos. Para comprender el alcance de este cambio, basta recordar que, hasta 1975, una de las propuestas de progreso social más discutidas en Estados Unidos era el "impuesto negativo sobre los beneficios", es decir el ingreso mínimo garantizado. Hoy, justo cuando Francia acaba de instituirlo, esta idea resulta allá tan extraña que casi la misma expresión de progreso social parece contradictoria en sus dos términos.

Esta legitimación filosófica de la desigualdad por los teóricos del *supply side*,* como George Gilder, de hecho resucita un discurso liberal muy antiguo. A mediados del siglo XIX, ya explicaba Dunover que "el infierno de la miseria" era necesario para la armonía general, pues obligaba a los hombres a "desenvolverse bien" y a trabajar duro. Gilder expresa lo mismo cuando escribe: "Imponer más carga a los ricos es debilitar la inversión; paralelamente, dar más a los pobres es reducir los estímulos para trabajar. Tales medidas sólo pueden disminuir la productividad" (*Riqueza y pobreza*, trad. fr. Albin Michel, 1981).

Esta argumentación sirve para justificar los recortes que fueron practicados en los programas sociales. Recortes que explican hoy en día la reaparición de vastas bolsas de pobreza (véase el capítulo 2). Justifica asimismo las desreglamentaciones de toda clase, que van a llevar a disminuir la protección de los asalariados para redinamizar a las empresas. Y, según aseguran, mejorar el empleo. Riccardo Petrella, director de programa en la CEE, resume así —para criticarla— esta argumentación: "El cuestionamiento de las ventajas sociales de los asalariados es legítimo, pues favorece una mejora global del empleo gracias a una mejor competitividad de las empresas del país" (*Le Monde diplomatique*, enero de 1991).

En la RFA, la actitud colectiva respecto de la pobreza es radicalmente contraria. Caricaturizando un poco, se podría decir que la miseria está casi *prohibida* por la ley federal sobre la ayuda social. En efecto, según esta ley la colectividad debe asegurar, a aquellos que carecen de medios propios, la vivienda, la alimentación, las atenciones médicas y la cobertura de las necesidades esenciales de consumo. Los gastos de ayuda social a estos efectos se elevan a 28 mil millones de DM. Existe además una especie de mínimo fijado en 1200 DM por mes. El corresponsal del diario *Le Monde* en Bonn, Luc Rozenzweig, señalaba a propósito de la miseria en Alemania: "Hoy, 3,3 millones de personas, o sea el 5 % de la población, reciben subsidios de las oficinas de ayuda social. Y, sin embargo, esta pobreza estadísticamente establecida es muy poco visible en un país donde lo que

* Partido de la Oferta. [T.]

impacta a primera vista es más bien la comodidad en la que vive la gran mayoría de la población. Los mendigos son una especie en vías de extinción en las calles de las grandes ciudades alemanas, exceptuando a algunos *punks* de Berlín o de Hamburgo que piden limosna más por deporte que por necesidad vital" (*Le Monde*, 7 de agosto de 1990).

Hay que mencionar, por otra parte, una paradoja poco conocida y que señala ese mismo diario: con el aumento del número de divorcios y de nacimientos extramatrimoniales, hoy en Alemania la pobreza *se ha vuelto principalmente femenina*. Así, el 65 % de las madres que crían solas a un niño (su número no deja de aumentar) tienen unos ingresos cercanos al umbral de la pobreza.

En Suecia, la política salarial se llama "de solidaridad". Tiene como doble objetivo asegurar una cierta igualdad social, y limitar las diferencias salariales entre los distintos sectores activos.

Este carácter más igualitario del modelo renano se encuentra también reforzado, como hemos dicho, por un sistema impositivo que asegura una mejor redistribución. Citemos un solo dato, que tiene valor indicativo: la franja máxima de impuestos es mucho más elevada en Francia (57 %), Suecia (donde alcanza incluso el 72 %), Alemania y Japón (donde supera el 55 %), que en Gran Bretaña (40 %) o en Estados Unidos (33 %). Sin contar el impuesto sobre el capital que existe en los países renanos, incluida Suiza.

Aquí me detengo un instante, impactado al descubrir que se me ha escapado una incongruencia. ¿No he dado a entender que una franja máxima de 55 % puede ser preferible a una franja máxima de 33 %? ¡Qué arcaísmo obsesivamente renanófilo!

La desigualdad en los países renanos no es solamente menor, sino también mejor aceptada, pues se funda en criterios bien asimilados por los asalariados: la antigüedad y la cualificación. En un banco japonés, un joven diplomado en las mejores universidades, aunque sea el único que hable inglés en su departamento, debe esperar unos quince años para llegar a jefe, y aún quince años más para acceder al puesto de director. En las empresas alemanas o suizas, la jerarquía de las cualificaciones determina de forma bastante rigurosa la escala de los puestos y de las remuneraciones. La desigualdad relativa de los ingresos se encuentra legitimada y también goza, por lo tanto, de un gran consenso.

## La llamada del sueño y el peso de la historia

En cierto modo, el modelo renano es más rígido que el modelo neoamericano. La movilidad social es en aquél menos rápida, el éxito individual menos espectacular. Pero, ¿esto es un inconveniente o una ventaja?

Estados Unidos siempre fue —y sigue siendo— la sociedad del sueño.

Es sobre todo de sueños (y de pesadillas) que estaban cargados los inmigrantes llegados del mundo entero, y que desembarcaron primero en Ellis
Island, esa antesala de El Dorado americano. Sueños de una nueva
vida, sueños de libertad y de fortuna, voluntad febril de triunfar, todos
elementos integrantes del *American dream*. Cada norteamericano de hoy
cuenta, entre sus antepasados, con un inmigrante llegado de Irlanda, de
Polonia o de Italia, que conoció las dificultades, la miseria y el trabajo. Y
que "salió adelante", como se dice.

Estados Unidos no es sólo la sociedad del sueño, es la del *self-made man*,
en la que ningún éxito es teóricamente inaccesible. Del mismo modo que
cada soldado de Napoleón llevaba su bastón de mariscal en la mochila,
todo estadounidense puede esperar encontrar al final del camino su
primer "millón de dólares". O incluso entrar un día en la Casa Blanca...
En otros términos, la movilidad social no es sólo mucho más fuerte en
Estados Unidos que en otras partes, sino que participa del mismo mito
fundador.

La sociedad norteamericana, constituida por sucesivas inmigraciones, es
fundamentalmente democrática. Los valores aristocráticos europeos o japoneses apenas tienen importancia. No existe, por otra parte, una verdadera
estratificación social labrada en el curso de los siglos, y más o menos
transmitida de una generación a otra. Sin duda, los WASP (*White Anglo-
Saxon Protestants*) configuran una especie de aristocracia "étnica", y han
gozado de ciertas ventajas. Pero éstas han sido progresivamente acotadas,
y las otras categorías de inmigrantes (irlandeses, judíos, italianos, polacos, húngaros o hispanos...) poco a poco los han alcanzado o están a punto
de hacerlo.

En verdad que este principio del *melting pot* sobre el que se funda Estados
Unidos tiene sus límites y ya no funciona, por otra parte, como en el pasado
(véase el capítulo 2); no es menos cierto, sin embargo, que la capacidad de
absorción y de integración de la sociedad norteamericana sigue siendo
infinitamente superior a la de los países renanos (incluido Japón). Por otra
parte, la movilidad social se ve favorecida por esa posibilidad de enriquecimiento rápido propia de Estados Unidos. Desde ese punto de vista,
el dinero rey es una ventaja. Principal patrón de valor, constituye un criterio social duro, pero simple y eficaz. El pequeño vendedor de ham-
burguesas puede convertirse en otro Rockefeller... y las fabulosas fortunas
hechas gracias a la especulación de los años ochenta correspondían, en
muchos casos, ¡a una movilidad social sin parangones!

Tanto en Alemania como en Japón —países donde el crecimiento demográfico es decreciente— las políticas de inmigración han terminado más bien
en fracasos. En Alemania Federal, los extranjeros representan el 7,6 % de la
población (o sea, 4,6 millones de personas), pero no están integrados.
Además el mismo léxico ya es revelador: los trabajadores inmigrantes son
llamados *Gastarbeiter*, que quiere decir "trabajadores invitados". En cuanto

a los graves problemas que plantea la numerosa minoría turca (1,5 millones de personas), jamás han sido resueltos. A fin de cuentas, los matrimonios mixtos, que son un índice de integración, son muy raros en Alemania. El historiador y demógrafo Emmanuel Todd subraya esta resistencia particular de la sociedad alemana a toda idea de integración: "El conjunto de la mecánica jurídica y social desemboca en la constitución, en suelo alemán, de un *orden extranjero*, reproducción moderna de las órdenes del Antiguo Régimen. (...) Si el código de la nacionalidad y las costumbres no cambian en Alemania, el país reencontrará su estructura de orden tradicional. La homogeneización de la sociedad alemana, la mezcla de clases, penosamente realizada durante la Segunda Guerra Mundial, no habría entonces durado más que algunos decenios" (*La invención de Europa*, Ed. du Seuil, 1990).

Añadamos que hay reacciones xenófobas que se robustecen en la extrema derecha alemana, y que el flujo de refugiados procedentes de la Europa del Este (especialmente Polonia) ha agravado esas tensiones.

En Japón, la condición de los inmigrantes llegados de los países vecinos de Asia (Corea del Sur, Filipinas, China) es inferior. En Suiza, la inmigración siempre ha sido muy controlada, aunque los inmigrantes sean 1,5 millones sobre una población de 6,5 millones. Suiza limita severamente su residencia, no vacila en enviarlos de vuelta a sus países, y emplea por otra parte un gran número de guardias fronterizos. Incluso Suecia, donde sin embargo los inmigrantes son poco numerosos, no ha conseguido resolver los problemas planteados por esta causa.

En cuanto a Gran Bretaña, conoce una situación intermedia. Muy abierta al principio, practica un individualismo que permite numerosos matrimonios mixtos y la estabilización, en su territorio, de una importante población de nacionalidad británica, pero de origen africano, antillano, paquistaní o hindú. A diferencia de Alemania, otorga sin dificultades la naturalización. Sin embargo, Emmanuel Todd destaca: "Parece que se asiste en Gran Bretaña más que en Francia a la constitución de guetos étnicos, a un repliegue sobre sí mismas de las comunidades de origen antillano, musulmán o hindú (...). La práctica británica parece desembocar en una separación de tipo alemán".

En suma, el enriquecimiento espectacular no es tan fácil en los países renanos como en el mundo anglosajón. Por otra parte, la Bolsa ofrece menos posibilidades, y la especulación inmobiliaria tiene limitadas posibilidades, salvo en Japón. Los países del modelo renano son menos fluidos socialmente. Las situaciones adquiridas son duraderas y las evoluciones son lentas. La sociedad está menos expuesta a cambios violentos y a las influencias exteriores. ¿Es una debilidad o una fuerza? ¿Qué es mejor, la estabilidad de las sociedades semicerradas o la inestabilidad de las sociedades abiertas? Según la respuesta que demos a esta pregunta, nos situamos en uno u otro campo del combate entre los dos tipos de capitalismo.

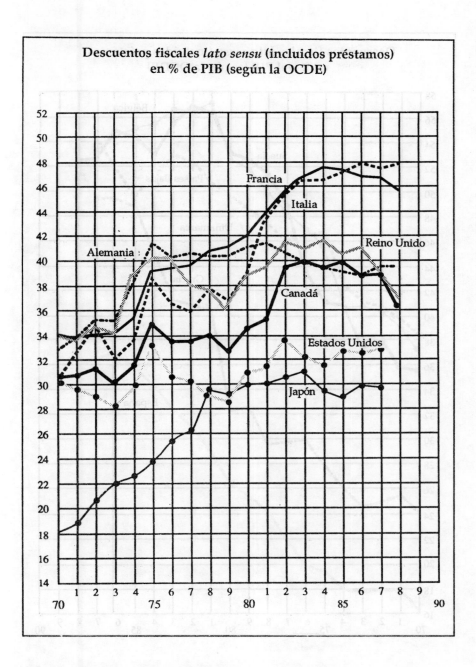

Descuentos fiscales *lato sensu* (incluidos préstamos)
en % de PIB (según la OCDE)

FUENTE: *Chroniques de la SEDEIS*, n° 6, 15 de junio de 1990.

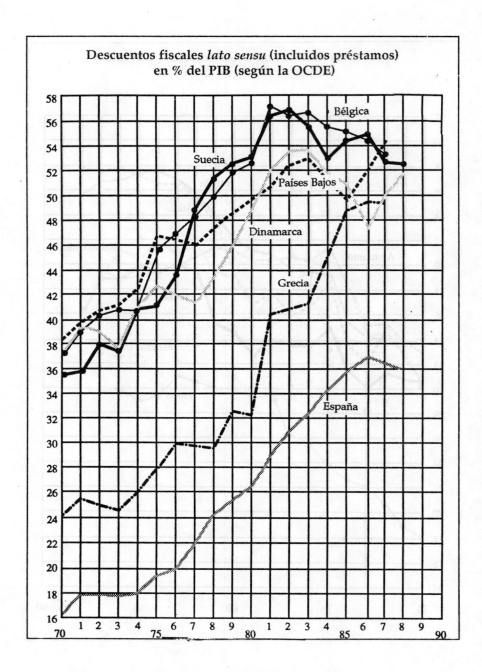

Descuentos fiscales *lato sensu* (incluidos préstamos)
en % del PIB (según la OCDE)

FUENTE: *Chroniques de la SEDEIS*, n° 6, 15 de junio de 1990.

## La batalla de los descuentos impositivos obligatorios

Hemos visto que los gastos de salud representan el 11 % del PIB en Estados Unidos y el 7 % en Gran Bretaña. Pero estas dos cifras no son comparables. En efecto, los gastos de salud son básicamente *privados* en Estados Unidos, pero públicos en Gran Bretaña, donde Margaret Thatcher no logró privatizarlos.

Desde el punto de vista de la economía global, en el caso de Estados Unidos poco importa el costo del sistema: desde el momento en que se financia por los consumidores, no hay ningún inconveniente en que éstos gasten más en salud que en viajes, ropa o muebles. En cambio, siendo esencialmente público, el sistema británico (como el sistema francés, en gran medida) debe ser financiado por las contribuciones obligatorias que forman parte de los gastos generales del país, y pesan sobre la competitividad nacional.

A partir de este análisis comenzó a principios de los años ochenta la batalla de los descuentos fiscales, que está lejos de haber terminado.

El ataque partió del lado reaganiano-thatcheriano: los impuestos fiscales son acusados de todos los males. Se les reprocha penalizar las empresas, desalentar el esfuerzo individual, desalentar la combatividad de las sociedades y de las economías. En la época del europeísmo, los descuentos fiscales, más elevados en los países de la CEE que en Estados Unidos, fueron presentados como el fardo insoportable bajo cuyo peso se curvaba Europa, y que impedía a ésta combatir con las mismas armas en el campo de batalla sin cuartel del comercio internacional. Hoy, sin que los descuentos fiscales hayan bajado sensiblemente, la tendencia reinante es volver al eurooptimismo.

¿El proceso seguido a los descuentos fiscales es un buen proceso? Los logros económicos que acompañan a los logros sociales de los países renanos, ¿no tienden a demostrar que el problema es complejo, y que no basta con afirmar que cuantas menos cargas impositivas tenga un país, más próspera será su economía? Junto al volumen de los descuentos fiscales hay que considerar especialmente su estructura.

Recordemos los datos del problema. Los descuentos fiscales obligatorios son los impuestos, tasas y cotizaciones sociales que sirven para financiar los gastos colectivos. Desde el fin de la Segunda Guerra Mundial, a medida que se establecía en Europa lo que se ha llamado el "Estado-providencia", éstos han aumentado en proporciones importantes. Su objetivo era financiar las intervenciones crecientes del Estado y la extensión progresiva de la cobertura social. Este aumento fue tan rápido y tan considerable que algunos economistas, como Wagner, preveían que, a ese ritmo, el crecimiento de los gastos públicos, y por lo tanto el de las recaudaciones públicas, sería un día superior al de la riqueza nacional. Eso quería decir, en resumen, que el peso de las administraciones públicas sobre la economía estaba condenado a crecer indefinidamente hasta alcanzar el 100 %. Una colectivización vertiginosa...

En reacción contra esa evolución, que parecía conducir hacia lo que Friedrich von Hayek llamaba *la ruta de la servidumbre*, los economistas liberales jamás han dejado de criticar el peso excesivo de los descuentos fiscales que desembocarían en resultados inversos a los esperados. Se basaban, por ejemplo, en la famosa curva del economista norteamericano Laffer, que muestra que el rendimiento del impuesto decrece más allá de cierta tasa impositiva. Cuando se dice que "demasiado impuesto mata al impuesto", se quiere decir que, si sufren una excesiva carga fiscal, bajo la forma que sea, los contribuyentes ya no tienen verdaderas razones para trabajar más, puesto que las ganancias suplementarias les serán confiscadas.

A partir de esta crítica, toda una corriente de pensamiento se ha desarrollado y ha ejercido una influencia política creciente en los años ochenta. Se aplicaron numerosas reformas fiscales inspiradas en ella. Gran Bretaña y Estados Unidos redujeron drásticamente las tasas impositivas sobre las ganancias y sobre las empresas. Francia se ha comprometido a contener y después a reducir sus descuentos fiscales. En Suecia, en Alemania, en los Países Bajos, los gobiernos liberales se han lanzado a reformas similares.

Si esta argumentación hostil a las cargas fiscales ha producido efecto ha sido porque contenía una gran parte de verdad, sobre todo en los países de Europa marcados por la socialdemocracia. Es verdad que el nivel de los impuestos en Suecia y Gran Bretaña había llegado a tal punto que pesaba peligrosamente sobre la economía y la sociedad en general. Recordemos que algunos ingleses o suecos más dinámicos o creativos, como el cineasta Ingmar Bergman, prefirieron expatriarse. Los descuentos no eran solamente excesivos, sino que terminaban en una verdadera inquisición fiscal, casi policial, que hacía pesar sobre el país un clima espeso y suspicaz. Además, el aparato fiscal propiamente dicho tendía a convertirse en una maquinaria compleja y burocratizada, es decir costosa e ineficaz. El "rendimiento del impuesto" se resentía, y el dinero del contribuyente se derrochaba parcialmente.

Por otra parte, es evidente que una presión fiscal demasiado elevada perjudica la competitividad de las empresas, en el preciso momento en que se agudiza la competencia internacional. Del mismo modo que algunos contribuyentes se expatrían, algunas empresas (especialmente en la industria textil o la electrónica) no tienen más remedio que desplazar una parte de sus actividades para encontrar, fuera de las fronteras nacionales, condiciones fiscales y sociales más aceptables.

Por lo tanto, las críticas fueron en parte justificadas, pero llegaron demasiado lejos. La Biblia de los años ochenta casi presentó *como diablos los descuentos fiscales*, haciéndolos responsables de todas las dificultades económicas. Además, se hizo hincapié de manera obsesiva sobre su *nivel*, lo que procedía de un análisis miope. En efecto, es erróneo establecer un vínculo automático y directo entre el nivel de los impuestos fiscales y los resultados de una economía. Para comprobarlo, basta reflexionar sobre algunas cifras. En Estados Unidos la tasa impositiva representa el 30 % del PIB, ante el 44 % en Francia, el 40 % en Alemania y el 52 % en Suecia.

Japón es un caso aparte, más cercano a Estados Unidos con el 29 %, pero, si bien se cita como ejemplo por los liberales, se hace a menudo de forma errónea. Por lo menos por tres razones: 1) con una estructura demográfica semejante, o sea una idéntica proporción de personas de edad avanzada, esa tasa alcanzaría el 32 %; 2) la mayoría de las jubilaciones no se incluyen en esa cifra,  pues no son pagadas por organismos públicos, sino que proceden de fondos privados que no afectan el cómputo de los impuestos fiscales; 3) por último, incluso en Japón, el nivel de la carga fiscal está en aumento constante desde hace veinte años.

## Francia convertida en cigarra

Es evidente, ante las cifras anteriores, que los logros económicos de Alemania se han realizado con tasas elevadas de impuestos fiscales. A la inversa, los alivios impositivos y la limitación de los gastos sociales en Estados Unidos no han frenado el declive económico, y ni siquiera mejorado la competitividad norteamericana frente a Japón.  Actualmente, en Estados Unidos nadie puede acusar a los sindicatos, a la administración o a los "falsos desempleados" de ser responsables del marasmo. Los trabajadores norteamericanos, que antes eran la vanguardia del progreso social, reciben hoy un trato peor que la mayoría de sus congéneres europeos. Si Estados Unidos se "tercermundiza" es al mismo hiperliberalismo al que hay  que pedirle cuentas. Estados Unidos es un país sin complejos respecto al dinero, y más bien orgulloso de esta realidad. Pero es sobre todo *por esta razón* por la que comienza a tener complejos con… su competitividad. Del mismo modo, Estados Unidos, sociedad dura, no tiene casi complejos respecto a los hombres, y *esto es precisamente lo que empieza a costarle caro.*

¿Cómo explicar esta aparente contradicción? Por medio de un hecho que parece hoy confirmado: no es tanto el volumen global de los impuestos fiscales lo importante sino su estructura. No se trata solamente de saber cuánto se paga sino también quién lo paga y cómo. Ahora bien, desde este punto de vista es sorprendente constatar la profunda similitud que acerca las posturas de los países europeos del modelo renano, oponiéndolos al modelo anglosajón.

En los países renanos, por ejemplo, la seguridad social implica más del 35 % de la carga fiscal, mientras que sólo representa el 28 % en Estados Unidos. Además, las cargas sociales que gravan los salarios (por oposición a las que sufren las empresas) son mucho más pesadas en los países renanos (alrededor del 40 %) que en los países anglosajones (25 %). La parte del salario directamente percibida por los empleados es, por lo tanto, más baja en los países renanos. En una palabra, eso significa que existe una bolsa de solidaridad en provecho de los más desfavorecidos que se financia colectivamente, por medio de descuentos fiscales sobre el conjunto de los salarios. ¿Acaso no es justo?

Por lo tanto, la presencia de un sistema social avanzado que implica cargas costosas no es forzosamente una desventaja económica. Y, sin caer en la paradoja, incluso podríamos decir que a veces es lo contrario. La economía puede sacar de ello un provecho muy concreto. En el caso de Alemania, los ingresos públicos pueden servir para financiar programas destinados a mejorar la eficacia económica: programas de formación, evidentemente, pero también inversiones en investigación, mejora de las grandes infraestructuras, etc. Existen también muchos gastos públicos "invisibles" (carreteras, correos, teléfonos, ferrocarriles, puertos...) que aprovechan, directa o indirectamente, las empresas, y que rara vez se toman en consideración. Salvo *al revés*, cuando, como en Estados Unidos, el deterioro de los servicios públicos se convierte en una molestia.

Por todo ello, podemos estar seguros de que el capitalismo anglosajón será el próximo campo de batalla de los impuestos fiscales obligatorios: Gran Bretaña y Estados Unidos, sobre todo, no escaparán a nuevos aumentos de impuestos.

Hay otro país donde la batalla será muy violenta, pero al revés: Francia. Entre los países homologados, Francia es con gran diferencia la que sufre los mayores descuentos fiscales obligatorios (44,6 % ante el 40 % en Alemania y Gran Bretaña). Además, aunque el Estado francés controla bien su presupuesto, los gastos sociales se inclinan cada vez más hacia la salud y sobre todo hacia las jubilaciones obligatorias. El Estado francés puede felicitarse por haber pagado totalmente su deuda externa y limitado rigurosamente la interna. Pero, por no haber constituido reservas para la financiación de las jubilaciones, las empresas francesas han acumulado una deuda (incalculable) del orden de los 10 billones de francos, o sea cerca de dos años de PIB, que representan cerca de 200.000 francos por persona; todo para afrontar los compromisos frente a los futuros jubilados, cuyas pensiones deberán ser financiadas por cotizaciones obligatorias que pesarán con una carga creciente sobre la competitividad de las empresas francesas.

Pero, también en este aspecto, Francia constituye un caso *sui generis*, inasimilable a ninguno de los dos tipos de capitalismo. A su manera, cada uno de ellos, incluido el modelo neoamericano que sin embargo descuida el largo plazo, ha establecido reservas para financiar las jubilaciones de sus trabajadores. País por excelencia del ahorro y de la previsión, mira por dónde Francia comienza a descubrir que se comporta como la más imprevisora de las cigarras.

En un plano más general, hay que subrayar la importancia determinante, a medio y largo lazo, de lo que podríamos llamar la cohesión de una sociedad, su homogeneidad, su armonía. Es éste un factor inmaterial y, por lo tanto, imposible de cuantificar. Pero al faltar se valora su importancia. La dureza de una sociedad, el desgarramiento de su "tejido", las tensiones que la habitan, todo eso tiene un "costo" en términos económicos. Aquí tenemos un *efecto perverso de las desigualdades* que olvidan considerar los ultraliberales partidarios de la "economía de la oferta". En las sociedades más homogéneas, la población más instruida, mejor formada y, por lo tanto, incluso mejor preparada para adaptarse a los cambios mundiales y a las exigencias del progreso. En consecuencia, por lo general las sociedades más armoniosas en el plano social son aquellas cuyas economías son las más eficaces.

Por lo demás, estas pocas ideas, que los conservadores norteamericanos tienen tanta dificultad en incluir en sus reflexiones, no deberían sorprendernos. Sólo se hacen eco de la antigua y famosa observación de Schumpeter, que decía en resumen: *es porque tienen frenos* que los automóviles pueden correr más rápido. El capitalismo está en el mismo caso. Y es gracias a las limitaciones que los poderes públicos y la sociedad civil imponen, gracias a los correctivos que aportan a las leyes mecánicas del mercado, que éste se vuelve más eficaz.

Llegados a este punto, desembocamos en dos paradojas.

La primera es la buena nueva que descubrimos, poco a poco, a medida que avanzamos en nuestro estudio: no es cierto que la eficacia económica deba estar necesariamente alimentada por la injusticia social. Es erróneo creer que actualmente nuevas contradicciones opondrían el desarrollo económico a la justicia social. Entre justicia y eficacia, la conciliación, la confluencia existen más que nunca. Las hemos encontrado en todos los países del modelo renano.

Sin embargo —segunda paradoja—, esta realidad es hasta tal punto mal conocida que desde hace algunos años se produce un extraño fenómeno a lo largo del mundo: desde el momento mismo en que el modelo neoamericano se revela menos eficaz que el modelo renano, no obstante, política e ideológicamente, ¡logra hacerlo retroceder!

Capítulo 8

EL RETROCESO DEL MODELO RENANO

Comprobada la superioridad económica y social del modelo renano, lo lógico sería verlo triunfar políticamente. Seguros de sus logros, los países renanos deberían mostrarse impermeables a las influencias —¡a los "virus"!— llegados del exterior. En cualquier caso, deberían ser más insensibles que nunca a las sirenas del otro lado del Atlántico, y no perturbarse realmente por el alboroto y los aspavientos de la economía casino.

Por una extraordinaria paradoja, *sucede todo lo contrario*. El modelo renano sufre de lleno las influencias políticas, periodísticas y culturales de su competidor norteamericano. Y, en los hechos, no deja de retroceder políticamente. No solamente en los países que se encuentran de alguna manera vacilantes o divididos entre ambos modelos sino también en *su propio terreno*.

La seducción ejercida por Estados Unidos es tan fuerte que incluso los países que encarnan el modelo renano y gozan de sus éxitos ceden a sus encantos y son víctimas de sus ilusiones. Eso significa que, en esos países, se perciben evoluciones —¿"pérdidas de rumbo"?— económicas, financieras o sociales, que tienden a cuestionar los fundamentos mismos del modelo. Me gustaría citar a continuación algunos ejemplos.

## La trampa de la desigualdad

Comparado con su rival del otro lado del Atlántico, el modelo renano, ya lo hemos recalcado muchas veces, es *relativamente igualitario*. Esto es lo que determina en gran parte su cohesión, y lo que contribuye a perpetuar el consenso social que le reporta grandes beneficios. Ahora bien, esta igualdad relativa, que sigue existiendo, se encuentra cada vez más deteriorada. Aparece un nuevo concepto de riqueza, escandalosa, rápidamente adquirida y atípica. Esto es particularmente destacable en Japón, donde este fenómeno marca una ruptura significativa con el pasado.

Después de la guerra, el crecimiento espectacular de la economía japonesa había beneficiado ampliamente al mayor número de personas. Es verdad que la mayoría de las antiguas fortunas habían sido destruidas por el conflicto. En el gran movimiento de aprendizaje de la democracia y de imitación de Estados Unidos, la enseñanza se había democratizado. Se había creado progresivamente una clase media japonesa, tan sólida que el auge económico japonés se realizó sobre bases relativamente igualitarias. Claro que algunos se habían aprovechado de la reconstrucción más que otros, y habían aparecido nuevas fortunas. Pero esas riquezas eran a la vez discretas y bien aceptadas. Estaban de alguna manera *legitimadas* por las penurias de la reconstrucción y los méritos personales —reales o supuestos— que las fundaban. Hasta mediados de los años ochenta apenas herían el púdico y frugal consenso japonés.

Hoy todo ha cambiado. Ha aparecido una clase de nuevos ricos que se entrega ostensiblemente al consumo y al lujo. Se trata especialmente de los propietarios de terrenos, enriquecidos por el extraordinario *boom* inmobiliario urbano, de los promotores y especuladores enriquecidos por la Bolsa. Los expertos calculan que esos dos mercados —el inmobiliario y la Bolsa— produjeron 400 billones de yens (20 billones de francos) de plusvalías. Y de ese Pactolo,* por supuesto, sólo se aprovecharon algunos.

En Tokio, Osaka y las grandes ciudades, los propietarios de parcelas bien ubicadas se hicieron virtualmente riquísimos, hasta el punto de que la sociedad japonesa se encontró literalmente partida en dos: los propietarios y los otros. Estos últimos, que representan el 70 % de la población, se deben resignar, en su mayoría, a no acceder jamás a la propiedad, o bien, continúan ahorrando indefinidamente con ese fin, con una esperanza que se vuelve cada vez más remota. Y no es una esperanza cualquiera. Después de la guerra, el acceso a la propiedad representaba uno de los grandes sueños individuales, copiados del *American way of life*. ¡Copiado hasta en las palabras: *mai homu* por *my home*! Ese sueño, que se desvaneció, es un fenómeno cargado de símbolos. Y de frustraciones. Por otra parte, las nuevas fortunas edificadas en Japón no se admiten como antes. Aunque sólo sea porque han sido casi instantáneas. Dicho de otra manera, no han gozado de la legitimación del tiempo. En Japón, un propietario puede ahora acumular en un tiempo récord miles de millones de yens. E incluso sin verse obligado a vender su terreno para realizar una plusvalía: la valoración prodi-

* Río de la antigua Lidia. Según la mitología arrastraba pepitas de oro por haberse bañado en él el rey Midas. Es sinónimo de "fuente de riquezas". [T.]

giosa de su parcela le permite pedir dinero prestado en condiciones ventajosas, y sacar provecho de la especulacion financiera, lo que es imposible para un no propietario. Se considera que los mayores contribuyentes japoneses son, por lo tanto, propietarios cuyos activos se han multiplicado por diez o por ciento en algunos años.

Esto es algo que contrasta espectacularmente con las tradiciones de ese país, donde el capitalismo siempre ha sido identificado con el trabajo, el mérito y el esfuerzo. Los nuevos ricos de los años ochenta apenas son aceptados.

Aún lo son menos dado que este enriquecimiento súbito, extravagante, de una minoría, coincide con la generalización de nuevas costumbres de consumo. El lujo, la pompa, la ostentación y el esnobismo consumista han hecho su aparición en Japón. Perfumistas, casas de alta costura, exportadores de vinos nobles, joyeros, los que tienen una cadena de tiendas en Japón, todos saben algo al respecto. Los nietos de los samurais y de los kamikazes se han convertido en Narcisos de la cosmética, que comienzan el día aplicándose un gel hidratante facial. La venta de diamantes aumentó un 58 % entre 1987 y 1988. El aumento de las ventas de automóviles de lujo (Mercedes, Porsche, Rolls, Jaguar o Ferrari) alcanza el 100 % anual. Y los nuevos ricos son a veces llamados los *Benz-soku*, literalmente, las "personas del Mercedes".

La sociedad japonesa está así dedicada a una carrera consumista que trastorna insidiosamente sus costumbres, hace vacilar sus tradiciones, cuestiona sus valores. Y eso de manera caricaturesca, como si se tratara de recuperar el tiempo perdido. Existe en la televisión japonesa un programa de "telecompra" que, a pesar de que se transmite hacia medianoche goza de una gran audiencia. Se puede comprar por ese medio tanto un castillo en Turena por 10 millones de francos, como un viejo Rolls que perteneció a la duquesa de Kent, o un modesto Fiat que fue del Papa en los años sesenta. Actualmente, los nuevos ricos japoneses son el equivalente de los burgueses ingleses enriquecidos de fines del siglo XIX, o de esos norteamericanos derrochadores de los años cincuenta y sesenta, que apostaban millones de dólares en los casinos de la Costa Azul. La fuerza del yen, la fascinación del dinero y el deseo de aparentar cambian las mentalidades.

Las desigualdades, más estridentes que nunca, ya no son tan bien admitidas, y una proporción importante de los jóvenes se siente marginada. A la pregunta: "¿Tiene usted una vida cómoda?", el 62 % de los japoneses consultados por el diario *Asahi Shimbun* responden "no". El 60 % de ellos estima que las desigualdades aún aumentarán peligrosamente. Ahora bien, es un hecho que esta mayoría silenciosa está cada vez menos dispuesta a aceptar el modo de vida tradicional, basado en el trabajo, el ahorro y la abnegación cívica.

Para la economía japonesa, esos fenómenos de norteamericanización, que afectan especialmente a la juventud, pueden tener consecuencias delicadas. El esnobismo y la prioridad espontáneamente otorgada a los productos extranjeros de lujo cuestionan el famoso nacionalismo económico nipón, que era el mejor garante del excedente comercial. Asimismo amenazan a las costumbres de ahorro de los hogares, que, como ya hemos dicho, son una de las fuerzas primordiales de la economía. Por otra parte, ese declive se agrava: la tasa de ahorro sobre las ganancias brutas disponibles cayó al 16 % en 1989, ante el 24 % de 1970. Una parte notable de los japoneses renuncia a ahorrar, especialmente para la vivienda.

En cuanto a la abnegación total hacia la empresa, a ese culto al trabajo del que el mundo exterior todavía se asombra, se encuentra afectada por el descubrimiento —progresivo— del hedonismo y del consumo masivo por los japoneses. En Tokio ya se ironiza sobre el ardor por el trabajo de los... coreanos. Los países industrializados que amenazan las exportaciones japonesas miran con alguna esperanza estas transformaciones de la sociedad nipona, y ven en ellas los síntomas de un inevitable debilitamiento de su principal competidor.

## Amenazas al consenso

El famoso consenso social también se encuentra cuestionado en varios países del mundo renano. El consenso y las prioridades que lo fundan: primacía de lo colectivo sobre los intereses individuales, potencia sindical y asociativa, modo de administración de las empresas.

El retroceso del sentimiento colectivo ante el auge del individualismo es particularmente evidente en Suecia. El Estado-providencia es allí actualmente discutido, y se ha escrito mucho estos últimos años sobre el "fin del modelo sueco". Numerosos economistas, entre ellos los gubernamentales, estiman que la casi total protección social cuesta decididamente demasiado cara a la economía. La elevada carga fiscal empuja siempre a los más dinámicos a la emigración, e invita a las empresas suecas a invertir en el extranjero. Por lo demás, el flujo de inversiones suecas en el exterior ha aumentado enormemente, puesto que pasó de 6,9 mil millones de francos en 1982 a 51,6 mil millones en 1989. Además, el sistema impositivo apenas incita al ahorro, y la tasa de ahorro de los hogares se ha vuelto negativa.

Señalemos de paso que se trata de un precedente digno de ser meditado en Francia: en un país cuya carga fiscal, y especialmente la de las cotizaciones sociales basadas sobre los salarios, es mucho más alta que la de los países vecinos, deben esperarse pérdidas sustanciales de este tipo.

El retroceso del espíritu cívico hace que los asalariados tengan cada vez una mayor tendencia a abusar de la generosidad del sistema social. Como dicen los mismos suecos, el país ostenta dos récords: el de la buena salud y el de las bajas por enfermedad. Estas suponen 26 días por empleado y por año. Pero, ¿es asombroso, si sabemos que los días de ausencia son pagados íntegramente, y que no hay prácticamente ningún control? También el ausentismo bate récords en las empresas, alcanzando a menudo la tasa casi increíble del 20 %.

Los suecos, en suma, comienzan a querer sacar partido del sistema, sin preocuparse por las consecuencias de su comportamiento sobre la supervivencia de dicho sistema. Veamos un chiste de un economista sueco: "El seguro obligatorio funciona muy bien hasta que las personas aprenden a utilizarlo".

Las reacciones a estos excesos no se han hecho esperar. El gobierno socialdemócrata del señor Carlsson anunció el 26 de octubre de 1989 una reducción del gasto estatal de alrededor de 13,5 mil millones de francos (15 mil millones de coronas suecas), al mismo tiempo que comenzaba a liberalizar la economía: reducción de los impuestos, desregulación del sector bancario y de los movimientos internacionales de capital, reajuste de las subvenciones a la agricultura, etcétera.

Realmente, el "modelo sueco" conoce dificultades, algunas de las cuales se remontan a comienzos de los años setenta. "De hecho —escribía el *Financial Times* el 29 de octubre de 1990—, la economía sueca ha comenzado a presentar signos inquietantes de esclerosis. Su crecimiento que, sin contar a Japón, había sido el más rápido de los países occidentales desde fines del siglo XIX, ha empezado a aminorar su ritmo. El crecimiento de la productividad se ha debilitado. Su balanza de pagos se encuentra en déficit. (...) Pero sobre todo el alza de los precios y de los salarios en un mercado de trabajo limitado ha terminado de minar la competitividad del país."

El interés del caso sueco radica en que permite apreciar lo que hay de universalmente válido en la nueva revolución conservadora reaganiano-thatcheriana. Como la Inglaterra laborista, la Suecia socialdemócrata al fin ha comprendido que había ido demasiado lejos, en el sentido de una solidaridad que comienza con intenciones generosas y termina empantanándose en la irresponsabilidad y una cierta pereza, que producen —éste es el caso— una disminución relativa del nivel de vida, inflación y desequilibrio externo. En el combate de los dos capitalismos, el primer vencido del lado renano es Suecia.

## Individualismo y demografía

Alguien podría asombrarse al ver clasificados los problemas demográficos en el capítulo del "retroceso" del modelo renano. ¿Está justificado? Sí, si queremos admitir que el declive demográfico refleja y acompaña, siempre, un aumento del individualismo. Todos los países del modelo renano afrontan una situación demográfica preocupante, y la "tasa de renovación" de la población (2,1 niños por mujer) ya no está asegurada. Consecuencias: en Japón y en Alemania, la población activa debería disminuir, y la proporción de inactivos en relación a los activos multiplicarse por 1,5, alcanzando así cerca del 60 %.

Esta evolución es similar a la de todos los países desarrollados, pero mucho más marcada. En la medida en que se pueden interpretar estos fenómenos de población, la caída continua de la demografía en Japón y Alemania refleja probablemente una menor esperanza en el futuro, una voluntad de vivir más cómodamente, una preferencia cada vez más marcada por el individualismo. "La RFA tiene miedo al futuro", titulaba *Le Monde* el 25 de abril de 1989. En Japón, las presiones económicas, financieras y sociales (¡la vivienda!) incitan asimismo a los hogares a limitar el número de hijos.

A menudo se han descrito las consecuencias casi aritméticas de esos descensos demográficos sobre la vitalidad de una economía: falta de mano de obra, crecimiento de la carga de la población inactiva y la consiguiente crisis del sistema de jubilaciones, encarecimiento de la protección social como consecuencia de la disminución del número de contribuyentes, etc. Pero a ello hay que añadir una menor eficacia de la investigación, que requiere jóvenes científicos en gran número, un riesgo de decaimiento general de la economía, una tendencia al repliegue sobre sí mismo, que es el caso de las sociedades en situación de envejecimiento. Lógicamente, los países renanos amenazados por la insuficiencia demográfica deberían considerar el interés general, y promover políticas enérgicas de natalidad. Pero eso no es lo que ocurre. Los gobiernos vacilan en tomar medidas que no serían forzosamente comprendidas y cuya eficacia, por otra parte, tampoco está asegurada.

Pero esas perspectivas se han modificado ahora profundamente por la fuerte presión de los candidatos a la inmigración procedentes del Este.

## Nuevas costumbres, nuevas reivindicaciones

Otro ejemplo de la evolución de las costumbres nos lo proporcionan las relaciones que los países renanos mantienen actualmente con el trabajo. Ya hemos visto que la duración del trabajo en Alemania es una de las más bajas de la OCDE, y el objetivo de los sindicatos sigue siendo, a medio plazo, la semana de 35 horas. En Japón, el fenómeno es más espectacular, porque es más reciente.

En ese país, donde, hasta ahora, los asalariados lo sacrificaban todo a su trabajo y a su empresa, aparece una sensación de cansancio. Actualmente, los japoneses toman en general una sola semana de vacaciones anuales, pero las generaciones jóvenes reclaman más: al menos dos o tres semanas. Por lo demás, el gobierno alienta ese movimiento y ha propuesto, sin éxito por el momento, reducir de 44 a 42 horas la semana laboral. Un signo de los tiempos: las industrias de ocio conocen en Japón un crecimiento excepcional desde hace algunos años. Se perfila un movimiento de opinión que condena cada vez con más fuerza los inconvenientes del... trabajo excesivo. La prensa publica reportajes y estudios sobre las consecuencias del exceso de trabajo: ansiedad, mortalidad prematura, desequilibrio de la vida familiar, etc. El Ministerio de Salud ha realizado un estudio que muestra el aumento del fenómeno de "muerte súbita", que golpea a los asalariados agotados mentalmente. Según este estudio, literalmente el 10 % de los varones adultos que mueren cada año "se han matado por el trabajo".

Más allá de las consecuencias propiamente fisiológicas, las consecuencias *sociológicas* de esta realidad inquietan cada vez más en Japón. Los horarios draconianos y el agotamiento crónico empujan al suicidio, al divorcio, al alcoholismo. El milagro japonés perfila aquí sus límites. Y los jóvenes rechazan cada vez más abiertamente el modo de vida que éste implica. Es cierto que ya no tienen las mismas motivaciones que sus padres, preocupados —como los alemanes— por reconstruir un país vencido, humillado y debilitado por la guerra. Ahora que existe prosperidad, que el yen triunfa, que Japón se hunde bajo el peso de sus excedentes comerciales y financieros, la voluntad de *aprovechar el presente* aparece. Ese deseo creciente tendrá consecuencias para el funcionamiento del "modelo" japonés, y para una sociedad que aprende a vivir con libertades individuales que no le son familiares.

A este debilitamiento del sentimiento colectivo se añade, lo que es bastante lógico, un relativo declive —muy relativo comparado con el caso francés— del movimiento sindical y de los procedimientos de negociación colectiva en los países del modelo renano. Es cierto que la desindicalización es un fenómeno mundial; afecta a Estados Unidos, Francia, Gran Bretaña, Suecia, Japón e incluso, en un grado mucho menor, a Alemania. Pero en el modelo renano, donde los sindicatos siempre han constituido uno de los pilares del consenso social, esta tendencia cobra otro significado. La desindicalización no es muy marcada en Suecia, por ejemplo, donde la gran central LO se encuentra paralizada por la liberalización del mercado de trabajo, que ha llegado a descentralizar los procedimientos de negociación colectiva (actualmente *es a nivel de las empresas*) y no ya a escala nacional, donde patrones y empleados se reúnen para negociar. Paradójicamente, esta nueva flexibilidad ha favorecido desequilibrios salariales, que son causa de inflación y comprometen la competitividad sueca. Esto significa que la antigua disciplina sindical y salarial, de la que LO era garante, se encuentra cuestionada. Por no estar debidamente encuadradas y coordinadas, las negociaciones ceden cada vez con mayor frecuencia a un aumento, que por otra parte favorece la penuria de mano de obra. Es un buen ejemplo de los inconvenientes de un debilitamiento de los sindicatos; una prueba suplementaria de que flexibilidad y desindicalización no siempre riman con eficacia.

Si los sindicatos se debilitan en varios países renanos, las formas de administración de las empresas también son criticadas. La estructura jerárquica, muy minuciosamente codificada y apoyada en la antigüedad (ya he expuesto cuáles eran sus ventajas) se juzga a veces como demasiado pesada y paralizante. Actualmente, son numerosos los jóvenes diplomados japoneses que ya no aceptan la obligación de esperar quince años para llegar a cargos de responsabilidad, y otros quince para acceder al puesto de director. De manera más general, se levantan voces para denunciar el *formalismo* un tanto caricaturesco que, en Japón, preside las relaciones jerárquicas. Voces que comienzan a ser escuchadas. Toyota, empresa modelo, ha suprimido el título de jefe, que olía al paternalismo de antaño. En Alemania, Siemens renunció de la misma manera a varios escalones jerárquicos, para acelerar los intercambios de informaciones y las tomas de decisión. En cuanto al sistema tradicional del *consejo directivo* y del *consejo de supervisión*, curiosamente también es objeto de severas críticas. Se le reprocha su pesadez y su lentitud.

Las discusiones son análogas en cuanto atañe al sistema de remuneraciones. Estas discusiones traicionan una influencia directa o indirecta del modelo neoamericano. Los jóvenes diplomados alemanes o japoneses que han pasado por las universidades norteamericanas reciben ofertas de empresas extranjeras radicadas en su país, y se impacientan ante la jerarquía salarial fundada en la antigüedad y la cualificación. Reclaman mejores salarios más rápidamente, y un ritmo de ascensos más veloz. El cuestionamiento del modelo tradicional es particularmente vivo en las empresas que se desarrollan más rápidamente. Los jóvenes ejecutivos prefieren abiertamente la administración de las *success stories* a la norteamericana, en vez del pesado y prudente "plan de ascensos" germánico o nipón.

También en este aspecto, el efecto de difusión es espectacular. Nadie es profeta en su tierra y, vista desde lejos, Estados Unidos brilla aún con todas sus luces. Esta influencia —que se podrá o no deplorar— se ejerce todavía a otro nivel. Más esencial, quizá.

## Los atractivos de las finanzas

Cada vez que en los capítulos precedentes he subrayado la ventaja que constituye, para las empresas del modelo renano, el hecho de aún poder gozar a menudo de un grupo accionista estable y de financiación bancaria asegurada, pensaba en la reacción de los pequeños accionistas que me leían.

En efecto, por un lado les gusta sentirse ligados a las empresas en las que han invertido. Pero, por otro, ¿qué es para ellos una OPA, si no precisamente una "oferta pública de compra", una oferta dirigida a ellos mismos y que les permite hacer, con sus acciones, el negocio de su vida?

Este es el objeto mismo de la legislación de las OPA, precisamente permitir que se satisfagan los intereses legítimos de esos pequeños accionistas, haciéndoles aprovechar una oferta más elevada que los precios bursátiles corrientes, lo que en los otros países se reserva por lo general sólo a los accionistas privilegiados, aquellos que son portadores de "paquetes".

Sobre esta base, conozco bien el razonamiento que consiste en decir: no hay OPA, por lo tanto pocas plusvalías. Por curiosidad, hice calcular a lo largo de un extenso período la evolución de los índices de las acciones al contado en cuatro plazas bursátiles (del modelo renano), Francfurt, Zurich, Amsterdam y Tokio, y en las dos grandes plazas anglosajonas. De cada 100 dólares colocados en cada uno de esos mercados, así como en París, el 31 de diciembre de 1980, su valor era el siguiente diez años más tarde:

| | |
|---|---|
| Tokio | 334,1 |
| Amsterdam | 252,4 |
| Francfurt | 238,5 |
| París | 213,9 |
| Londres | 173,3 |
| Nueva York | 172,2 |
| Zurich | 172,0 |

Los resultados son impresionantes: a pesar de la extraordinaria efervescencia de los mercados financieros anglosajones durante los años ochenta, son, de lejos, los mercados renanos los que llevan ventaja (a excepción del de Zurich, cuyo estancamiento, desde 1986, refleja los particulares problema suizos frente al mercado único europeo).

Sin embargo, presento esta conclusión con reservas, pues las cifras anteriores son el resultado de simples cálculos personales y no de una investigación científica, que supondría especialmente la comparación del registro de los índices. Además, esta conclusión no es más que parcial, pues, si bien integra los movimientos de cambio, no tiene en cuenta ni los dividendos (que son más altos en los países anglosajones) ni el factor fiscal. Sin embargo no carece de interés, para tranquilizar a los pequeños accionistas, subrayar que el resultado es por lo menos el de un empate.

Salvo, naturalmente, en lo que concierne a Japón, donde el despertar de la Bolsa, desde principios de los años ochenta, se ha transformado a veces en un verdadero frenesí, que entraña un alza récord de los precios de venta en el actualmente célebre índice Nikkei. Los PER (relación de los precios de venta de las acciones en beneficio de las sociedades) han alcanzado cerca de 60, lo que representa de 4 a 6 veces más que en Estados Unidos o Gran Bretaña. Por lo tanto, los grandes bancos financieros japoneses han obtenido ganancias considerables. En el mundillo internacional de las finanzas, todo el mundo conoce hoy a los Nomura, Dai-Ichi, Sumitono, Daiwa, etc. Mercados a término y mercados a opción, calcados de los de Chicago, Londres o París, se han abierto en Japón.

En Alemania, con retraso, con pesar, pues no se engloba en su cultura, los grandes bancos se han lanzado a los nuevos mercados internacionales. Las finanzas despiertan bajo la influencia de esta "fiesta a la norteamericana". Es un poco como si los esplendores y las lentejuelas del Crazy Horse Saloon influyeran, a la larga, sobre la austera virtud de un internado religioso. En Francfurt, como en Tokio, la Bolsa se toma su revancha.

Por otra parte, dos negocios recientes han abierto una brecha en la tradición de proteccionismo financiero que caracteriza al modelo renano.

El primero: a principios de 1991, el número uno holandés de los seguros propuso una OPE * (oferta pública de intercambio) entre sus acciones y las del tercer banco de los Países Bajos, el NMB Postbank, que realizaría una fusión sin precedentes en los Países Bajos.

Los pequeños accionistas, agrupados en una asociación, protestaron inmediatamente contra los términos del intercambio, que juzgaban insuficientes. Por otra parte, el grupo de seguros Aegon conservaba en su poder el 17 % de los títulos de Nat-Ned. Pero la suma de sus esfuerzos no pudo impedir, tras la mejora de la oferta inicial, una fusión simbólica de la penetración del modelo anglosajón a orillas del Rin.

El segundo caso, Pirelli-Continental, es todavía más interesante, pues hace intervenir en Alemania a una empresa italiana, Pirelli. Este fabricante de neumáticos, quinto mundial en un mercado donde la competencia es extrema, compró, poco a poco, el 51 % de las acciones de su competidor alemán Continental Gummi-Werke. ¿Y entonces? Eso no le otorga prácticamente ningún poder, pues los estatutos de Continental prevén, como es corriente en Alemania, que el número máximo de los derechos de voto se limite al 5 %. La fusión propuesta por Pirelli fue naturalmente rechazada por el consejo directivo de Continental.

Pero lo novedoso es que los accionistas consiguen sin embargo convocar una asamblea extraordinaria, que suprime la cláusula que limita al 5 % el número máximo de los derechos de voto. Esta supresión se logra con el 66 % de los sufragios. El consejo directivo perdió, los accionistas ganaron. Es un hito en la historia financiera del capitalismo alemán, que consagra el aumento de poder de los accionistas en relación con los administradores y que obviamente contribuirá a la animación de la Bolsa.

Con esta nueva importancia adquirida poco a poco por las finanzas, especialmente por los accionistas, evoluciona el papel de los bancos respecto a las empresas. En Alemania, los observadores señalan que la vocación tradicional de *Haus-Bank* ("banco de la casa") comienza a retroceder, como se pierde entre nosotros la tradición del "médico de la familia". Solicitadas por los bancos extranjeros, cuyas ofertas son seductoras, tentadas por las ventajas del mercado financiero, las empresas son cada vez menos fieles a su banquero habitual. Por otra parte, los bancos ya no son como antes, sistemáticamente portadores, en las asambleas generales, de los mandatos

---

* Offre Publique d'Echange (OPE). [T.]

de los accionistas cuyas cuentas manejan. Actualmente necesitan un mandato explícito. Más globalmente, algunos partidos políticos alemanes, como el SPD * y el partido liberal, reclaman que se disminuya el poder de control ejercido por los bancos sobre la economía. El objetivo sería el de limitar al 15 % el peso de éstos en el capital de las empresas.

En los países renanos, el aumento de poder de los mercados financieros entraña otra consecuencia: la relativa pérdida de independencia de las autoridades monetarias nacionales y, en sentido más amplio de los poderes públicos. El fenómeno es lógico: cuanto más se internacionalizan los mercados y las actividades financieras, los bancos centrales y las direcciones del Tesoro son más tributarios de los movimientos internacionales de capital y de las reacciones de los mercados internos. Ya no pueden actuar con la misma libertad sobre las grandes variables económicas: impositiva, tasa de interés, volumen monetario, etc.

La experiencia de la deducción fiscal por adelantado que el canciller Kohl intentó establecer en la RFA, y a la que debió renunciar en vista de la fuga masiva de capitales que provocaba, es un buen ejemplo de esta nueva dependencia. Incluso aunque el Bundesbank destacara, en enero de 1991, por un alza de sus tasas medias, en contradicción con la resolución adoptada diez días antes por el Grupo de los Siete, esto no cambia el hecho de que, en general, los bancos centrales japonés y alemán están obligados a adaptar la evolución de sus tasas de interés en función de las del eurodólar, que a su vez depende estrechamente de las decisiones tomadas por la Reserva Federal estadounidense. Esta menor autonomía de las autoridades monetarias alemanas y japonesas refleja una menor autonomía de las políticas económicas, que contrasta con la potencia de esos dos países dentro de la economía mundial.

En el capítulo de este *contagio financiero* del modelo neoamericano, ¿es necesario destacar la aparición en los países renanos de comportamientos dudosos, y hasta delictivos, inseparables de la economía-casino? Malversaciones de fondos y delitos monetarios dan también aquí mucho que hablar. En Alemania, el escándalo Volkswagen, de gran resonancia, era revelador: un ejecutivo superior se jugaba en los mercados financieros el dinero de la empresa. En cambio, ninguna gran empresa americana se habría permitido, como ocurrió en Alemania, contribuir a la construcción de la industria "química" iraquí. Del mismo modo, ¿quién protestaría porque los bancos suizos se hayan visto obligados a renunciar a su sacrosanto secreto profesional bajo la presión estadounidense, lo que enfureció especialmente a Saddam Hussein cuando más de 20 mil millones de dólares pertenecientes a Irak fueron bloqueados en las arcas de Ginebra, de Basilea o Zurich?

En Japón, es la moralidad de la Kabuto Cho (Bolsa) la que es cada vez más

* Partido Social Demócrata.

discutida. En efecto, son numerosas las operaciones que encubren actividades mafiosas o manipulaciones de tasas perfectamente ilegales. En cuanto a los casos de corrupción, Japón no está exento de ellos. El de la empresa Recruit Cosmos hizo caer ya, recordémoslo, a dos primeros ministros.

En resumen, el dinero fácil se introduce poco a poco en el corazón de las economías del modelo renano. Este contagio es todavía más molesto porque, al revés de los países anglosajones, están muy poco preparados para estas situaciones, dado que no disponen de los reglamentos ni de los medios de investigación necesarios. Pero eso no es más que un poco de espuma sobre la inmensa ola de lo que se llama la globalización financiera.

Uno de los vectores más poderosos de difusión del modelo neoamericano es sin duda las finanzas. Hemos mostrado su función en la evolución del capitalismo estadounidense, y su influencia en la de Japón y la RFA. Las finanzas son realmente una palanca de una potencia incomparable para hacer penetrar las ideas capitalistas, y especialmente para reforzar la potencia del mercado en la esfera económica y la tutela ejercida por éste sobre las empresas.

Desde hace quince años, ha pesado de manera considerable y desconocida hasta entonces sobre el conjunto de los Estados capitalistas. Es el fenómeno de *globalización financiera*, que ha golpeado al mundo con una fuerza sin precedentes. Esta globalización se apoya sobre fuertes tendencias que la convierten en una verdadera ola gigantesca y no, simplemente, en una moda pasajera; dichas tendencias son: la innovación, la internacionalización y la desreglamentación. Antes de examinar estos elementos fundamentales, hay que repasar la historia del fenómeno de globalización, para identificar las rupturas que han provocado el desarrollo fantástico de la esfera financiera.

## Las rupturas

Fechar la globalización financiera es difícil. Realmente, los movimientos internacionales de capitales existen desde hace siglos. Los banqueros lombardos financiaron la Europa del Renacimiento, como atestigua todavía la "tasa lombarda", que es la tasa de interés rectora del Bundesbank, o de Lombard Street, una de las principales arterias de la City londinense. Más tarde serán los ingleses y los franceses quienes exportarán sus capitales a lo largo del siglo XIX al mundo entero, y en particular a sus colonias. Los préstamos rusos y la deuda turca serán financiados por el ahorro francés e inglés.

Tras la Primera Guerra Mundial, la potencia financiera británica es considerable en el plano internacional, incluso aunque la de Estados Unidos comienza a manifestarse. Además, la crisis de 1929 mostrará la influencia de los movimientos de capitales, puesto que los derrumbamientos bursátiles se transmitirán por el canal financiero internacional. No obstante, al día siguiente de la Segunda Guerra Mundial el sistema financiero internacional parece haberse estabilizado de forma duradera, y los Estados vigilan celosamente el mantenimiento de la estabilidad y la continuidad del dispositivo establecido.

Surgido de los acuerdos de Bretton Woods, el sistema monetario y financiero mundial parece a la vez sólido, creíble y coherente. El oro es la última referencia, el dólar es su *alter ego (as good as gold)*, y las otras monedas se definen en relación con la divisa norteamericana en el marco de un sistema de paridades fijas. Se establecen las instituciones guardianas del templo: el Fondo Monetario Internacional (FMI), encargado de vigilar los ajustes de la balanza de pagos, y el Banco Mundial (BIRD), responsable de la financiación de los proyectos de desarrollo y de reconstrucción económica. Todo el sistema descansa sobre la superioridad indiscutible del dólar, a la vez referencia de las otras monedas e instrumento de intercambio internacional. Corresponde lógicamente a la superioridad económica y política de Estados Unidos, que genera la mitad de la producción mundial, posee el 50 % de las reservas de oro y tiene en materia técnica un adelanto considerable. La hegemonía monetaria y financiera emana de esta realidad y nadie podría discutirla. En resumen, seguimos dentro de una lógica económica diseñada por los Estados, y sobre todo por Estados Unidos.

Esta bonita situación no resistiría los trastornos financieros y monetarios que han afectado la economía mundial. En efecto, tres rupturas esenciales van a marcarla. En primer lugar, la hegemonía estadounidense disminuye rápidamente, y con ella la del dólar. Japón y Europa salen de su retraso y recuperan posiciones. Otras monedas se internacionalizan: el marco, el franco suizo y el yen.

En segundo lugar, el sistema de Bretton Woods se hunde un día de agosto de 1971, exactamente el 15, cuando el presidente Nixon anuncia el fin de la convertibilidad en oro del dólar. El dólar se devalúa en un 80 %. En los acuerdos de Jamaica de 1976, los cambios fijos son definitivamente reemplazados por un sistema de cambios fluctuantes. Además, las instituciones internacionales (FMI, BIRD) han fracasado en su misión, pues nunca han logrado adquirir una credibilidad solvente suficiente como para obligar a los Estados a garantizar una disciplina colectiva. Bretton Woods estaba, por otra parte, condenado en razón de sus propias contradicciones. Como consecuencia de la importancia del dólar para financiar la economía mundial, estaba sometido a dos exigencias contradictorias: por una parte, debía alimentar al mundo en liquidez suficiente como para hacer funcionar la máquina; es decir, de hecho, mantener un déficit de la balanza de pagos norteamericana para proveer los dólares necesarios; por otra parte, las autoridades estadounidenses debían asegurar la convertibilidad en oro de su moneda, y limitar por razones evidentes su déficit exterior. El dilema estaba, por lo tanto, entre asfixiar la economía mundial o hacer crecer indefinidamente el déficit y el volumen de dólares en circulación, con el riesgo para Estados Unidos de no poder cumplir sus compromisos. Bretton Woods se hunde, y arrastra consigo toda la apariencia de orden y disciplina colectiva existente desde 1945. Deja fluctuar las monedas al capricho de las corrientes aleatorias, y más o menos tumultuosas, de los movimientos de capitales.

Otro trastorno profundo se origina en esta ruptura institucional. Es casi simbólico, puesto que ataca a la naturaleza de la moneda. Esta se convierte en una simple mercadería, como las otras: *Money is a commodity*, según la célebre fórmula de Milton Friedman, el economista ultraliberal de Chicago. *Commodity*: la palabra es fuerte. Se aplica igualmente a la empresa, que es, como ya hemos dicho, una *commodity* en el modelo anglosajón, y una *community* en el modelo germano-nipón. La moneda ya no es un patrón fijo, sino un valor intangible, ni es esa estatua de bolsillo esculpida en oro en homenaje a la estabilidad de los valores, y que había inspirado todo el siglo XIX. Se convierte en un activo cualquiera, que se intercambia en los mercados como el trigo, los metales o las vacas. Por lo tanto, se le aplicarán las mismas técnicas que ya hicieron fortuna en los mercados agrícolas y de materias primas, construyendo mercados a término, opciones, créditos cruzados, etc. Los mismos instrumentos que permiten a los granjeros vender sus cerdos, sus jugos de naranja o su soja con tres meses de antelación en los grandes mercados de Chicago. *Es naturalmente en Chicago* donde se desarrollarán los *futuros* sobre tasas de interés, las opciones de cambio y los contratos marco/dólar. La moneda cambia de categoría, y provoca el trastorno de la innovación financiera.

La última ruptura provocada por el impulso de las finanzas es la de los desequilibrios mundiales. Con los aumentos petroleros, las caídas del dólar, los desequilibrios comerciales, la deuda del Tercer Mundo, el planeta ha vivido en un polvorín desde 1973. Esto se traduce en fluctuaciones formidables y violentas de las principales variables financieras: las tasas de interés, los cambios, los precios de venta de las acciones y de las obligaciones en Bolsa. En las tasas de interés, por ejemplo, las variaciones registradas en los cuatro primeros meses de 1980 en Estados Unidos han superado los diez puntos.

Frente a estas incertidumbres, no hay que asombrarse de que el conjunto de las operaciones haya buscado protegerse, y de ahí procede el impulso de los nuevos mercados de cobertura a término o de opciones. Podemos imaginarnos el riesgo que significa para una inversor francés hacer una operación en Estados Unidos con un horizonte de cinco a diez años. Si el precio de venta del dólar cae en un 50 % (cosa que ya ha ocurrido dos veces en diez años), toda la rentabilidad de la inversión está comprometida. Para un importador, cuyos márgenes son de pequeños porcentajes, una variación negativa de la misma amplitud es igualmente catastrófica. Ahora bien, esas variaciones son actualmente cotidianas. Así se han constituido las enormes

masas financieras que gravitan alrededor del planeta sobre productos totalmente inmateriales, que se supone que existen para cubrir riesgos que ya
nadie percibe, pero que en cambio todo el mundo deberá soportar. Eso nos
lleva a recordar la primera de las grandes tendencias profundas que ha
provocado la aparición de esta globalización financiera: la innovación.

## La innovación: los medios al servicio de las finanzas

El fenómeno de la globalización financiera no se habría producido a tal
escala sin medios tecnológicos y jurídicos. En el plano tecnológico, la
informática y las telecomunicaciones han dado a las finanzas sus armas y su
potencia. Gracias a las computadoras, a los satélites, a los cables, los datos
financieros pueden circular libremente a través del mundo y negociarse
instantáneamente. La introducción de las nuevas tecnologías ha permitido
disminuir en un 98 % el costo de las transacciones. Detrás de sus pantallas,
los *golden boys* actúan permanentemente sobre los diferentes mercados del
planeta. Se negocia el bono del Tesoro norteamericano en París. Se negocian
las acciones Elf-Aquitania en Londres o en Tokio. Y es en *Chicago* donde el
ECU europeo se cotiza primero. La tecnología ha proporcionado el vector
de la expansión financiera.

El segundo elemento de innovación es financiero. En efecto, hasta los años
setenta la esfera financiera se había mantenido asombrosamente poco
creativa. Los bancos otorgaban créditos y sólo se negociaban títulos
tradicionales en los mercados: acciones y obligaciones. Pero, desde hace
quince años, los mercados financieros han visto aparecer una cantidad
considerable y sin precedentes de nuevos productos. Los contratos de
cobertura (contratos a término, opciones) se han desarrollado. Los nuevos
títulos para bonos de suscripción, de conversión de opciones, etc. se han
multiplicado. Han pululado productos de nombres exóticos.

Por lo tanto, se ha constituido toda una nueva esfera financiera, cuya
importancia se ha vuelto primordial. En los mercados a término de Chicago,
donde se negocian la mayoría de los nuevos productos, el volumen de las
transacciones duplica o triplica el de Wall Street. Además, esas innovaciones
financieras han prosperado en el terreno internacional, acentuando la
globalización de los mercados. Evidentemente, los productos negociados en
los centros financieros de cada país están abiertos a los extranjeros. Los
poderes públicos empujan incluso a la internacionalización de los nuevos
mercados. El MATIF * francés es uno de los mercados donde los alemanes
acuden a abastecerse, porque el modelo renano, con sus poderosas instituciones bancarias y su preferencia por los valores seguros y estables, ha

---

* Marché à Tèrme International de France = Mercado a Término Internacional
de Francia. [T.]

tardado mucho en comprometerse en esas innovaciones sofisticadas que, por el contrario, gustan mucho a los anglosajones. En la globalización financiera, también la moneda abandona las rigideces bancarias para acceder a las fantasías bursátiles. En general, la internacionalización financiera se ha reforzado considerablemente a partir de los conceptos y de las técnicas anglosajonas.

Por lo tanto esta internacionalización de la esfera financiera es una consecuencia directa de su propio desarrollo. Pero más fundamentalmente es, también y sobre todo, el reflejo de una economía que se internacionaliza a nivel mundial en todos los terrenos y que arrastra con ella a las finanzas.

Este fenómeno se propaga principalmente por medio del comercio. Es ésta una evidencia más antigua que el capitalismo. Lo que es nuevo, en cambio, es el impulso del comercio mundial desde 1945. En efecto, ha crecido a un ritmo dos veces más rápido que el de la producción mundial, señal de que la proporción de los bienes y servicios intercambiados en el plano internacional, en relación con los que se quedan en el país productor, se acrecienta. Consecuencia: las economías se abren al exterior, como lo testimonia la ratio * de las importaciones referidas al PIB que se duplica en Estados Unidos entre 1970 y 1990 para alcanzar el 14 %, o que se establece en el 23 % en Francia en 1990 ante el 15 % en 1960.

La dinámica del comercio internacional es muy poderosa. Conlleva una internacionalización planetaria de la industria bajo el efecto de dos movimientos. Por una parte, las empresas buscan conquistar nuevos mercados y, en consecuencia, se establecen lo más cerca posible de sus clientes potenciales. Es la actitud de las grandes multinacionales. Por otra parte, algunas empresas deben resituar una parte de su producción para disminuir sus costos de mano de obra. Por eso la electrónica produce una gran parte de los elementos básicos de los aparatos en el sudeste de Asia.

La internacionalización comercial e industrial de la economía origina flujos financieros internacionales gigantescos. Hay que financiar el comercio mundial y las inversiones internacionales, cubrir los riesgos, repartir los dividendos, etc. En consecuencia, la dinámica financiera es alimentada por una necesidad creciente de capitales transfronterizos. A esto hay que añadir los movimientos financieros nacidos de los excedentes petroleros de la OPEP, o de los excedentes japoneses o alemanes, que buscan situarse en las zonas que carecen de capital.

En suma, el capital internacional representa una masa gigantesca siempre en movimiento en los cuatro rincones del planeta. En el mercado de cambios, el volumen de transacciones *diarias* es de cerca de 900 mil millones de dólares, el equivalente del PIB *anual* de Francia. En comparación, las reservas totales de los bancos centrales sólo suman aproximadamente unos 700 mil millones de dólares. Los capitales franquean las fronteras, los océanos,

---

* Del latín "razón": índice constituido por la relación de dos cantidades. [T.]

los desiertos en algunas milésimas de segundo. Se invierten simultáneamente en todos los mercados del planeta sin pausa ni reposo. En consecuencia, las finanzas mundiales funcionan sin interrupción. Cuando Tokio cierra, las posiciones son transferidas a Londres que abre, después a Nueva York, para regresar de nuevo a Japón algunas horas más tarde. Los intermediarios financieros, especialmente los bancos, deben desarrollar actualmente redes mundiales que cubran los tres grandes polos financieros: Estados Unidos, Japón y Europa. Nomura, el gran banco financiero japonés, se ha visto obligado a transferir su centro de mando de las operaciones mercantiles a Londres. Hay un único mercado mundial de dinero, un océano sobre el que los centros no son más que esquifes sacudidos a capricho de las fluctuaciones de los capitales.

## Desreglamentación/reglamentación

El último factor de globalización, y no el menor, ha sido la desreglamentación. Se conocía la influencia de la reglamentación sobre los movimientos de capitales. En los años sesenta, para soslayar una reglamentación paralizante, los bancos *estadounidenses* trasladaron masivamente sus actividades a Londres, y de esta manera se desarrolló el mercado de los eurodólares. A la inversa, la desreglamentación permite abrir las compuertas de los mercados internacionales. En Estados Unidos la supresión de la célebre reglamentación Q, que limitaba la remuneración de los depósitos a la vista, duplicó la actividad de los bancos, que se lanzaron a una caza desenfrenada del cliente. En Francia, la creación de los SICAV y de los FCP,* en 1978, ha sido un éxito, puesto que administran actualmente más de un billón quinientos mil millones de francos.

La desreglamentación se generalizó bajo la influencia americana e inglesa. Para no quedar al margen, las diferentes capitales financieras disminuyeron las reglas, suprimieron las barreras, hicieron saltar los cerrojos. En Francia, el Tesoro, obsesionado por la competencia de Londres, desreglamentó masivamente los mercados financieros franceses. Lo prioritario era no penalizar a París.

En consecuencia, la esfera financiera es portadora de una doble lógica. Por una parte, se refiere al desprecio de las fronteras y de los Estados. Es la lógica de la escala planetaria. Las finanzas ya no se acomodan al marco nacional, demasiado estrecho e insuficiente. Pulverizan las fronteras y obligan a los Estados a someterse. "El mundo —escribió el premio Nobel Maurice Allais— se ha convertido en un vasto casino, donde las mesas de juego están repartidas en todas las longitudes y todas las latitudes." Por otra parte,

---

* SICAV = Société d'Investissements à Capital Variable = Sociedad de Inversiones de Capital Variable.
FCP = Fonds Commun de Placements = Fondo Común de Inversiones. [T.]

la esfera financiera lleva en sí misma la lógica del mercado puro y duro. Un mercado sin sujeciones, sin gendarmes, sin límites, con su multiplicación de innovaciones, pero también sus riesgos de bancarrota y de negocios dudosos.

En virtud de esos dos factores, la globalización financiera es el vector principal y todopoderoso de la propagación del modelo ultraliberal. No es asombroso que debilite las culturas económicas mejor estructuradas, especialmente las de los países renanos.

Con la faceta periodística de sus éxitos, el modelo neoamericano reaganiano tiene así su caballo de Troya en el seno del modelo renano.

Capítulo 9

## ¿POR QUE ES EL MENOS EFICIENTE EL QUE VENCE?

A estas alturas del análisis, hay que detenerse y reflexionar un poco más sobre la principal paradoja. De las dos variantes del capitalismo, el norte-americano y el renano, el segundo es globalmente más eficiente que el otro, tanto en el plano social como en materia estrictamente económica. Ahora bien, es el primero, como hemos visto, el que gana terreno desde principios de los años ochenta, psicológica y políticamente. Incluso en las tierras predilectas de su competidor: en Alemania, en Suecia y también en Japón... Y, por supuesto, en numerosos países del hemisferio sur, comenzando por Latinoamérica, donde el éxito de las concepciones estadounidenses, tanto en materia de política económica (desreglamentación, privatizaciones) como en la administración de las empresas, constituye por otra parte —hay que subrayarlo para ser justos— el principal factor del progreso económico de dos países en alza: Chile y México.

Pero volvamos al meollo de nuestro problema: la lucha de influencia de los dos capitalismos en los países desarrollados. Aquí, se puede caricaturizar sin una deformación excesiva resumiendo: el menos bueno desplaza al mejor en todas partes, como, según la vieja ley de Gresham, la mala moneda desplaza a la buena. El menos eficiente triunfa poco a poco sobre su rival, que sin embargo es más eficaz. Extraño contraste para una época que pone en un pedestal el culto a la economía: el modelo neoamericano confirma paralelamente su avance psicológico y su retroceso económico; es un poco como si, en el mercado de los automóviles, todos los favores del público se volcaran hacia una marca cuyas carrocerías impresionantes escondieran motores asmáticos. A la inversa, lo que el modelo renano gana en eficacia, lo pierde en seducción.

Imaginemos un sondeo entre los habitantes de los países subdesarrollados en torno de la siguiente pregunta: "Si tuviera que elegir, ¿a dónde preferiría ir a vivir: a Estados Unidos o a Europa occidental?". No hay duda de que la condición material del inmigrante (legal) es en general menos incómoda en Europa occidental: los salarios son equivalentes a los de Estados Unidos, sin contar con la seguridad social y, especialmente en los países renanos, un verdadero derecho a una vivienda decente que no tiene equivalente en Estados Unidos. Sin embargo, seguramente una inmensa mayoría se pronunciaría a favor de Estados Unidos. Sobre todo los jóvenes. En Latinoamérica y en Asia, una posible explicación sería que nadie, o casi nadie, conoce las condiciones de vida en Europa, y lo más seguro es que no haya ningún país del mundo donde Estados Unidos sea tan popular como en la China comunista. Incluso en Africa y en los países de Europa del Este, es verosímil que la mayoría elegiría a Estados Unidos, siendo Canadá, por ejemplo, preferido a Escandinavia. ¿Por qué?

Para abordar esta cuestión nos hemos de plantear, en primer lugar, el problema de la racionalidad de los comportamientos económicos, ya sean

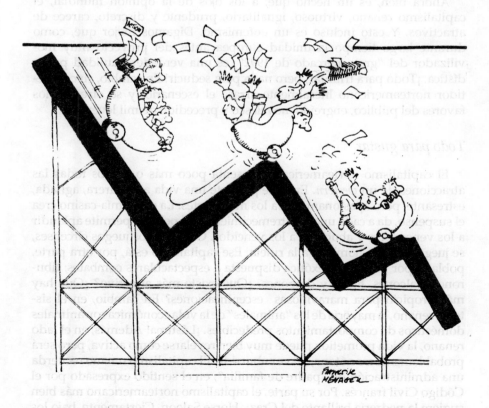

FUENTE: *Valeurs actuels*, 27 de agosto - 2 de setiembre de 1990, nº 2804, pág. 32.

individuales o colectivos. En efecto, sería erróneo creer que la economía sólo obedece a la lógica rigurosa del interés. Sería erróneo imaginar que los agentes económicos no actúan jamás *sino tras haber sopesado cuidadosamente los pros y los contras de una decisión*, de manera que la suma de sus intereses individuales pueda encontrarse *in fine* armonizada por la famosa "mano invisible" del mercado. El *homo oeconomicus* ideal, de comportamiento matemático, de decisiones fríamente calculadas, ese individuo rigurosamente lógico que citan los teóricos en apoyo de sus demostraciones, no existe. Dicho de otra manera, las pasiones, lo irracional, las modas cambiantes y las admiraciones miméticas gobiernan la economía bastante más que lo que se cree. En cuanto a los gobiernos que son democráticamente elegidos, no podrían desentenderse de las preferencias —incluso irracionales— de sus electores. En materia económica, como en tantas otras cosas, no basta que una idea sea buena en sí, ni siquiera cuando lo ha demostrado en la práctica. Es necesario que sea también políticamente vendible.

Ahora bien, es un hecho que, a los ojos de la opinión mundial, el capitalismo renano, virtuoso, igualitario, prudente y discreto, carece de atractivos. Y esto incluso es un eufemismo. Digamos mejor que, como durante largo tiempo la unidad europea antes del proyecto muy movilizador del "gran mercado de 1992", es una verdadera nulidad periodística. ¡Todo para triunfar, pero nada para seducir! En cambio, su competidor norteamericano literalmente arrasa el escenario, y se ofrece a los favores del público, engreído, novelesco y precedido de mil leyendas.

## Todo para gustar

El capitalismo norteamericano presenta poco más o menos todas las atracciones de un *western*. En él se promete una vida aventurera, agitada, estresante, pero apasionante para los más fuertes. La economía-casino crea el suspenso, da a cada uno el estremecimiento del peligro, permite aplaudir a los vencedores y abuchear a los vencidos. Como en los juegos circenses, se juegan allí los hombres a la ruleta. Ese capitalismo está, por otra parte, poblado por una fauna exótica dispuesta a espectaculares combates: tiburones, halcones, tigres y dragones. ¿Qué existe más atractivo? ¿Qué hay más propicio para maravillosas escenificaciones? En cambio, en el sistema renano, la mayoría de los "animales" de la vida económica son animales domésticos de comportamientos predecibles. ¡Lástima! Además, en el lado renano, la vida prometida puede muy bien revelarse como activa, pero será probablemente monótona, tal vez aburrida. El capitalismo renano recuerda una administración de "padre de familia", en el sentido expresado por el Código Civil francés. Por su parte, el capitalismo norteamericano más bien sugiere la pedrería brillante del Crazy Horse Saloon. Ciertamente, bajo los focos, uno de los dos sale perdiendo. ¡Es como si usted quisiera conquistar el mercado de los jeans tratando de vender a los jóvenes pantalones tiroleses!

Por lo demás, el capitalismo estadounidense es, en el sentido literal del término, hollywoodense. Participa del negocio del espectáculo y de la novela de aventuras. Toda la terminología utilizada y enriquecida durante la "era Reagan" lleva su marca. ¿Es una casualidad que Michael Milken, el inventor de los *junks bonds*, hoy condenado a diez años de prisión efectiva y tres en libertad condicional, fuera llamado *The King* (el rey) por los banqueros americanos? *The King* era también el apodo de Elvis Presley, primer ídolo del negocio del espectáculo mundial. Las tomas de control se insertan, como señala P. M. Hirsch (*American Journal of Sociology*, enero de 1986), en figuras simbólicas que, para la mayoría, reproducen las de la cultura popular: el modelo del *western* (buenos/malos; emboscadas), el de la piratería, el tema de la relación amorosa, el patrón de los cuentos de hadas (la Bella Durmiente del bosque) y del juego deportivo.

En cuanto a la jerga de las OPA, que participa por lo general de una retórica guerrera, sería lo bastante rica y sugestiva como para llenar las páginas de un diccionario especializado. *Bear hug* (abrazo del oso), *corporate warlords* (señores de la guerra), *dealmaker* (fabricante de "golpes"), *golden handcuffs* (esposas de oro), *shark watcher* (acechador de tiburones), etc. Este lenguaje es realmente el del cine de aventuras o de los dibujos animados fabricados en Hollywood. La figura del juego, que legitima el espíritu de las tomas de control, se convierte en realidad. ¡Un gran juego! Un especialista de Wall Street, citado por el sociólogo norteamericano John Madrick, ironizaba hace algunos años sobre este aspecto. "El movimiento de las tomas de control —decía— se parece cada vez más a un juego de sociedad, con protagonistas tan alejados de las realidades económicas e industriales como lo están los niños jugando al Monopole" (*Taking America*, Nueva York, Bantam Books, 1987).

¿Lúdico? El capitalismo estadounidense no evoca solamente los encantos salvajes de la jungla y la lucha por la supervivencia. Es también el del sueño rosado, del dinero fácil, de las fortunas súbitas, de las *success stories*, mucho más atrayentes que la sabia y paciente prosperidad del modelo renano. La expresión "hacer fortuna" no pertenece casi a la tradición renana. Es inherente al capitalismo norteamericano, cuya caricatura, en última instancia, se halla en Las Vegas. ¡No fue ni en Zurich ni en Fancfurt donde se desarrolló la nueva industria de las técnicas de difusión masiva del sueño *"make rich quick"*, la pasión de seducir ganando, el escalofrío de los grandes *westerns* financieros! Fue en Chicago o en Nueva York. Eso no es obstáculo para que hoy, incluso en Francfurt y en Zurich, se pregunten si no ha llegado el momento de irse a dar una vuelta por el casino de la economía espectáculo. Los buenos padres de familia, devorados por la pasión del juego, fijan la vista en el lado del Crazy Horse Saloon. Son los pequeños accionistas alemanes y suizos que querrían, ellos también, si no pueden jugar a los grandes juegos del Poder, al menos ganar de vez en cuando el premio gordo en el hipódromo. Pero es sobre todo entre los directivos de la nueva generación, que no conocieron la guerra, donde se ve apuntar, tanto en Suiza como en Alemania y Japón, la pasión de hacerse una fortuna y un nombre. En Japón, incluso nos podemos preguntar si la extraordinaria efervescencia de la Bolsa no es un sustitutivo de la privación de la aventura guerrera, un remedio para el aburrimiento de una vida sin misterios. En efecto, en Kaburo-cho cada día pasan cosas extraordinarias, es el estremecimiento cotidiano del sentimiento de liberación que proporciona la intensa acti-

FUENTE: Plantu, *Un vague souvenir*, Le Monde Editions, 1990, pág. 21.

vidad bursátil. Pero esta agitación se cierra sobre sí misma, no es más que la espuma de las realidades económicas, que cumple una función a la vez teatral, lúdica y deportiva.

## Un triunfo publicitario

A pesar de sus fracasos, sus deudas, sus debilidades industriales y sus desigualdades, el capitalismo estadounidense es la verdadera estrella de los medios de comunicación. Es "el" capitalismo, diabolizado por sus adversarios (ya no son muy numerosos), mitificado por sus defensores, y cuya epopeya es incansablemente repetida por los guionistas. Sin importar sus fiascos, se mantiene en la cima de los medios de comunicación. Es natural. Fiel reflejo de su público, los medios aman el suspense y los héroes resplandecientes, las acrobacias financieras y las batallas de gigantes, los caballeros blancos o negros, el maniqueísmo y los signos exteriores de riqueza. Ahora bien, este triunfo periodístico del capitalismo estadounidense no es un fenómeno coyuntural que los economistas podrían considerar carente de importancia. Todo lo contrario. Explica, en gran medida, la potencia de su difusión.

Por otra parte, los medios de comunicación, como sabemos, desempeñan un papel creciente en la vida económica. Aunque no sea más que por una razón muy sencilla, que está ligada al funcionamiento de la Bolsa. A menos que se trate de una institución muy sólida, y si es posible que haya obtenido una alta puntuación por medio de una agencia de *rating* internacional, la empresa que debe contar con el mercado para financiarse entra, al mismo tiempo, en una lógica que es también la de la publicidad, de la imagen, del espectáculo. *No le basta ya con ser, debe parecer.* Los años ochenta habrán estado marcados por una explosión de la "comunicación" en general, y en particular por un vuelco acelerado de la economía a la publicidad.

Los actores económicos se convierten, como hemos visto, en personajes de folletín, y los espectadores esperan de ellos que estén a la altura del argumento. En este contexto, no podría contentarse con ser un sólido administrador. Es necesario que sea también —y ostensiblemente— un *winner*, un vencedor que acrecienta sin cesar su poder, aplasta a sus adversarios, efectúa *raids* victoriosos y sabe posar para los fotógrafos, con un pie sobre su trofeo. La imagen que ofrece de sí mismo será identificada con la de la empresa, su *look* explotado publicitariamente será tan importante como su cuenta de rendimiento o sus parcelas de mercado. A la inversa, ¿cómo podrían entusiasmarse espontáneamente los medios de comunicación con uno de los miembros, austero y poco locuaz, del comité de dirección de una empresa alemana? ¿O entusiasmarse frente a las refinadas y discretas costumbres de un banquero de Zurich o de Francfort?

Los medios tienen sus leyes. Son las del *show* permanente y de la audiencia. Exigen personajes puestos en escena, que sacrifican, a su vez, a las reglas del espectáculo. Por lo tanto, la publicidad caricaturesca del modelo neoamericano funciona en los dos sentidos. Esta es, seguramente, una de las claves de su éxito psicológico. Pero, al mismo tiempo, acrecienta las extravagancias. Los jefes de empresa, los *raiders* o los jóvenes lobos divulgados por los medios de comunicación, como las estrellas de Hollywood, deben adaptarse actualmente a su imagen pública. A veces, hasta el ridículo. ¿Cuántas decisiones más o menos aventuradas, cuántas elecciones conquistadoras se habrán decidido con el fin, narcisista pero inconfeso, de complacer a los medios? La economía-casino actúa sobre el espectáculo que da de sí misma, pero simultáneamente es su prisionera.

Este tratamiento informativo de la economía atravesó el Atlántico al mismo tiempo que el modelo neoamericano. De buen o mal grado, los directivos europeos descubrieron que su *look* no carecía de importancia, que una mala presentación televisiva o una "frasecita" pronunciada frente a un micrófono podía costarles caro; debieron acostumbrarse a ser clasificados por los medios, como lo son los cantantes o los deportistas; debieron consentir ser personajes con todos sus atributos de la "sociedad del espectáculo". En cuanto a las empresas mismas, debieron incorporar, con inversiones diversas, "consejeros de comunicación" encargados de ayudarlas a administrar su imagen, haciendo honor a veces al lenguaje de los médicos de Molière. En 1980, la expresión "Dir Com" * era casi desconocida en Francia. Hoy en día, las empresas ya no pueden prescindir de ella, y los jóvenes Rastignac ** sueñan con llegar a serlo.

## Miles de millones de esperanza

Por lo demás, seamos concretos. Para una capitalista —y más aún para un aspirante a capitalista— de la nueva generación, ¿de qué se trata? ¿Cuál es el objetivo de la vida? ¡Hacer fortuna, evidentemente!

Es evidente hoy, pero no lo era ayer: en Francia, industriales considerados entre los más grandes (Jacques Calvet, Olivier Lecerf, Didier Pineau-Valencienne, Antoine Riboud, por ejemplo) simplemente "olvidaron" hacer fortuna, ocupándose sólo del éxito de su empresa. En Alemania, esto es la regla. En Estados Unidos es impensable: el éxito de una empresa y las ganancias percibidas por su director son dos cosas estrechamente ligadas entre sí.

Se trata, pues, de hacer fortuna, y rápidamente. Para eso, existe una regla:

* Director Comercial.

** Personaje de Balzac (de *Papá Goriot*) que, de simple estudiante, llega a ser una persona notable. Es la imagen del "trepador". [T.]

*cheaper to buy than to build* (es más barato comprar que construir), cuyas innumerables aplicaciones ya hemos visto. Regla que conduce a distinguir los dos únicos medios "confesables".

El primero consiste en inventar un producto, un servicio o un concepto (Gilbert Trigano y su Club Med; Darty y su contrato de confianza), y venderlo. Pero, para llegar a un amplio público, el inventor tiene siempre interés, y a menudo el gusto, de promocionarse; dicho de otra manera, "venderse" él mismo.

El segundo medio, más sofisticado, más *smart*, consiste, ya lo hemos visto, en "levantar" dinero en los mercados financieros. Las instituciones establecidas pueden hacerlo sin ruido. Pero no el individuo que trabaja por su cuenta y riesgo, que debe ante todo darse a conocer para después atraer el ahorro público en base a su nombre. ¡Qué placer ser capaz de vender a millares de "pequeños propietarios" miles de millones de esperanzas!

Guiados por la lógica financiera, abordamos aquí el terreno de los valores. Es que, como subraya Jean Cazeneuve (*L'Homme téléspectateur*, [*El hombre telespectador*], Denoël-Gonthier, "Mediations",1974), el vedetismo no confiere solamente el prestigio sino también la fortuna... En el universo de lo espectacular, el prestigio es lo que causa la riqueza y legitima la conducta, y no a la inversa, como ocurre en el *cursus honorum* clásico.

Sin duda esta publicidad generalizada, esta importancia desmesurada adquirida por la "comunicación", es inherente a una economía que, al modernizarse, se convierte por naturaleza y por método en una economía de la información. Pero hay que saber que, en este terreno, el capitalismo estadounidense está mil veces mejor preparado que su rival. Todo conspira, en efecto, a escala mundial, para asegurar el triunfo de su imagen. La hegemonía cultural de Estados Unidos, desde ese punto de vista, es cada vez más evidente. En Yakarta, Lima, Río de Janeiro o Lagos, son folletines norteamericanos, series de televisión *made in Hollywood*, cortos publicitarios o historietas de Estados Unidos lo que apasiona a las multitudes. Pasa lo mismo en las universidades tras el hundimiento del marxismo. Se asombraría sin duda a un intelectual egipcio, brasileño o nigeriano revelándole que existe otra variante de la economía de mercado; demostrándole, pruebas en mano, que el capitalismo renano obedece a reglas totalmente distintas de las que él ve en juego en una serie titulada *Dallas*. Y que sus resultados son en su conjunto mejores.

## Publicidad de la economía y crisis de los medios de comunicación

En consecuencia, porque se revela incapaz de comunicarse, de exportarse, el modelo renano deja a su competidor ocupar todo el espacio de lo que podría llamarse una "paradoja al cuadrado". Se puede resumir en algunas frases. La economía-casino, como hemos visto, saca una parte de su fuerza de la seducción periodística. En reciprocidad, está ella misma bajo la influencia de los medios de comunicación, lo que no carece de inconvenientes. Pero, si se quiere profundizar en el análisis, hay que señalar que el contagio especulativo, la preocupación obsesiva por la rentabilidad inmediata, la dictadura del dinero, *se extiende actualmente a los medios mismos*.

Los periodistas ya hace tiempo que denuncian la incomodidad que reina en su profesión. Esta se debe en gran medida al acrecentamiento del peso del reino del dinero, a los imperativos de la rentabilidad a corto plazo, cada vez más apremiantes, versión periodística, en suma, de la economía-casino. Cuando la información sólo es una mercancía sometida a las estrictas leyes del mercado, cuando un medio está más preocupado por vender lectores a sus anunciantes que informaciones a sus lectores, la deontología está rápidamente en peligro de naufragar. En este terreno, hay que señalar que el país que se sitúa a la vanguardia del "modelo neoamericano" no es Estados Unidos sino quizá Francia.

En efecto, en los países anglosajones una antigua tradición casi corporativista de independencia de los periodistas con respecto a las empresas de prensa que los emplean, apoyada por una masa de lectores educados, sobre todo en las materias económicas y financieras, ha impedido en gran medida la publicidad intempestiva de la economía que caracteriza a Francia, sobre todo desde la privatización de la principal cadena de televisión.

De ahí la insistencia en el tema por parte de los especialistas franceses de los medios de comunicación, quienes se inquietan por una verdadera crisis deontológica en la profesión.

En febrero de 1990, François-Henri de Virieu denunciaba esta perversión en un libro de título significativo: *La Médiocratie* [*La mediocracia*] (Flammarion). En agosto de 1990, la revista *Le Débat* publicaba un grueso expediente titulado "Incomodidad en los medios de comunicación". Director de *Le Nouvel Observateur*, Jean Daniel invitaba allí a la prensa a "volver la espalda a la filosofía de la información concebida como una mercancía cualquiera". En diciembre de 1990, la revista *Esprit* publicaba a su vez un número especial, planteando la pregunta: "¿A dónde va el periodismo?".

Un largo artículo firmado por el periodista económico Jean-François Rouge, y titulado "El periodismo amenazado por el dinero", pone el acento sobre la "corrupción activa y pasiva" en la prensa francesa, cuyo reciente agravamiento señala: "Desde la liberación —escribe—, las amenazas contra la libertad de información parecían, fundamentalmente, circunscribirse al campo político. Era en aquel flanco donde había que ir con especial cuidado. El dinero conservaba su poder de corrupción, pero en una escala compatible con la independencia global de la prensa, especialmente la de la gran prensa nacional. Ahora bien, este delicado equilibrio parece ahora amenazado por algunos comportamientos".

Por último, en febrero de 1991, Alain Cotta, uno de los principales economistas franceses, cuya doctrina siempre ha sido favorable a la economía de mercado, publicaba con el título *Capitalisme dans tous ses états* [*El capitalismo en todos sus estados*] (Fayard), un libro que produce escalofríos, en el que consagra tres capítulos de un total de cinco a ilustrar así la evolución reciente del capitalismo:

— La publicidad del capitalismo;

— El capitalismo secuestrado por las finanzas;

— El capitalismo corrompido.

"El ascenso de la corrupción es indisociable de la presión de las actividades financieras y periodísticas. Cuando la información permite, en ocasión de operaciones financieras de todo tipo —en particular las de fusiones, de adquisiciones y de OPA—, edificar en algunos minutos una fortuna imposible de constituir ni con el trabajo intenso de toda una vida, la tentación de comprarla y de venderla se vuelve irresistible. La comisión atrae la corrupción, como el nubarrón llama a la tormenta."

En la época en que los funcionarios, bien pagados en todos los países desarrollados, se enorgullecían tratando el soborno como la enfermedad vergonzosa de los países subdesarrollados, nadie se habría atrevido a discutir esta ética. Pero hoy, cuando la ortodoxia económica está dominada por la desreglamentación (de la que la corrupción —recuerda A. Cotta— es una manifestación), es absolutamente lógico que se llegue, después de haber condenado al Estado a reducirse a su mínima expresión, a exaltar la corrupción como una forma más del espíritu de empresa... ¡Y con qué éxito! Tenemos aquí dos ejemplos: José Córdoba, secretario general del gobierno mexicano, declaró en la reunión de Davos en enero de 1991 que, desde hacía tres años, el valor de la cantidad de cocaína embargada por la policía mexicana representaba a los precios de venta neoyorquinos el doble de la deuda externa de México, o sea aproximadamente 150 mil millones de dólares. Estábamos en la macroeconomía de la corrupción, y todavía lo estamos más. Hace algunos años, la Reserva Federal que, como todo banco central, imprime billetes de curso legal, se asombró al comprobar el extraordinario aumento de demanda de dólares en papel moneda que le era dirigida por los bancos. Hecha la pertinente investigación, se descubrió que el 90 % de los billetes verdes impresos en Estados Unidos no se utilizan para la circulación monetaria interna. Sirven en el extranjero, fundamentalmente para las necesidades de las economías paralelas, y sobre todo del tráfico de drogas, que evitan transitar por las cuentas bancarias.

Cuanto más fácil sea para algunos hacer fortuna sin trabajar, más se presentarán como grandes hazañas, y serán más numerosos los candidatos a la corrupción o a ese comercio alternativo que es el tráfico de drogas. Recíprocamente, a partir del momento en que los medios de comunicación deben someterse a la ley del beneficio inmediato (los países del sistema renano serán sin duda los últimos en conservar la televisión pública sin publicidad, siguiendo el ejemplo de la BBC), se ven forzados a interpretar la vida económica y financiera sólo a través de la programación de divas eternamente insatisfechas, y cuya afectividad paranoica impone sus caprichos por encima de las leyes. Transgresión de las leyes, la transgresión del tiempo. A. Cotta añade: "La distracción televisiva, para ser perfecta, debe rechazar la noción del paso del tiempo, y proyectar el ser sobre el instante, que es también olvido de las contrariedades del mundo y, en primer lugar, de la muerte. El tiempo de la serie televisiva, simulación del tiempo lineal, ahuyenta la duración, dando la impresión de que nada se detiene jamás". Es el eterno presente y el beneficio para el presente.

## El beneficio para el presente

El contexto intelectual de los años ochenta se manifestó eminentemente favorable a este aspecto del modelo neoamericano. En efecto, aquellos años fueron ante todo los de una crisis generalizada de las corrientes de pensamiento, de una apoteosis del individualismo lúdico, del triunfo de lo que Gilles Lipovetsky llamó la "era del vacío". Esta "visión del mundo", donde "sólo existe la búsqueda del ego y del propio interés, el éxtasis de la liberación personal, la obsesión del cuerpo y del sexo", y donde "hay hiperinvasión de lo privado y, en consecuencia, desmovilización del espacio público" (*L'Ere du vide* [*La era del vacío*], Gallimard,1986).

Ahora bien, en ese clima desencantado y caricaturescamente individualista, el modelo neoamericano ofrece la ventaja de brindar una idea sólida y sencilla, la Biblia tan tranquilizadora como podía serlo, antiguamente, el catecismo marxista. Un máximo de ganancias en seguida, una supervaloración del interés individual, una preferencia sistemáticamente otorgada al corto plazo, una desconfianza respecto a todo proyecto colectivo... Sin contar la lógica imparable, el discreto cinismo y las manipulaciones periodísticas que, paradójicamente, pueden, en última instancia, hacer creíble esta versión importada del modelo neoamericano al modelo comunista sobre el cual triunfó.

En todo caso, coincide periodísticamente con la atmósfera de la época. El culto de las ganancias a cualquier precio ofrece la ventaja de la simplicidad brutal y de la claridad, ventaja tanto más poderosa en cuanto que brilla como el único nuevo faro estable en medio de esta especie de niebla de incertidumbre y de confusión donde la pérdida de los valores morales tradicionales ha sumergido a nuestra época.

La legitimación del éxito personal, la mitificación del "vencedor" halagan al individualismo reinante. La prioridad del corto plazo, la actitud de "después de mí, el diluvio", el recurso sin complejos al crédito y al endeudamiento, corresponden bastante bien al hedonismo instantáneo: evidentemente no es en los períodos de desencanto moral o filosófico cuando todos están más pendientes del presente que del futuro, cuando puede ser fácilmente demostrada la necesidad del ahorro o la importancia del largo plazo. En cuanto a la ley de la selva, ¿no es la que perdura, a fin de cuentas, cuando todas las otras "leyes" y toda forma de reglamentación colectiva se encuentran bajo sospecha? Como un retorno al "pedestal de las realidades" tras la quiebra de las ideologías.

En los años ochenta, el éxito del culto a las ganancias se mide por la multiplicación de sus santuarios. Nunca se construyeron tantas *business schools*, cuyos libros sagrados comentan una misma Biblia, simbolizada por *el precio de la excelencia* (InterEditions, 1983). La excelencia, ¿para hacer qué? ¡Ganancias, por Dios! ¿Y ganancias para hacer qué? Sobre todo, no plantee esta pregunta, porque sería inmediatamente expulsado del santuario por haber puesto en duda el primer artículo del nuevo credo: *la finalidad de la ganancia es la ganancia*. Sobre este punto, no se transige. El imperativo categórico es el de separar la cuestión "filosófica" de la finalidad, atrincherarse en el estudio "técnico" de los medios. Esto desemboca a su vez en la nueva síntesis del capitalismo norteamericano: el presente para las ganancias, las ganancias para el presente.

Por lo tanto, con mucha frecuencia rige un sofisma en la enseñanza del sistema económico, erigido en principio rector de la sociedad: lo que tiene éxito es eficaz, lo que es eficaz es verdadero, por lo tanto lo que tiene éxito es verdadero.

Por otra parte, señalemos que actualmente se percibe un reflujo de esas ideas desgajadas y vagamente cínicas, aplaudidas durante los años ochenta. Parece disiparse la ebriedad un tanto efímera de la administración sin sentimientos y de la eficacia demasiado segura de sí misma. Una nueva moda, la de la ética, toma ya el relevo entre los directivos que están al día, marcando los límites del utilitarismo de ayer. Ese nuevo viento también procede de Estados Unidos. Me interesa subrayarlo por dos razones. La primera es que toda idea *made in America* es una idea prevendida, sobre todo en Francia; ahora bien, si este libro tiene un fin, es el de mostrar que actualmente el capitalismo ya no puede contribuir al progreso de la sociedad salvo si se somete a una ética y a unas reglas de derecho internacional. La segunda razón es el hecho de que el pueblo estadounidense, por su parte, se toma la ética en serio, lo que apenas ocurre en los países latinos.

Es una buena excusa para aplaudir de paso, de entre los autores franceses que representan la excepción, al sociólogo Philippe d'Iribarne (*La Logique de l'honneur. Gestion des entreprises et traditions nationales*, Ed. du Seuil, 1989).

## Los encantos de Venus y la virtud de Juno

Este reflujo de las modas de ayer probablemente se ampliará durante los próximos años. No obstante, la atmósfera de la época, la sensibilidad del momento, son aún ampliamente favorables al modelo neoamericano. No se podría decir lo mismo del modelo renano. Tiene en su contra, en casi todos los planos, el ir contra la corriente. El consenso social sobre el que se apoya apenas es compatible con la desindicalización y la crisis generalizada de las instituciones colectivas. Su preocupación por el largo plazo es incompatible, por lo menos en apariencia, con el consumo voraz de lo inmediato. La concepción orgánica y comunitaria de la empresa sobre la que se funda no coincide con el individualismo frenético en boga. La desconfianza que demuestra frente a la especulación bursátil y los planes de ascenso lentos y regulares que ofrece a sus ejecutivos, tienen un rancio olor a moralismo caduco. En cuanto a la protección social y a la seguridad que se jacta de proporcionar a los asalariados, apenas coinciden con el sueño en boga de una existencia heroica y aventurera.

Por lo tanto, el capitalismo renano, si nos atenemos a las apariencias, es más bien como "un viejo actor relegado a pequeños papeles". Le falta *look*. No es ni onírico, ni lúdico, ni excitante. Digamos la palabra exacta: el modelo renano no es *sexy*. Mientras que el modelo neoamericano atrae por sus encantos, semejantes a los de Venus, el modelo renano sólo recuerda la legitimidad ordinariamente virtuosa de Juno. ¿Quién conoce a Juno? ¿A qué gran pintor, a qué gran escultor ha inspirado? ¿Dónde están los profesores de economía que enseñan las lecciones que se pueden extraer del extraordinario éxito económico y social de Alemania? ¿Dónde están los jóvenes políticos que lo presentan como un modelo a sus electores?

Sería erróneo creer que la falta de éxito político y psicológico del capitalismo renano se explica sencillamente por su mala publicidad, o su incompatibilidad con los valores —digamos más bien los "no valores"— de moda. En profundidad, son realidad las corrientes de pensamiento y los valores de los que procede, los que son ampliamente ignorados o discutidos.

También se ignora el papel de la doctrina social de las Iglesias en la elaboración de la "economía social de mercado", que ha aglutinado principalmente la influencia de los católicos de la CDU (Partido Demócrata Cristiano) y la de los protestantes en el SPD (Partido Socialdemócrata). Esta ignorancia es aún más asombrosa dado que, desde Juan XXIII a Juan Pablo II, la autoridad moral del catolicismo se ha fortalecido a medida que la doctrina social de la Iglesia se profundizaba descubriendo y valorizando la función creadora de la empresa. Por otra parte, vale la pena destacar que entre todos los elementos que acercan a los países renanos a Japón hay una analogía profunda, en cuanto a la función comunitaria de la empresa, entre la filosofía confuciana y el pensamiento social de las Iglesias. Pero eso también se ignora. Ello no impide que la "tabla rasa" del poscomunismo llame al cristianismo social a reencontrar un dinamismo y una influencia que, desde hace una generación, en gran medida han sido desterrados de los países renanos.

Se discute la amplia corriente socialdemócrata que, por lo menos en Europa, no es ajena al modelo renano y a la economía social de mercado. Incluso se podría decir, como Pierre Rosanvallon, que lo que en este libro he llamado el modelo renano en el fondo no está muy lejos de lo que sería una nueva perspectiva, modernizada y puesta al día, del ideario social-demócrata. Ahora bien, la socialdemocracia, de la que los países escandinavos —Suecia sobre todo— son la mejor ilustración, se encuentra, en el plano de las ideas, en un retroceso acelerado. Realmente, ha perdido mucha vitalidad desde hace unos veinte años, dejándose lastrar hacia una especie de laborismo burocrático y perezoso. Un director de fábrica sueco, a quien un visitante preguntaba "¿Cuántas personas trabajan aquí?", dio esta respuesta: "Apenas la mitad". De ahí las tasas de impuestos, de inflación y de inversiones incompatibles con las exigencias de la competencia europea.

Los suecos lo han comprendido. A su manera, han emprendido desde fines de los años ochenta la tarea de restablecer sus grandes equilibrios económicos, un poco siguiendo el precedente de otros socialistas europeos: Benito Craxi en Italia, Felipe González en España, Mario Soares en Portugal y, sobre todo, François Mitterrand en Francia.

La socialdemocracia escandinava, ¿se recuperará? Es menos seguro, dado que ha sufrido más gravemente el gran reflujo, o incluso el hundimiento, del socialismo estatal.

## Un gran vacío en el Este

No me extenderé aquí sobre lo que François Furet llamó "el enigma de la disgregación del comunismo" (notas de la Fundación Saint-Simon de octubre de 1990), ese extraordinario —e imprevisible— sismo ideológico del que aún no hemos evaluado todas las consecuencias. Es por otra parte esa disgregación, yo lo subrayaba al comienzo de este libro, la que deja peligrosamente al capitalismo frente a sí mismo. Es por lo tanto la que, finalmente, justifica la reflexión que me esfuerzo en llevar a cabo en estas páginas. El fin del comunismo y del enfrentamiento Este-Oeste no marca solamente el triunfo de un sistema (liberal) sobre otro (estatal). Este naufragio arrastra consigo, como un gigantesco torbellino, todo un sistema de ideas, de reflejos, de sensibilidades, de análisis que no merecían siempre desaparecer sin dejar rastro. A largo plazo, claro, la historia discernirá. Pero se debe reconocer que ese juicio aún no está hecho.

Al contrario. Ese gran vacío súbitamente abierto en el Este nos recuerda un poco como si un cargamento, cuyas ataduras se hubieran soltado, se precipitara violentamente sobre un lado del barco-mundo, inclinándolo sobre un costado. Realmente no es sólo el comunismo en su versión estalinista o burocrática lo que se encuentra irremediablemente comprometido por este fracaso histórico. Es poco a poco, e injustamente, todo lo que se relacionaba directa o indirectamente con el ideal socialista, reformador o simplemente social.

Es necesario medir bien la potencia irresistible de esta descalificación que, por el momento, no omite detalles. En los países de Europa del Este, e incluso en la Unión Soviética, algunas palabras del vocabulario corriente están actualmente tan desgastadas, comprometidas por su alistamiento bajo la bandera del comunismo, que ya nadie acepta utilizarlas. Esto ocurre con las palabras "partido", "colectivo", "trabajadores", etc. Por esta razón, la mayoría de los nuevos partidos creados en Europa del Este han preferido llamarse "fórum" (Checoslovaquia), "alianza" (Hungría), "unión" (Polonia). Y buscaríamos en vano en la nueva prensa democrática húngara o checa la menor alusión a las palabras de ayer —"trabajadores", "plan", "objetivos estratégicos"—, que han sido desechadas con el sistema mismo.

En los países del Oeste, claro, no ocurre este fenómeno relativo al vocabulario. Pero respecto de las ideas, no es tan seguro que las consecuencias del naufragio comunista sean fundamentalmente diferentes. Nociones como la reducción de las desigualdades, realidades como el sindicalismo, aspiraciones como la disciplina colectiva, instituciones como el Plan o incluso la forma impositiva directa, referencias como la socialdemocracia, todas se encuentran marcadas insidiosamente con el signo "menos". No verdaderamente desacreditadas en el sentido exacto del término, sino consideradas más o menos sospechosas. Por lo tanto, el "gran vacío" ha creado, hasta entre nosotros, un gran vacío en la izquierda y en el centro-izquierda en lo que se podría llamar la dialéctica de las ideas.

Desde este punto de vista, la vida política europea ha sufrido un ataque de hemiplejía. Un hemisferio se encuentra afectado por desfallecimientos fatales (el izquierdo). El fenómeno no deja de recordarnos, pero al revés, lo que pasó al día siguiente de la Liberación en Francia. A causa del compromiso de una parte de la derecha francesa con Vichy y el colaboracionismo, toda una sensibilidad política, cultural, e incluso literaria, se encontró durante mucho tiempo descalificada. Y la izquierda gozó, durante cerca de treinta años, de un monopolio de hecho en la cultura y en la universidad.

Hoy, es la sensibilidad de izquierda —e incluso de centro— la que se encuentra huérfana, castigada, privada de sus referencias y de sus certezas. Lanzada, en suma, hacia las tinieblas del fracaso histórico. Francia no es la única en verse afectada por este fenómeno. El centro de gravedad política en Europa se ha desplazado hoy hacia el conservadurismo, confeso o no.

El modelo neoamericano, que participa de una versión pura y dura del capitalismo, saca naturalmente provecho de esa formidable entrada de aire a su favor. El modelo renano, por el contrario, impregnado de ideas sociales, primo cercano de la socialdemocracia, choca de frente con las nuevas sensibilidades ultraliberales.

A esto se añade que el primero se presenta como riguroso, transparente, intransigente, verdaderamente profesional; el otro, por el contrario, se ve complicado, un poco blando, opaco, si no oscuro y confuso, y para colmo sumido en una especie de amateurismo bien intencionado, mezclando las exigencias sociales con los apremios financieros, las herencias del pasado con las impaciencias ante el futuro. Se comprende que no "pase". Y, sin embargo, no está lejos el día en que la ruptura entre los nuevos ricos y los nuevos pobres, que caracteriza hoy a la sociedad estadounidense, se reflejará en gran escala y con una violencia incomparable en los países del Este. Entonces, como se comienza a ver en Polonia, habrá que comenzar a interesarse en ese "capitalismo de rostro humano" que es, en resumen lo que intento designar aquí de forma aproximada como el modelo renano.

Por lo tanto, el éxito psicológico, periodístico y político del capitalismo norteamericano no es tan paradójico como se podría pensar a primera vista. Pero conlleva efectos perversos que no siempre se perciben bien. En efecto, cuando se exporta, cuando "atraviesa el Atlántico" para infiltrarse en el modelo renano, seducir a Gran Bretaña o hacer soñar a Francia, el capitalismo estadounidense *no lleva en su equipaje sus propios antídotos*. Esos mismos que funcionan, poco o mucho, en Estados Unidos, y que corrigen los excesos de la "ley de la selva": legalismo meticuloso, sentido moral de inspiración religiosa, sentido cívico y espíritu asociativo, etcétera.

En Europa, o en cualquier país del hemisferio sur, el fondo del paisaje cultural es diferente del de Estados Unidos. Los diversos frenos, contrapesos, correctivos, que son observables en Estados Unidos, no existen, o no funcionan de la misma manera. La versión "exportada" del capitalismo norteamericano, la que veneran un poco distraídamente los ultraliberales europeos, se revela allí, por lo tanto, más dura, menos equilibrada, más "selvática" que en la versión original. Aplicada sin precauciones, es equivalente de un remedio muy fuerte que se pretendiera utilizar sin disponer de los antídotos que corrigen sus excesos. Los países de Europa del Este corren el riesgo de experimentarlo con una trasposición demasiado brusca.

## ¡Vivan las multinacionales!

Sin embargo, hay una excepción de importancia en la nueva tendencia que quiere que sea el modelo menos eficiente el que venza. Se trata de las grandes compañías multinacionales. Es paradójico, pero es así. ¿Qué hay más estadounidense que American Express, Coca-Cola, Citicorp, Colgate, Ford, IBM o McDonald's? A priori, estas empresas son la expresión misma del modelo americano. Pero, visto más de cerca, es muy diferente: las grandes multinacionales estadounidenses son atípicas en relación con el modelo neoamericano en dos puntos esenciales.

Por una parte, esas empresas se han desarrollado fundamentalmente por crecimiento interno, sobre un proyecto industrial llevado a cabo por medio de la innovación tecnológica o comercial. Por lo tanto, no han dejado de razonar a largo plazo. Son ellas las que inventaron la planificación de empresa, y sus éxitos los que la inscribieron en los programas de las *business schools*.

Por otra parte, para poder desarrollarse en todos los continentes, esas empresas se vieron obligadas a reclutar su personal en numerosos países, y a formarlo en una cultura de empresa y en un concepto de comercialización coherentes. Eso no se hace de un día para otro. Esta es la razón por la que las multinacionales están obligadas a situar, en lo esencial, sus políticas de relaciones humanas fuera del mercado laboral, a proporcionar a su personal una formación permanente y asegurarle una verdadera trayectoria profesional.

Por estas dos razones, *las grandes multinacionales corresponden más bien al modelo renano que al modelo neoamericano.*

Miremos ahora el caso de las multinacionales de origen europeo, las AAB, Bayer, Nestlé, L'Oreal, Schlumberger o Shell, por ejemplo. Se caracterizan, sin duda aún más que las multinacionales estadounidenses, por los mismos rasgos.

Al respecto, el caso de Shell merece una mención particular por tres razones: en primer lugar, esta empresa "normalmente" debería haber sido una especie de minusválida de nacimiento, pues estaba dividida en un 40 % y 60 % entre los intereses ingleses y holandeses; ahora bien, un equilibrio financiero de ese tipo se considera habitualmente como un factor de impotencia. Sin embargo, la Shell se elevó al primer rango de las ganancias mundiales, y en gran medida gracias al gran acierto de su previsión económica: yo he podido constatar que, varios años antes de lo previsto, los economistas de Shell fueron probablemente los únicos que supieron prever la crisis del petróleo y convencer a los dirigentes para construir su estrategia en base a esta previsión. Por último, aunque de origen europeo, la Shell siempre ha practicado un código ético particularmente exigente y aceptado por su personal.

El conjunto de las otras compañías citadas presenta al menos dos rasgos comunes, que abren para el futuro las perspectivas de una síntesis entre los dos modelos de capitalismo.

En primer lugar, todas esas compañías, por antiguas, por poderosas que sean, escapan a la ley universal de la biología de las organizaciones que quiere que cuanto más grande se es, más viejo se es, y más se corre el riesgo de dejarse entorpecer por el parasitismo burocrático de los estados mayores confiados y la desmotivación de los empleados de las "grandes oficinas ricas".

¿Por qué las grandes multinacionales son la excepción a esta regla? Porque al cotizar en Bolsa son, a pesar de su poder, dependientes del mercado financiero, ese despiadado campo de pruebas de los campeones, ese incomparable guardián de las formas olímpicas; más aún, cuanto más poderosas son, más se desarrollan y más grandes son sus necesidades de invertir y, por lo tanto, de recurrir a ampliaciones de capital en la Bolsa, lo que supone que sus accionistas estén satisfechos.

En segundo lugar, si bien las grandes multinacionales son *dependientes* del mercado financiero, no están *sometidas* a sus caprichos: su capital siempre está ampliamente repartido; ningún accionista posee una parte tan amplia que le otorgue un poder particular. Y, sobre todo, la dimensión financiera de esas grandes multinacionales es tal que las protege contra toda incursión exterior, toda OPA hostil. En principio, esta situación prosigue al menos tanto tiempo como su rentabilidad se mantenga y sus distribuciones de dividendos aumenten.

Así aguijoneadas diariamente por las exigencias normales del mercado, pero impávidas frente a sus agitaciones arbitrarias, pueden —y deben— dedicar todas sus fuerzas a desarrollar, cada una, a largo plazo, su estrategia industrial e intercontinental propia, obra común de las elites que ellas valoran y federalizan en todas partes del mundo. Es incluso en la medida en que saben hacerse verdaderamente multiculturales que cumplen un real desarrollo multinacional. Mientras que el modelo renano tiende a subestimar los valores estimulantes del mercado financiero, las multinacionales europeas le rinden el homenaje de sus propios éxitos.

Por esas diferentes razones, ya sean de origen estadounidense o europeo, las grandes multinacionales nos ofrecen la imagen de una especie de síntesis óptima, que supera a la vez los riesgos del proteccionismo contenidos en el capitalismo renano y los peligros de adicción financiera del capitalismo neoamericano.

## Capítulo 10

## LA SEGUNDA LECCION DE ALEMANIA

Recordemos la primera "lección" de Alemania: esa alianza paradójica ejemplar entre *rendimiento* y *solidaridad* caracteriza a la economía social de mercado (capítulos 5 y 6). Sin embargo, hay que confesarlo, esta lección apenas se ha comprendido, y ni siquiera enseñado. Al contrario, hacia fines de los años ochenta, Alemania era cada vez más criticada por su política coyuntural, lo que borraba las virtudes de su modelo: el árbol no dejaba ver el bosque.

Estas críticas fueron barridas, en 1990, por la reunificación llevada a cabo decididamente por el canciller Helmut Kohl. Quizá jamás en la historia se había lanzado un desafío tan grande de realizaciones económicas a la solidaridad política y social. Al atreverse a aceptar ese desafío, la Alemania del modelo renano se compromete en una experiencia extraordinariamente ejemplar, a escala europea e incluso mundial.

## El *chivo expiatorio de la euroesclerosis*

Durante los años ochenta, en la época flamante del reaganismo-thatcherismo, el modelo alemán no tenía verdaderamente mucho éxito. Se tendía a ver en él una vieja mecánica sin gran futuro, cuya frivolidad y tradicionalismo perjudicaban a los compañeros europeos de la RFA. Más concretamente, se le hacían dos clases de reproches.

1. Se lo hacía responsable de los desfallecimientos que sufría la economía europea, la famosa euroesclerosis. Desde el primer trauma petrolero de 1974, Europa no lograba recuperar el ritmo de crecimiento que había tenido después de 1945, a lo largo de los "Treinta Gloriosos". En realidad, las tasas de crecimiento de las economías europeas estaban en

líneas generales reducidas a la mitad. Por el contrario, estadounidenses y japoneses no habían sufrido una ruptura semejante. Sus economías continuaban creciendo, a un ritmo, es cierto, ligeramente inferior, pero sin embargo similar. Exceptuando los años inmediatamente posteriores a las dos alzas petroleras, el ritmo del empleo era, por lo demás, satisfactorio, y mejoraba incluso brillantemente en Estados Unidos.

En esa Europa que parecía condenada al estancamiento, la euroesclerosis física adquiría un carácter psicosomático que se designaba corrientemente en esa época con la palabra *europesimismo*.

Destino inevitable de las naciones que envejecen, peso excesivo y presiones paralizantes de la protección social, falta de dinamismo por parte de los trabajadores y de las elites: todas estas explicaciones generales se formulaban a partir de una acusación más específica contra Alemania. Desde luego, se le reprochaba que ya no representara el papel de locomotora económica dentro de la Comunidad. Los alemanes, se decía, se burlan de la suerte de sus vecinos, y se contentan con una tasa de crecimiento del orden del 2 % anual, suficiente para asegurar su prosperidad.

Había dos razones para eso: en primer lugar, Alemania se enfrentaba a un descenso demográfico que hacía menos necesario un crecimiento sostenido. La proporción de las personas de más de 65 años era allí, como en Suecia, la más alta del mundo occidental. Por otra parte, las previsiones demográficas mostraban que esta proporción superaría el 25 % hacia el año 2030. Esta situación significa menos empleos que crear, menos infraestructuras que construir (guarderías infantiles, escuelas, universidades, viviendas...), menos necesidades nuevas que satisfacer. ¿Para qué, en esas condiciones, empecinarse en mantener un crecimiento elevado?

En comparación, Francia se encontraba, por su parte, enfrentada a la necesidad de recibir a las generaciones del *baby boom*. Por lo tanto, debía perseguir los puntos de crecimiento suplementario que permitirían crear empleos, financiar los equipamientos indispensables, proveer, en suma, a todos esos hijos de la explosión demográfica que fueron los artesanos de Mayo del '68, ¡el acceso a la sociedad de consumo!

## ¡Por fin, la moneda fuerte!

Desde esa perspectiva, la disminución del ritmo económico, consecuencia del descenso demográfico, parecía agravada, de alguna manera, por una voluntad feroz de respetar una estricta ortodoxia financiera. Los alemanes, como sabemos, han heredado históricamente un justificado horror por la inflación, fuente de todas sus desgracias de antes de la guerra y parcialmente responsable del advenimiento del nazismo. Los estatutos del Bundesbank, surgidos de la reforma monetaria de 1948, obligan, por lo demás, a las autoridades financieras a asegurar la estabilidad del marco. Y también, el malestar del fracaso de fines de los años setenta estaba todavía presente en todas las mentes de Alemania. En esa época, los alemanes habían cedido a las peticiones de sus compañeros occidentales, que los instaban a representar el papel de locomotora. Resultado: se habían encontrado "en números rojos".

Por último, Alemania quería conservar una moneda fuerte para aprovechar el "círculo virtuoso" que describí en el capítulo 6. Esta política exige dar a corto plazo la prioridad a los grandes equilibrios financieros sobre el crecimiento económico, para poder consolidar éste a mediano plazo. El objetivo principal es frenar la inflación y mantener la estabilidad del marco alemán, limitar el déficit presupuestario y elevar si es necesario las tasas de interés. Una disciplina draconiana, pero de la que los alemanes continúan sacando provecho.

Se los acusaba entonces de practicar una política de moneda fuerte a causa de su *debilidad demográfica*. Los viejos residuos del keynesianismo que perduraban en el continente, y que se disimulaban en el Reino Unido detrás de las falsas virtudes monetaristas del thatcherismo, aún lograban hacer creer que el dinamismo económico requiere cierta tolerancia monetaria. Esta crítica era particularmente popular entre los compañeros europeos, quienes, por su parte, se encontraban en lucha con un desempleo importante y una demografía más exigente en términos de empleo. En efecto, por la vía indirecta del Sistema Monetario Europeo (SME), el rigor alemán se propagó dentro de la CEE. En un sistema de cambios fijos, como ya hemos visto, donde la libertad de circulación de los capitales es total, las políticas monetarias no podrían ser independientes. Ningún país puede, en este contexto, apartarse duraderamente de la tendencia general en materia de tasas de interés. Si baja unilateralmente sus tasas, los capitales emigran hacia inversiones más rentables y, en consecuencia, su moneda bajará en relación con las otras. Por lo tanto, los impulsos y las opciones monetarias del país más poderoso, que posee la moneda guía, se transmitían a otros países miembro del SME. Por medio de las tasas de interés, la ortodoxia alemana se imponía así a sus vecinos.

En esa época, algunos de los compañeros de Alemania estigmatizaban su intransigencia y le reprochaban el acumular excedentes comerciales y utilizar su potencia monetaria para "dictarles su ley".

Pero esas críticas se atenuaron a medida que los mismos países, tradicionalmente inflacionistas, midieron los progresos que la disciplina del SME permitían cumplir a sus economías. Esos progresos fueron particularmente sorprendentes en los países latinos gobernados por socialistas: Francia, Italia, España, Portugal. Entre los socialistas, la prensa anglosajona designó a menudo al ministro francés de Economía y Finanzas, Pierre Bérégovoy, como el hombre símbolo del franco fuerte. ¡Por fin!

2. El segundo reproche que se hacía a Alemania se refería al mismo modelo alemán. La inmovilidad de las estructuras industriales y financieras, por ejemplo, era severamente criticada, especialmente por todos aquellos a los que fascinaba el modelo neoamericano, con su fiebre de OPA, sus golpes bursátiles, sus sueños en todas direcciones y sus reestructuraciones sin contemplaciones.

A sus ojos, el modelo alemán ya no resistía la comparación. Su mercado financiero era estrecho y languideciente; sus grupos industriales eran prisioneros de un capital encerrado demasiado temerosamente. En cuanto a la economía social de mercado, responsable de esta inmovilidad, se la juzgaba como anacrónica. Algunos llegaban hasta a predecir un retroceso inevitable de la economía alemana y un debilitamiento de sus empresas. Yo conservo un vivo recuerdo de esa corriente de pensamiento. El caso es que yo presido en París el CEPII (Centro de Estudios Prospectivos y de Informaciones Internacionales), que, gracias a sus equipos y a una serie de notables directores, es considerado a menudo —especialmente en Estados Unidos— como uno de los mejores institutos de su categoría. Ahora bien, en octubre de 1981 la revista científica del CEPII publicó un artículo cuyo título hace hoy sonreír: "La desindustrialización en el corazón del modelo alemán".

En suma, los alemanes eran presentados como rentistas sentados sobre sus excedentes, y únicamente preocupados por aprovechar de forma egoísta sus riquezas. El consumo per cápita era, en 1985, *el más alto de Europa*, con 8000 dólares anuales. La tasa de ahorro, a diferencia de lo que pasaba en todos los otros países, tenía tendencia a aumentar. La balanza comercial, por su parte, iba de récord en récord, y registraba en 1988 un excedente de 130 mil millones de marcos.

Es esta Alemania tranquila y satisfecha de sus éxitos y su comodidad la que recibió la reunificación como un electrochoque.

## El electrochoque de la reunificación

Nadie imaginaba que la RFA reaccionaría de modo tan rápido y enérgico al doble desafío, político y económico, de la caída del Muro de Berlín. Para medir la amplitud de este desafío, es preciso recordar las inquietudes y los interrogantes que suscitó, al comienzo, el tema de la reunificación.

En el plano interior, y pasado el primer momento de pura exaltación patriótica, muchos alemanes del Oeste temieron que sus primos del Este les costaran muy caros y amenazaran, a fin de cuentas, su modo de vida. ¿Qué iba a ser del sistema de seguridad social, tan generoso como eficaz? Se dibujaba ya una reacción de desconfianza, frente a los 700.000 refugiados llegados del Este en algunas semanas.

También se temían las consecuencias políticas de esta reunificación. En efecto, numerosas incertidumbres pesaban sobre la configuración política de la futura Alemania. ¿La reunificación deseada por Helmut Kohl no corría el riesgo de volverse contra su propio partido? Los demócrata cristianos estaban tan lejos de estar seguros de mantenerse en el poder en una Alemania reunificada, que todos los sondeos consideran a los socialdemócratas como los principales beneficiarios de la operación. ¡Hubo incluso un momento, durante el verano de 1990, en que la reunificación era más popular... en Francia que en la RFA!

En el plano internacional, las incertidumbres y las inquietudes no eran menos numerosas. Los alemanes eran perfectamente conscientes del trastorno muy profundo que podía suscitar entre sus compañeros europeos la perspectiva de una Comunidad dominada por el nuevo gigante del otro lado del Rin, y sus ochenta millones de habitantes.

Es verdad que todo el equilibrio europeo de la posguerra descansaba sobre la partición de Yalta y la división de Alemania, potencia vencida. La existencia de los dos Estados alemanes garantizaba la situación nacida de la oposición de los bloques, especialmente en el plano militar. En el terreno nuclear, los arsenales estratégicos desmesurados de los dos grandes, la famosa "paridad", real o supuesta, aseguraba el equilibrio del terror. Y, en el teatro europeo, los misiles de medio alcance (Pershing por un lado, SS 20 por el otro) arraigaban la doctrina de la disuasión en el mismo suelo de la vieja Europa. Los europeos, en suma, podían destruirse ellos mismos, a partir de sus propios países. En materia de armamento convencional, las tropas de la OTAN y las del Pacto de Varsovia estaban entrenadas y equiparadas para una guerra en el centro de Europa. Los dos campos alineaban hombres, blindados, aviones y piezas de artillería en número lo bastante importante, por ambos lados, como para dejar planear la amenaza de un choque titánico, amenaza también disuasiva.

Los alemanes, en todos los casos, se sentían sumamente afectados por un eventual conflicto. En primer lugar, porque éste se desarrollaría fatalmente en su territorio; después, porque los dos ejércitos alemanes, los de la RFA y los de la RDA, estaban en primera línea. Esta es la causa del impulso creciente del movimiento pacifista en la RFA, así como de ese "nacionalpacifismo" alemán que constituirá de alguna manera la réplica, el equivalente militar del "egoísmo" económico que he mencionado anteriormente.

Es este equilibrio relativamente tranquilizador el que corría el riesgo de verse trastornado por la reunificación. Y uno se preguntaba con cierta inquietud lo que sucedería con los bloques, la estrategia militar, los ejércitos y los arsenales. La reunificación, en suma, se percibía como un trastorno, y hasta como una amenaza. En cuanto a la actitud futura de la nueva Alemania reunificada, tampoco dejaba de ser inquietante. ¿De qué lado se decantaría? ¿No estaba a la vez atada al Oeste por su régimen

capitalista, e irresistiblemente atraída hacia el Este, por *vía de la Ostpolitik* *
decidida por Willy Brandt a comienzos de los años setenta?

Pero los temores de los socios de Alemania no eran menos fundados en
materia económica. El recuerdo de la *Gross Deutschland* ** sembraba el te-
mor en Bruselas, y cada país europeo reaccionaba ya a su manera. Los
ingleses estrechando sus vínculos con los primos de Estados Unidos, y
soñando con una nueva *entente cordiale*\***. Los franceses evocando el recuerdo de la vieja política franco-rusa para constituir una alianza defensiva.

Es cierto que numerosos obstáculos económicos parecían erguirse en
la ruta de la reunificación. En primer lugar, su costo previsible, estimado
por H. Siebert entre 600 mil millones y 1 billón doscientos mil millones
de marcos, parecía enorme, incluso para un país como la RFA. Pero estaban sobre todo las consecuencias macroeconómicas que podían temerse
legítimamente. El financiamiento de la reunificación exigiría un esfuerzo
masivo a los mercados financieros, lo que en un contexto marcado por la
disminución del ahorro y del aumento de las necesidades de capital pro-
vocaría nuevas tensiones en las tasas de interés. Esta gigantesca sangría
operada en los mercados por los alemanes conllevaba el riesgo de desviar
los capitales extranjeros, disuadiéndolos de invertir en otros países menos prestigiosos y otras condiciones menos seguras.

Por otra parte, el recalentamiento de la economía alemana, provocado
por el aumento de la demanda causado por los ciudadanos de la ex RDA,
podía originar la aparición de la inflación. Ahora bien, la economía
mundial está poblada por tensiones inflacionistas persistentes. Los déficit
vertiginosos de Estados Unidos, el volumen de las liquideces en circulación
y el alto nivel de las tasas de utilización de las capacidades de producción
son los responsables. Estoy persuadido, desde mediados de los años
ochenta, de que la economía de los países desarrollados ya no corre el
riesgo de volver a caer de forma duradera en un estado de fuerte inflación (del 10 % en adelante). La propagación de sus efectos, en la época
de la informatización global de los mercados en tiempo actual, sería tan
terrible para la competitividad de las empresas que inmediatamente se
aplicarían las contramedidas restrictivas. Pero muchos, que no comparten
este pronóstico, ven en la reunificación algo parecido a una chispa que
amenaza con prender fuego a la mecha del "barril de precios".

Por último en el plano social podríamos interrogarnos sobre cómo se
reabsorberían las inmensas desigualdades existentes entre la RDA y la RFA.

* "Política del Este". Se refiere a los tratados firmados con países del Este por Willy
Brandt. [T.]

** Gran Alemania. [T.]

\*** "Acuerdo cordial", pero históricamente es conocido en todo el mundo como la
*entente cordiale* el acuerdo firmado en 1904 entre Francia e Inglaterra, al que hace
referencia el texto. [T.]

En efecto, los salarios brutos per cápita eran tres veces más bajos en la RDA. ¿Esa diferencia no era, en sí, explosiva? Aún más, por otra parte, dado que el abanico de los precios era totalmente diferente en las dos partes de Alemania. Algunos precios corrientes (pan, patatas, alquileres y transportes) eran cinco veces más bajos en la RDA. Otros, en cambio, como los de los bienes duraderos (televisores, neveras, ordenadores personales) eran de dos a diez veces superiores. Los alemanes del Este tendrían, por lo tanto, muchas dificultades para satisfacer, como antes, sus necesidades esenciales, y no podrían, al mismo tiempo, acceder a las delicias de la sociedad de consumo. Todo estaba —y está— cargado de amenazas.

Otras dificultades, menos aritméticas, se anunciaban, y nadie pensaba en minimizarlas: son las procedentes de las diferencias culturales entre las dos Alemanias. Diversos estudios y sondeos realizados a fines de 1990 mostraban que cuarenta años de vida separada habían forjado mentalidades, sensibilidades, modos de vida diferentes. En el plano religioso, por ejemplo, se comprobaba que solamente el 7 % de los adultos de la RFA se declaraban ateos, ante el 66 % en la antigua RDA. De manera más general, algunos términos o conceptos utilizados en el Oeste simplemente no eran comprendidos en el Este. Las agencias de publicidad iban a comprobarlo con gran pesar.

La suma de todos estos problemas da la medida de la increíble dificultad del desafío ante el que se encontraba Alemania. Realmente, pocos países se habrían atrevido a aceptarlo y afrontarlo con tanta energía. Muchos habrían sido tentados por un enfoque más gradual y progresivo de los problemas. Muchos se habrían sentido paralizados por la preocupación de no levantar un temporal, de no provocar inquietudes o confusiones demasiado peligrosas. El riesgo de estancamiento, entonces, habría sido todavía mayor, dado que toda la reunificación descansaba en su aceptación por la URSS. Por lo tanto, era necesario apresurarse a hacerla irreversible, antes de que una involución peligrosa —siempre posible— se produjera en Moscú, ocasionando un nuevo enfriamiento. Las dificultades afrontadas por los partidarios de Mijail Gorbachov a fines de 1990 han demostrado que esos temores no eran infundados. Los alemanes tuvieron razón en apresurarse.

## La admirable audacia de Helmut Kohl

Esa fue la elección deliberada del canciller Kohl, haciendo lo contrario de lo que esperaba todo el mundo. Una política marcada por la audacia y la rapidez, que permitió al gobierno alemán hacer saltar todos los cerrojos.

El primer obstáculo, el que se refería al contexto internacional, fue vencido inmediatamente. En efecto, la Alemania unida se apresuró a dar a conocer que seguiría siendo miembro activo de la OTAN, sin que los soviéticos, tomados por sorpresa, estuvieran en condiciones de oponer a esa decisión alguna resistencia, aunque sólo fuera simbólica. Helmut Kohl obtuvo al mismo tiempo —mediante financiación, es verdad— que las divisiones del Ejército Rojo presentes en la ex RDA programasen su salida del país, sin pérdidas ni ruido, según un calendario preciso. Esto le costará 12 mil millones de marcos a Alemania, lo que no es demasiado caro para este tipo de "liberación" militar. El marco, en suma, ha vencido a los tanques y a los cañones.

En cuanto a las reticencias europeas, fueron aplacadas en un tiempo récord. Los socios de la RFA fueron literalmente golpeados por la rapidez fulgurante de un movimiento que ellos eran incapaces de controlar, y cuyo verdadero organizador estaba en Bonn. Ciertamente, la diplomacia alemana dedicó todos sus esfuerzos a disipar los temores —especialmente franceses—, remarcando solemnemente su adhesión a la Comunidad. La obsesión del regreso de la "gran Alemania", que había hecho correr tanta tinta y saliva, se encontró rápidamente conjurada.

En el plano interno, los adversarios políticos de Helmut Kohl que tenían esperanzas electorales en la reunificación no lograron ningún resultado. Sufrieron una cruel derrota política en ocasión de las primeras elecciones organizadas en la ex RDA, mientras perdían terreno en el Oeste. La coalición cristiano-liberal ganó muy ampliamente en ambos escrutinios, dando a los partidos en el poder una cómoda mayoría.

A la audacia de Helmut Kohl, se sumaba un esfuerzo de solidaridad sin precedentes por parte de las autoridades de la RFA. La carga que pesaba sobre las finanzas públicas (presupuesto federal, los Länder y organismos de seguridad social) era realmente muy pesada. Los cálculos razonables estiman un gasto de 120 mil millones de marcos por año durante cinco años, o sea un total de 600 mil millones. Una parte de esta suma será cubierta por un "fondo para la unidad alemana", dotado con 115 mil millones de marcos. Esta suma equivale más o menos a las inversiones en el extranjero anuales de la RFA. Dicho de otra manera, digamos que representa un poco menos de la mitad del ahorro total de los hogares. Es, por lo tanto, un esfuerzo considerable el que se pedirá a los contribuyentes, salvo si se hubiera recurrido decididamente al préstamo, recurso cuyas consecuencias podrían haber sido peligrosas (aumento de la carga de la deuda, que corría el riesgo de alcanzar los 100 mil millones de marcos por año; alza de las tasas de interés; absorción de los capitales internacionales, etc.).

Esta hipótesis ahora está superada. Es cierto que, durante la campaña electoral, el canciller Kohl no había podido evitar el dar a entender que la reunificación podría realizarse sin ningún aumento en los impuestos. Se ve aquí hasta qué punto influye el postulado básico del neocapitalismo estadounidense: esa psicosis antitributaria, nacida en California en la época de los *hippies*, ejerce su contagio en el mundo, incluso en la RFA, país señero del modelo opuesto; incluso en el momento del gran impulso patriótico de la reunificación, contra toda verosimilitud, el canciller Kohl se vio obligado a someterse a esta psicosis antifiscal. Sin embargo, desde comienzos de 1991, no ha podido dejar de pedir al Parlamento considerables aumentos en los impuestos.

Se calcula que, en 1991, las transferencias de fondos públicos del Oeste hacia el Este se elevarán hasta alcanzar aproximadamente 150 mil millones de marcos, o sea más de 500 mil millones de francos, ¡casi el equivalente de lo que los franceses dedican, en total, a sus gastos de salud! O dicho de otra manera, más del triple del volumen del impuesto sobre la renta en Francia. Es decir, ese esfuerzo presupuestario es enorme, e incluso sin precedentes.

Pero es excepcional por otra razón: mientras más o menos en todo el mundo, las desigualdades, como hemos visto, aumentan de nuevo como en el siglo XIX, la época del capitalismo "salvaje", hay un solo lugar donde la mayor prioridad, por costosa que sea, es la reducción de las desigualdades entre los habitantes.

FUENTE: Plantu, *C'est la lutte finale*, La Découverte/Le Monde, 1990, pág. 135.

La reunificación no se paga solamente con fondos públicos. El sector privado participa en la operación, gracias a los numerosos acuerdos de cooperación entre las grandes firmas o PME del Oeste alemán y empresas de la ex RDA. Cooperación aún más necesaria, dado que la apertura de las empresas alemanas del Este a la competencia y a la "realidad del mercado" ha precipitado a muchas de ellas hacia la quiebra. El Treuhandanstalt, que ha tomado a su cargo a todas las empresas alemanas del Este a fin de privatizarlas, les garantizó préstamos por un importe total de 55 mil millones de marcos en 1990. Es digno de señalar que por lo menos la mitad de esos préstamos no tienen la menor posibilidad de ser recuperados. En conjunto, el esfuerzo que requiere la "equipación" del nuevo sector privado de la ex RDA exigirá inversiones enormes, de las que deberán hacerse cargo las empresas del Oeste.

## ¿Mezzogiorno* o quinto dragón?

Este esfuerzo financiero sin precedentes aceptado por Alemania para rescatar a toda costa a este "tercero separado" de sí misma, que estaba literalmente en quiebra, es un testimonio indudable de una audacia admirable y una gran generosidad. Pero Alemania no ignora que ese esfuerzo tendrá su recíproca compensación, y que la absorción de la ex RDA le valdrá un aumento espectacular de crecimiento. Beneficio muy bien acogido en este período de disminución del ritmo económico general. Es cierto que resulta difícil evaluar desde el presente las consecuencias de la reunificación a medio y largo plazo sobre la economía alemana. Pero por lo menos podemos aventurarnos a elaborar algunos esbozos de guiones posibles y verosímiles. El Centro de Estudios Prospectivos y de Informaciones Internacionales considera dos posibilidades para los próximos cinco años.

1. Un primer guión, al que denomina "quinto dragón", como referencia a los cuatro dragones asiáticos. Es el guión más optimista, que supone un crecimiento espectacular en la antigua RDA. Se basa en tres hipótesis. Primero, un aumento moderado de los salarios en la ex RDA, que en 1995 los llevaría al 75 % en comparación con la RFA (ante el 30 % en 1990, y el 50 % en 1991). Después, un volumen de inversiones en la ex RDA que representaría 110 mil millones de marcos anuales hasta 1995. Por último, una tasa de penetración de los productos extranjeros equivalente al 40 %, y una disminución progresiva de la emigración de los ciudadanos de la ex RDA, que pasaría de las 300.000 personas en 1990 a 50.000 en 1995.

* En italiano, Mediodía. [T.]

Si estas hipótesis se cumplieran, los resultados de la reunificación serían espectaculares. Su crecimiento medio alcanzaría el 3,7 % anual en seis años (de 1990 a 1995). La tasa de inflación se mantendría invariable. La tasa de desempleo sería inferior al 8 % de la población activa en 1995. En cuanto a la balanza de pagos, registraría siempre un notable excedente, que representaría aproximadamente el 2,7 % del PIB.

Además —y éste es uno de los puntos más interesantes— las desigualdades entre las dos partes de Alemania se borrarían progresivamente, el desempleo sólo afectaría al 11,8 % en la ex RDA y el saldo de la balanza de pagos solamente sería negativo en un 1,2 % del PIB.

Hay que destacar finalmente que en este guión el dinamismo alemán entraña consecuencias favorables para el conjunto de las economías de la OCDE, tanto en el aspecto de crecimiento económico como en el de control de la inflación, del déficit presupuestario y de la balanza de pagos. Desde el primer trimestre de 1991, las ventas de automóviles franceses han descendido un 20 % en Francia y han aumentado un 40 % en Alemania. Es el guión de la inteligencia, del largo plazo y de la paciencia.

2. El segundo guión ha sido bautizado como *Mezzogiorno*, en referencia al sur de Italia, que, a pesar de los esfuerzos del gobierno italiano, continúa registrando un retraso considerable en relación con el norte. Las hipótesis consideradas por este guión son las siguientes: el crecimiento de los salarios en la ex RDA es claramente más rápido, puesto que éstos alcanzan el 90 % de los de la RFA en 1995. Aquí está la diferencia esencial: es el guión de la impaciencia y del "sólo hay que...", que rehúsa atender a razones. Dos consecuencias inmediatas: las inversiones son inferiores y se establecen en alrededor de 90 mil millones de marcos anuales en los primeros seis años; la emigración se mantiene importante (200.000 personas por año en ese período).

Los resultados de este guión son evidentemente mucho menos favorables. El crecimiento del PIB alemán sólo es del 3,5 %. El desempleo se establece en el 9,8 % de la población activa. La inflación se acelera ligeramente, y la balanza de pagos ve caer su excedente al 1,2 % del PIB. Pero la diferencia más significativa en relación con el guión "quinto dragón" es que las desigualdades se ahondan profundamente entre las dos partes de Alemania. En la ex RDA, el desempleo alcanza al 20,8 % de la población activa en 1995, y el saldo negativo de la balanza de pagos llega al -16,1 % del PIB.

Como subrayan los expertos del CEPII, entonces se asistiría de alguna manera a una desindustrialización, y hasta a una desertización económica de la ex RDA.

¿Qué enseñanzas podemos sacar de estos dos guiones? En primer lugar, que la ex RFA tiene posibilidades de conseguir acentuar su solidaridad en beneficio de la ex RDA, incluso aunque de momento esta solidaridad sea costosa. El guión "quinto dragón", que moviliza más fondos públicos y exige mayores sacrificios, se revela, a la larga, bastante más beneficioso para todos que el guión *Mezzogiorno*, que cuenta, por su parte, con una solidaridad menos activa. Segunda lección, todavía más importante: hay que señalar que, según el guión "quinto dragón", los salarios en la ex RDA aumentan sensiblemente menos rápido que en el guión *Mezzogiorno*. El rigor salarial es la condición indispensable para reducir el desempleo y acelerar el crecimiento.

Los franceses lo comprendieron entre 1981 y 1984. Partiendo de la idea de que para luchar contra el desempleo era necesario trabajar menos y ganar más, fueron comprendiendo poco a poco, dolorosamente, que el aumento de los salarios nominales, en lugar de aumentar el poder adquisitivo, tendía a reducirlo, agravando al mismo tiempo el desempleo. Este extraordinario progreso de la conciencia económica en la opinión pública es el que entrañó el reconocimiento de la empresa, la recuperación de la economía francesa e incluso, por primera vez en la historia de Francia, un verdadero consenso sobre la eficacia del capitalismo. Es un desafío semejante, pero de una amplitud infinitamente más grande, a lo que Alemania del Este y los países centroeuropeos están hoy confrontados. En la campaña electoral, Helmut Kohl no dejaba nunca de recordar, en el Este, que "el camino hacia el bienestar será largo y difícil", pero sus advertencias se perdían entre los aplausos y los "*¡Deutschland Einig Vaterland!*".* Y hoy, cuando las manifestaciones contra la desocupación se multiplican, y cuando los metalúrgicos de la ex RDA obtienen para 1994 la equiparación salarial con sus camaradas occidentales, la cuestión es saber si la ex RDA no está deslizándose, a causa de un aumento demasiado rápido de los salarios, hacia el guión *Mezzogiorno*.

## El "desastroso" contrasentido del señor Poehl

En este contexto, el presidente del Bundesbank, señor Otto Poehl, declaró el 26 de marzo de 1991 en Bruselas que la Unión Monetaria Interalemana (UMA) "constituye un ejemplo de lo que no debemos hacer en Europa", reprochando al gobierno germano el haber "introducido el marco alemán en el Este de la noche a la mañana, prácticamente sin ninguna preparación, sin posibilidad de corregir la jugada, y, aún peor, con una tasa inadecuada de conversión. Los efectos son desastrosos".

Lo que es "desastroso" es sobre todo ese adjetivo sin precedentes en boca de un responsable de un banco central, y para colmo del BUBA.** Realmente, es comprensible que hiciera todo lo posible para disuadir

* "Alemania, una sola patria." [T.]
** Bundesbank. [T.]

al gobierno de Bonn de colocarse en la necesidad de recurrir al préstamo para financiar la reunificación: ése era su papel. Pero de ahí a vengarse de un fracaso tan afortunado y al mismo tiempo condenar la unión monetaria europea, hay mucha distancia. El hecho de que la declaración histórica del señor Poehl haya hecho bajar inmediatamente el marco alemán es secundario. Más grave es haber olvidado tan pronto que si el canciller Kohl no hubiera actuado inmediatamente, sin vacilaciones, creando lo irreversible, nadie puede afirmar que el telón de acero no habría vuelto a caer en medio de Berlín. En el origen de esa explosión de cólera hay una herida de amor propio. En el momento de la reunificación, las relaciones de productividad entre la ex RDA y la ex RFA eran del orden de 1 a 2, y hasta de 1 a 3 (la misma diferencia que con Portugal). Desde un punto de vista técnico, el BUBA proponía una tasa de cambio en consecuencia. El canciller Kohl atajó el tema en sentido contrario, eligiendo la "opción 1 por 1".

Efectivamente, si uno lee la prensa, los efectos de esa decisión pueden parecer "desastrosos": aumento del desempleo, cierres de fábricas, desmoralización de una población que estaba todavía ebria de entusiasmo algunos meses atrás. Pero, ¿qué habría pasado si Kohl hubiera seguido la opinión de Poehl? Realmente, los ingresos de los alemanes del Este habrían aumentado menos; la ventaja habría sido un menor aumento del desempleo pero el inconveniente sería una inmigración masiva, imposible de contener, una verdadera desertización de la ex RDA. Como ha dicho el canciller: "Si el marco no hubiera ido a Leipzig, es la población de Leipzig la que habría venido al marco": durante algunos días de 1990, 150.000 alemanes del Este atravesaron la antigua frontera hacia el Oeste; en la primavera de 1991, solamente algunos centenares. Al emplear la palabra "desastroso", el señor Poehl simuló ignorar ese tremendo dilema: el desempleo local o la desertización por la emigración de la población activa de los cinco *Länder* del Este. Desempleo temporal, desertización de una duración indeterminada. La elección de Kohl era evidentemente la del mal menor.

Pero el contrasentido del presidente de la BUBA es desastroso por una segunda razón. Desde hace dos decenios, las autoridades de Francfurt plantean en principio que no puede haber unión monetaria sin una convergencia previa de las políticas y de las situaciones económicas. Ahora bien, ¿qué menos convergente, más dispar, que las economías de las dos Alemanias? Por lo tanto, era necesario que la UMA terminara con resultados "desastrosos", de lo contrario el Bundesbank, después de haber visto el mandamiento principal de su credo desobedecido en la misma Alemania, habría corrido el riesgo de desprestigiarse también en las instituciones europeas a las que quiere aplicar la misma regla. Esta es la razón por la que el señor Poehl dijo de la UMA que "constituye un ejemplo de lo que no debemos hacer en Europa". Ahora bien, la verdad es inmutable, y especialmente el ejemplo de los países latinos ha demostrado desde hace más de diez años que la unión monetaria refuerza la convergencia de las economías. Proclamar a los cuatro vientos lo contrario significa que se quiere dejar a Portugal y a Grecia —pero también sin duda a España—, y hasta a Italia, fuera de la futura Unión Económica y Monetaria (UEM) europea.

Si es así, entonces, ¿qué se puede esperar para los países de centroeuropa, Hungría, Checoslovaquia, Polonia? ¿De su esperanza, que está cada vez más ligada a los progresos de la unión monetaria y de la unión política europea? Si la unión europea no va hacia los países de centroeuropa, será la población de esos países la que se volcará hacia los países de Europa occidental.

En el momento de escribir estas líneas, las últimas noticias son particularmente preocupantes. El canciller Kohl ha sufrido una severa derrota en las elecciones parciales en su propio feudo electoral; el señor Poehl ha renunciado; más preocupante, la IG Metall ha conseguido que, en los cinco Länder del Este, los salarios en la metalurgia pasen de ser del 60 % de los del oeste en 1991, al 100 % en 1994. Eso representa un peligroso e incluso un "desastroso" resbalón hacia el guión *Mezzogiorno*.

Sin embargo, insisto y lo suscribo. Por una razón fundamental, que es precisamente la segunda lección de Alemania: la que nos muestra lo que podría hacer Europa si se uniera verdaderamente; dicho de otra manera, si se organizara en una federación.

## Lo que podría hacer Europa

Es conocida la vieja petición de un gobierno a su mayoría parlamentaria: "Háganme buenas finanzas, yo les haré una buena política". En este terreno, Helmut Kohl pasará a la historia: porque, desde hace más de cuarenta años, Alemania había sido el santuario de la ortodoxia financiera, y él tuvo la audacia sin precedentes de proceder a la reunificación monetaria instantánea de las dos Alemanias. Contra la opinión de los expertos oficiales, a despecho de la internacionalización de la economía que limita los márgenes de maniobra de los Estados, a pesar de las incertidumbres electorales y el concurso de todos los egoísmos (nacionales, provinciales y corporativistas), ese hombre al que se creía sin imaginación ni determinación dio muestras de genio imponiendo, por una vez, en Bonn, su voluntad política federal a los representantes de los Länder, que dirigen el banco central de Francfort.

Una verdad a menudo olvidada: los imperativos económicos a veces deben desaparecer frente a las necesidades de la política. Siempre a condición de no hacer de este principio una coartada. Quiero decir que esta preeminencia de lo político sólo puede fundarse sobre un éxito económico y financiero previo: cuanto más fuerte es la economía, más puede emanciparse la política. Si Alemania no hubiera acumulado excedentes, si su moneda no fuera lo que es, si sus empresas no fueran tan eficaces ni su potencial económico tan considerable, jamás habría podido ofrecerse esa prodigiosa OPA sobre el Este. Una OPA de la que tiene todas las posibilidades de sacar beneficios. Es realmente porque dominaba y domina la famosa "obligación económica" que ha podido liberarse de ella.

También es necesario retener de esta experiencia alemana la idea según la cual la audacia y la solidaridad pueden combinarse eficazmente. La audacia, el dinamismo económico, no significan forzosamente exclusión, desigualdades e injusticia social. En cuanto a la solidaridad, no implica fatalmente inmovilidad, pesadez y burocracia.

Pero, sobre todo, se deben conservar claramente los dos factores esenciales, propios del modelo renano, que han hecho posible esta reunificación sin traumas. Ya los he mencionado en los capítulos anteriores, pero en este contexto particular adquieren todo su relieve.

Primer factor: una visión *a largo plazo* de los intereses del país. Los alemanes han comprendido que los sacrificios aceptados hoy en materia económica y social se revelarán provechosos en el futuro. Claro que en un primer momento los déficit se agudizarán, los excedentes disminuirán, la protección social se resentirá y el contribuyente verá aumentar sus cargas. Pero con independencia de los posibles accesos de irritación en el Oeste y sobre todo en el Este, los alemanes terminarán por obtener todos juntos la recompensa a sus esfuerzos.

Segundo factor: la prioridad otorgada al *interés común* sobre los intereses particulares. Los alemanes apuntalaron su política de largo plazo manteniendo a raya los intereses particulares. En efecto, éstos se inclinaban por una acción prudente, equilibrada y económica del dinero público y privado. Si el canciller Kohl hubiera escuchado al contribuyente o al desocupado del Oeste, no se habría lanzado jamás a la aventura.

Por otra parte, debemos imaginar lo que habría podido pasar si el mercado financiero hubiera dictado su ley e impuesto su lógica a las empresas y al gobierno. Jamás se habría asumido el riesgo de la reunificación. Jamás se habría aceptado tal apuesta por el largo plazo, con su cortejo de incertidumbres. Pues todas las incertidumbres —especialmente financieras— no han sido eliminadas. Nadie sabe a ciencia cierta si las tensiones financieras suscitadas por la enorme demanda de fondos necesaria para la reunificación podrán reabsorberse sin demasiados males: alza de las tasas de interés, inflación, movimientos dentro del SME, etc. Sigue habiendo riesgos potenciales.

Pero es seguro que tales tensiones se reabsorberán más fácilmente en un sistema en el que el poder de las instituciones está asegurado. En el caso alemán, un mercado financiero dominante —como en el modelo neoamericano— habría sido demasiado volátil, nervioso, imprevisible, para soportar el impacto de la reunificación. Un sistema bancario estable y poderoso, cuya orientación se dirige hacia las empresas, está mucho mejor preparado para adaptarse sin demasiados inconvenientes a las nuevas exigencias financieras. Es más fácil que el interés colectivo prevalezca en el marco de estructuras asentadas sobre fundamentos sólidos, fundados en los resultados acumulados durante decenas de años, que ante millares de operadores financieros obsesionados por la rentabilidad instantánea en función de criterios volátiles, el principal de los cuales es la opinión... que algunos operadores se forjan de la de los otros.

Por último, la "lección alemana" debe inspirarnos algunas reflexiones útilmente revolucionarias, que conciernen a la Europa del Este en general. Lo que Alemania hace con el tercio de sí misma que se encontraba castigado por la historia, ¿Europa entera no lo podría hacer con su propio "tercio", que constituye la Europa central magullada, arruinada por medio siglo de comunismo?

Antes de esbozar una respuesta a esta pregunta, hay que medir los graves errores que se cometen actualmente y que amenazan con hacer caer a Alemania del Este aún más bajo que las perspectivas del guión *Mezzogiorno*. Los dos principales de esos errores son, por una parte, el incremento salarial, que precede y supera en mucho al de la productividad, y por otra, la generosidad de las ayudas sociales, que provoca que muchos ganen más hoy sin trabajar que ayer trabajando. Sin embargo, la opinión pública está descontenta, porque su nivel de vida y sobre todo sus perspectivas de futuro son mucho menos satisfactorios que los del Oeste.

¿Durante cuánto tiempo los sacrificios financieros del Oeste continuarán hundiendo de ese modo al Este en la torpeza y la acritud? La respuesta dependerá ampliamente de la rapidez de las inversiones productivas.

Fundamentalmente, esas inversiones serán alemanas. Alemanas occidentales, pero alemanas. Por el contrario, en los otros países de Europa central y oriental, donde sólo existe una capacidad ínfima para desarrollar inversiones nacionales competitivas, solamente las inversiones *extranjeras* pueden acelerar el despegue de la economía de mercado. Cierto, su ritmo es demasiado lento, pero si éste se acelerara, si fueran extranjeros los que toman la iniciativa en esos países, los riesgos de reacciones nacionalistas y populistas se agravarían en detrimento del desarrollo económico.

Sin embargo, entre la superabundancia de las ayudas en Alemania y su insuficiencia en los países vecinos, hay un inmenso espacio para la búsqueda de un equilibrio óptimo.

Pero tal búsqueda es impensable. La cuestión incluso no puede plantearse concretamente. ¿Por qué? Veámoslo con mayor detenimiento.

La población de la ex RDA es de 17 millones, ante 58 en la RFA: apenas algo más que un tercio. La población total de la ex RDA y de sus tres países vecinos de Centroeuropa (Hungría, Checoslovaquia, Polonia) es de 100 millones de habitantes, ante 340 de los Doce de la CEE. Para esos tres países, que creían que la liberación del comunismo en 1989 les abriría inmediatamente las puertas de la tierra prometida —la de la prosperidad—, en realidad es una travesía del desierto lo que comienza. En ese desierto donde vociferan ya los falsos profetas populistas y nacionalistas, a despecho de los esfuerzos del BERD (Banco Europeo para la Reconstrucción y el Desarrollo), no recibirán un maná comparable al de los alemanes del Este. Es que, a pesar de todos sus progresos desde 1985, la CEE, al contrario de la RFA, no es en absoluto una federación política, ni siquiera todavía un mercado único acabado, sino más bien una zona de libre intercambio, que apenas desarrolla políticas comunes fuera de la agricultura del SME.

Si los doce países que la componen pusieran en común, con sus monedas, no el 1 % o 2 % de sus recursos sino el 10 % o 15 % —como hacen todas las federaciones del mundo libre— darían inmediatamente un salto hacia adelante en el sentido del modelo renano, de modo que la solidaridad y el enriquecimiento se reforzarían mutuamente. Pero eso no es todo. Surgirían a la vez los medios de fertilizar los nuevos desiertos económicos de Centroeuropa. Sin llegar, es claro, al punto de trasplantar allí exactamente la segunda lección de Alemania, pero sí redes cubriendo lo que los norteamericanos inventaron con el plan Marshall: el esfuerzo de solidaridad aceptado por un país a favor de otros países es posible que sea indirectamente favorable a aquel que se atreve a ser generoso.

El país que ha inventado esta fórmula se llama Estados Unidos. Hay Estados Unidos de América, pero no hay Estados Unidos de Europa. Tanto peor para los europeos. La no-Europa les costará cada vez más caro. Tanto peor sobre todo para los húngaros, los checos, los polacos y todos sus vecinos. Por no haber construido los Estados Unidos de Europa, los europeos han empezado a crear, en Europa central y oriental, lo que Vaclav Havel llamaba recientemente "una zona de desesperación, de inestabilidad y de caos, tan amenazante para Europa occidental como en otros tiempos las divisiones blindadas del Pacto de Varsovia".

Capítulo 11

## FRANCIA EN LA ENCRUCIJADA DE EUROPA

En el momento de la Guerra del Golfo, la asombrada opinión pública europea descubrió de pronto que, frente a un drama cuyas menores informaciones vivía apasionadamente por televisión, y que evidentemente concernía en el más alto grado a Europa, Europa no existía. Los 250 millones de americanos habían enviado sin vacilar medio millón de soldados al Golfo, mientras que los 340 millones de europeos de la CEE sólo habían encontrado 45.000 hombres bajo banderas diferentes para colocar a las órdenes del mando norteamericano.

Casi constituyó un pequeño escándalo descubrir que no había ejército europeo: hacía tanto tiempo que se hablaba de Europa, que las poblaciones, tanto en Europa como en todo el resto del mundo, habían sobreentendido vagamente en su subconsciente que Europa ya estaba hecha. Y, en lugar de la unidad, descubrían una Inglaterra que marcaba el mismo paso que Estados Unidos, una Francia que las seguía militarmente, tratando al mismo tiempo de distanciarse diplomáticamente, una Alemania que no tenía derecho constitucional a enviar un solo soldado y países latinos profundamente divididos con, por ejemplo, un buen número de manifestantes antinorteamericanos en España.

Esta división, esta impotencia y esta ignorancia no hacen más que subrayar la urgencia existente, para la Comunidad europea, de elegir su propio modelo de capitalismo. De lo contrario, serán las fuerzas del mercado las que decidirán en lugar de las poblaciones. Esto ha empezado, y mal.

Hemos explicado en qué medida, dentro de su unidad, el capitalismo actual está dividido en dos grandes corrientes profundamente opuestas. La mayoría de los países europeos están más próximos al modelo renano que al modelo neoamericano. Pero el modelo renano, como ya hemos visto, no deja de retroceder en el plano internacional.

Eso es particularmente evidente al observar la evolución de la construcción europea. Después de haber estado casi bloqueada, desde la primera crisis petrolera hasta la cumbre de Fontainebleau en 1984, volvió a partir brillantemente hacia el mercado único de 1992. Pero, ¿qué será ese mercado? Es sorprendente comprobar que, si bien los franceses han apoyado de forma apasionada ese proyecto, su contenido no ha sido menos ampliamente inspirado por la concepción thatcheriana, mientras que los alemanes jugaban con ambas barajas, pero con especial interés en no perjudicar, a pesar de los progresos hacia la unión económica y monetaria, la estabilidad de la moneda alemana.

Hoy, los europeos están obligados a decidirse. Las dos conferencias intergubernamentales encargadas de preparar la unión económica y monetaria, por una parte, y la unión política por otra, no podrían dejar de tomar partido entre las dos grandes concepciones que se oponen, y que han sido expuestas en dos discursos notables (véase el anexo 1), pronunciados ambos en Brujas, por la señora Thatcher en 1988 y por Jacques Delors en 1989: ¿Europa debe ser sólo un mercado, un gran mercado, o más bien una *economía social* de mercado, lo que implicaría un verdadero poder federal? Tal es el dilema fundamental del que depende esencialmente el destino de los 340 millones de habitantes de la Comunidad, e, indirectamente, de los países de Europa central y del sur del Mediterráneo.

Pero, entre los Doce, no hay ningún país para el que esa elección sea tan importante como para Francia.

## Francia rompe con la tradición colbertista

En el gran combate entre los dos capitalismos, es bastante difícil situar a Francia. Eso es lo que señala, en un análisis particularmente profundo, uno de los observadores extranjeros que mejor conocen las particularidades francesas, el profesor Prodi, antiguo presidente del IRI,* que acaba de publicar en la revista *Il Molino* (n° 1, 1991) un artículo particularmente sugerente titulado "Entre los dos modelos", puesto que trata de los dos modelos de capitalismo definidos de acuerdo con criterios muy cercanos a los que han sido adoptados en este libro.

En lo que atañe a Francia, ese país nunca ha optado de manera integral ni por uno ni por otro modelo. La Bolsa y los mercados financieros han tenido tradicionalmente un papel modesto. La dimensión de la Bolsa de París en relación con la de Londres es una prueba de ello simple e inequívoca. Por otra parte, no ha habido fenómenos de creación de grupos bancarios o de estructuras de propiedad parecidas a las alemanas, mientras que las empresas públicas siempre

---

* IRI (en Italia), Instituto para la Reconstrucción Industrial. [T.]

han desempeñado un papel decisivo, ya se trate de empresas industriales o de empresas que tienen una actividad bancaria o de seguros. Las evoluciones de los años ochenta, incluso aunque no tienen una significación unívoca, deben no obstante ser observadas con un interés particular. Bajo el impulso del primer ministro Chirac, el ministro de Finanzas Balladur preparó en 1986 un amplio plan de privatización de las empresas públicas. Ese plan preveía el paso al sector privado de veintisiete grupos, que emplean a quinientas mil personas. Ese plan sólo ha sido aplicado de manera parcial, como consecuencia del siguiente cambio de gobierno.

Sin embargo, ocho grandes grupos fueron transferidos del sector público al sector privado, la mayoría de los cuales eran de enorme importancia (como, por ejemplo, Saint-Gobain, Paribas, CGE, Havas, Société Générale y Suez).

Las motivaciones iniciales de esta nueva política francesa pueden hacer pensar en un objetivo de acercamiento al modelo anglosajón, por el hecho de que el fin de ampliar las dimensiones de la Bolsa, a través de la creación de varios millones de nuevos accionistas, era prioritario. Por esta razón, ese objetivo ha sido relegado poco a poco a un segundo plano, porque muchos pequeños accionistas revendieron rápidamente sus propias acciones para obtener un beneficio inmediato. La manera en que se realizaron esas privatizaciones, en cambio, constituyó una premisa "objetiva", en el sentido de un acercamiento hacia las estructuras de propiedad del modelo germánico. En todas las empresas privatizadas, el poder de decisión es retenido por el "núcleo", aunque sólo cuente con el 25 % de las acciones. Por la vía indirecta, con astutas tramas de accionistas que van entrando progresivamente en razón, se están formando en Francia algunos grandes grupos financieros e industriales. En el aspecto de la propiedad y de la estabilidad de los vínculos, esos grupos tienden más a acercarse al modelo germano que al anglosajón, aunque el sistema sea infinitamente menos compacto e impermeable que en Alemania.

Quedan además, en Francia, un gran número de empresas de propiedad pública que no corresponden ni a la naturaleza del sistema anglosajón ni a la del germánico, aunque durante estos últimos años la estrategia de las empresas públicas francesas —sobre todo en lo relativo a la adquisición de empresas extranjeras— se inspire más en una lógica germánica que anglosajona.

En realidad, esas adquisiciones han provocado fuertes reacciones tanto en Gran Bretaña como en el seno de la Comunidad Económica Europea, pues han sido interpretadas no como el fruto de una estrategia de empresa, sino como el instrumento de una estrategia nacional.

¿Por qué, pues, Francia, que durante medio siglo se esforzó tanto para proponer al mundo su modelo propio, su "tercera vía" original entre el capitalismo y el comunismo, presenta hoy un perfil tan impreciso, tan indefinible? Por dos razones principales: la primera es que por fin Francia ha roto con su vieja tradición social-colbertista, para entrar plenamente en la economía europea e internacional. La segunda es que para esta transición ha tomado elementos tanto del modelo anglosajón como del modelo germano-nipón.

La tradición francesa es el *social-colbertismo*: el Estado dirige la economía en nombre de una ambición política y de una voluntad de progreso social.

Ahora bien, el social-colbertismo ha sido derrotado. Lo prueban el descenso acelerado de la posición psicológica del funcionario en la sociedad francesa, ayer honrado y envidiado y hoy a menudo poco considerado, y el ascenso simultáneo de la estrella capitalista. Sobre el primer punto, podemos observar que en Japón, a mismo diploma y edad, los salarios públicos y privados son en principio iguales. Además, los docentes son mejor pagados que los otros funcionarios, pues su oficio en ese país confuciano, donde aprender es una virtud, tiene un matiz de nobleza. Para los japoneses, el profesor debe ser maestro de la vida, y creen que la consideración social otorgada a los docentes es una garantía de buena educación para los niños.

Sin embargo, Francia también se caracteriza todavía por una omnipresencia del Estado central. En Francia, el Estado está en todas partes. En el plano político, a despecho de la descentralización, el jacobinismo centralizador sigue siendo la regla. Nada que ver con las organizaciones de tipo federal predominantes en Alemania, en Estados Unidos o en Suiza, que actúan a nivel local, mientras que en Francia la competencia del Estado sigue siendo dominante. En Alemania, una buena parte de la ayuda a las empresas industriales es distribuida por los Länder. Por otra parte, el consejo de dirección del Deutsche Bank está compuesto mayoritariamente por representantes de los Länder, poco sensibles a los grandes movimientos de las finanzas internacionales y aún menos a las opiniones de Bonn.

En el terreno económico, se comete un error imaginando que el Estado francés es, en 1991, un prototipo de dirigismo en virtud de la importancia del sector nacionalizado. La verdad es que hay que distinguir radicalmente entre los monopolios públicos, como el EDF, GDF, la SNC * o la Caja de Depósitos, por una parte y, por otra, las empresas nacionales, industriales o financieras sometidas a la competencia internacional, que desde hace por lo menos unos quince años son fundamentalmente administradas según el principio de igualdad de la competencia.

Es más bien en materia técnica donde la esfera pública ha conservado preponderancia en la mayoría de los organismos de investigación: el CEA y la COGEMA para el átomo, el CNRS para la investigación general, el INSERM ** para la investigación médica, etc. La situación es muy diferente en los modelos norteamericano y renano: la investigación depende en ellos

* EDF = Electricité de France (Electricidad de Francia).
  GDF = Gaz de France (Gas de Francia).
  SNCF = Société Nationale des Chemins de Fer (Empresa Nacional de Ferrocarriles). [T.]
  ** CEA = Centre Commissariat à l'Energie Atomique (Centro Nacional de la Energía Atómica).
   COGEMA = Compagnie Générale des Matières Nucléaires (Compañía General de Materiales Nucleares).

esencialmente de las empresas o de las universidades, incluso aunque goce de ayudas públicas.

En suma, de todos los países capitalistas, Francia es, en primer lugar, el que secularmente ha estado marcado por un Estado más poderoso que los otros dentro de la sociedad, un Estado colbertista que no ha parado de tutelar la economía: proteccionista e intervencionista por un lado, pero por el otro inversor, creador, sansimoniano.

En segundo lugar, la oposición entre los dos modelos de capitalismo está evidentemente ligada a dos modelos de sindicalismo: el primero, anglosajón, ha rechazado siempre el compañerismo, la participación, la cogestión en general, ya sea que comparta un comportamiento de tipo puramente "*business*", como en Estados Unidos, ya sea que, actuando como en Inglaterra como una fuerza política de apoyo al partido laborista, combata el capitalismo externo de un modo semidirigista, semianarquista.

Por el contrario, los sindicatos de los países renanos, inspiradores en gran medida de los japoneses, optaron por la integración en la empresa, la colaboración competitiva: en esos países, cada sindicalista es en cierta manera miembro de un equipo de fútbol, motivado ante todo por la voluntad de hacer ganar a su club.

Por su parte, el sindicalismo francés ha estado demasiado marcado por la influencia marxista y la ideología de la lucha de clases como para poder ser asimilado a una u otra de esas dos categorías.

Tradición estatista, tradición sindicalista, ambas son las dos primeras razones que vuelven inclasificable el capitalismo francés.

Atrapado entre los dos fuegos de un Estado colbertista y un sector de asalariados ampliamente marxista, el capitalismo francés ha oscilado mucho tiempo entre el autoritarismo y la demagogia. Su demagogia se inscribe en las progresiones estadísticas de la inflación salarial y de las devaluaciones del franco. El autoritarismo se traduce en particular por la monarquía absoluta dentro de la empresa: el principio del director ejecutivo todopoderoso no es una idea alemana, sino muy francesa. Mientras los países renanos demuestran cada día la superioridad administrativa de las direcciones colectivas, los franceses se quedan en la vieja analogía militar que traduce la fórmula napoleónica según la cual vale más, para mandar un ejército, un solo general mediocre que dos generales excepcionales.

Todo eso contribuye a explicar por qué, en Francia, se ha desconfiado durante tanto tiempo y de tal modo del mercado y de la libre empresa, para

CNRS = Centre National de la Recherche Scientifique (Centro Nacional de Investigación Científica).

INSERM = Institut de Recherche Médicale (Instituto de Investigación Médica). [T.]

no hablar de las ganancias que, aún ayer, eran consideradas un pecado capital. Cuesta creer hoy que, en *Le Défi américain* [*El desafío americano*], en 1967, es decir después de cinco años del gobierno de Pompidou, Jean-Jacques Servan-Schreiber haya podido escribir: "Habiéndose confundido de una vez por todas con el Mal todo lo privado —la empresa privada, la propiedad privada, la iniciativa privada—, todo lo público se identifica con el Bien".

Hay que rendir homenaje al gobierno socialista por haber —voluntariamente o no— curado a Francia de esas inhibiciones y rehabilitado los valores fundamentales de la economía de mercado.

Sin embargo, durante más de treinta años, Francia se ha distinguido bastante radicalmente de los dos modelos capitalistas que otorgan, por su parte, un lugar primordial a esos valores esenciales. En cuanto a Estados Unidos, esto cae por su propio peso. Para Alemania, basta recordar que la economía social de mercado es en primer lugar una *economía de mercado*, donde el Estado no hace más que suplir las carencias más urgentes del mercado, sin que por ello deba intervenir directamente ni desvirtuar la competencia.

Otra especificidad francesa se refiere al sistema financiero y al modo de control de las empresas. En este terreno, en efecto, el capitalismo francés no es ni americano ni renano. La Bolsa, como ya hemos visto, no ocupa en absoluto el lugar preponderante que tiene en los Estados Unidos. "La política de Francia no se hace en la Bolsa", decía el general De Gaulle. Y, de hecho, la financiación de la economía estaba a cargo sobre todo de los bancos, por el Tesoro y sus satélites. La "tasa de intermediación", que mide el porcentaje de los flujos financieros que transitan por los bancos era todavía del 90 % en los años sesenta, setenta, e incluso hasta 1985. Sin embargo, a diferencia del capitalismo alemán, el capitalismo francés no es un capitalismo bancario en el que prevalecerían los vínculos entre bancos e industria. Ninguna institución financiera francesa puede vanagloriarse de ejercer una influencia análoga a la del Bundesbank. Y, aunque no es comparable al caso italiano (los dos tercios de la capitalización bursátil de Milán corresponden a grupos familiares), existe todavía en Francia un poderoso capitalismo familiar, encarnado por grupos de gran relieve como Michelin, Peugeot, Pinault, DMC, Dassault, CGIP, etcétera.

Atípico, difícilmente clasificable, el capitalismo francés ha dado durante mucho tiempo la impresión de buscar su camino, o incluso de ir contra la corriente en Europa. A comienzos de los años ochenta, tras la subida de la izquierda al poder, hubo un momento en que fue intervencionista. Después, en 1983, cambiando bruscamente de dirección, se alistó en la vía anglosajona con el entusiasmo de los nuevos conversos, entusiasmo que no decaerá, sino todo lo contrario, durante el período de la cohabitación (1986-1988).

## La doble conversión de Francia

Pero, ¿de qué conversión hablamos exactamente? Es difícil de decir, pues es muy ambigua, siguiendo a Alemania en la administración monetaria y a Inglaterra en todo el resto.

En 1991, la tasa de carestía de la vida en Francia debería ser del mismo orden que en Alemania. ¡Hace diez años, la distancia era de diez puntos! Esto resume los resultados de un esfuerzo continuo y ejemplar, emprendido por Jacques Delors, mantenido por Edouard Balladur, y al que Pierre Bérégovoy cederá seguramente su nombre. Detrás de esta política del franco fuerte, a la que hoy todos rinden homenaje, se esconden innumerables decisiones, comenzando por la abolición del control de precios, tanto para los servicios como para los productos, para terminar con la liberación de los movimientos de capitales el 1 de julio de 1990. Me acuerdo de haber anunciado, casi dos años antes, a un importante banquero de la ciudad, que acababa de adoptarse la decisión de abolir en esa fecha el control de intercambios. ¡El no lo creyó, considerando imposible que el franco francés pudiera resistir el movimiento de las exportaciones de capitales que se desencadenaría inmediatamente!

Es a la influencia británica —y, confesémoslo, a la rivalidad con la City de Londres— a lo que hay que atribuir el extraordinario movimiento de desreglamentación financiera, emprendido en 1984 con la liberación de los mercados interbancario, bursátil e hipotecario, la supresión del monopolio de los agentes de cambio, el fortalecimiento de la COB (Comisión de las Operaciones de la Bolsa), que adquirió, salvando distancias, una autoridad que recuerda la del Tribunal Constitucional, y por último el MATIF (Mercado a Término de los Instrumentos Financieros) de París, que superó a su homólogo de Londres atrayendo una importante clientela extranjera, especialmente alemana.

En consecuencia, el volumen de las transacciones bursátiles se multiplicó por veinticinco en siete años (124 mil millones de francos en 1980 ante 3 billones noventa millones en 1987), ¡con una tasa de intercambio de las obligaciones más activas que se multiplicó por cincuenta en el mismo tiempo! Concretamente, en la empresa que dirijo, la tasa de rotación de las obligaciones pasó del 12 % al 123 % entre 1980 y 1987. Hace diez años, la gestión obligatoria se limitaba a ingresar los cupones esperando su vencimiento. Hoy se despliega toda una ingeniería financiera que desemboca en que, en el banco del grupo AGF, por ejemplo, la duración media de posesión de una obligación sólo es de algunos minutos: casi el tiempo de compra-venta.

FUENTE: Plantu, Des fourmis dans les jambes [Hormigas en las piernas], La Découverte/Le Monde, 1989, pág. 99.

## Nuevos ricos y nuevos pobres

Nuevos ricos: un mercado financiero que se esfuerza en trabajar a la inglesa. Nuevos pobres: en el otro extremo de la sociedad, un aumento de las desigualdades a la norteamericana.

A la salida de los "treinta gloriosos", como hemos visto, las desigualdades habían retrocedido sensiblemente en Francia. Dos cifras son un buen ejemplo de ello. La primera mide la distancia que separa el 10 % de los franceses más favorecidos de los más desfavorecidos en cuanto a nivel de ingresos. Esa diferencia había alcanzado su nivel más bajo (3,12) en 1970. La segunda cifra evalúa la concentración patrimonial: el 10 % de los franceses más ricos tenían el 65 % del patrimonio en 1960, y el 54 % en 1985. También en este aspecto, la reducción de las desigualdades era significativa.

Ahora bien, desde 1984 se asiste a una inversión de esta tendencia. La diferencia de los ingresos subió al 3,2 en 1988. En cuanto a los propietarios, y gracias al espectacular auge de la vivienda y de la Bolsa, han visto las ganancias de su capital crecer mucho más rápidamente que las ganancias del trabajo.

En esto, Francia va detrás de Estados Unidos, donde el Departamento de Comercio de Washington calculó que, de 1980 a 1989, las remuneraciones de los directivos de empresa aumentaron un 260 % ante solamente el 50 % en cuanto a los salarios de los trabajadores.

Estas cifras traducen profundas evoluciones sociales. Por ejemplo, una tendencia "a la norteamericana" hacia la individualización de los salarios y una mayor "flexibilidad" que impulsa a las empresas a obrar de manera que, conforme los principios del neoliberalismo aplicado tanto a la mano de obra como a los otros factores de la producción, cada uno sea remunerado, año tras año, trimestre tras trimestre, en función de su eficacia real (de su productividad marginal, dicen los economistas).

No se trata sólo de un cambio de moda sino que es la traducción de una lógica de las desigualdades crecientes, que es la consecuencia renovada de la aplicación de las leyes llamadas "naturales". La riqueza, desinhibida, ya no se disimula, se instala con un impudor que antigua-

SIENTESE Y HABLEME DE ESA FAMOSA INJUSTICIA SOCIAL

FUENTE: Piem, Un trait, c'est tout [Un trazo, nada más], B. Arthaud, 1972.

mente juzgábamos chocante entre los norteamericanos. Sin embargo, se codea con una "nueva pobreza", de la que vimos que Francia no tenía la exclusiva. Desocupados que perdieron el trabajo, jóvenes en busca de su primer empleo, inmigrantes clandestinos o no, habitantes de esos suburbios que con el transcurso de los años se han convertido en el lugar por excelencia de la marginación. Y, como en Estados Unidos, a veces se ven iniciativas privadas de caridad (los "restaurantes del corazón", por ejemplo) tomando el relevo del Estado desfalleciente.

El ejemplo de los "restaurantes del corazón" es todo un símbolo. La idea y la denominación aparecieron en los años ochenta, al mismo tiempo que las expresiones "sociedad dual" y "nuevos pobres", y poco antes de que se creara un nuevo Ministerio, e incluso un Ministerio de Estado, cuya tarea inmensa y temible es la de mejorar las condiciones de vida de los suburbios.

Los suburbios, como ya hemos visto, son cada vez más una de las llagas de Estados Unidos, la consecuencia de la pauperización del Estado. Ahora bien, también en Francia, detrás del socialcolbertismo en retirada, se plantea una nueva pregunta: ¿no será el Estado el más ilustre de los nuevos pobres?

No es sólo evidente en las pinturas descascarilladas y en los ascensores oxidados sino también, y mucho más, en el desafecto de los franceses hacia el servicio público. Ayer la función pública era una casta privilegiada ampliamente accesible por la vía de las oposiciones a los hijos del pueblo. Hoy se siente humillada, mal considerada, tan desmoralizada como mal pagada. Ha nacido una nueva casta, la del vendedor, del ganador (se dice incluso con placer: del "matador", desde que esta palabra ha adquirido un sentido positivo). Esta figura emblemática refleja evidentemente la afirmación de los valores norteamericanos en el hexágono.*

En consecuencia, incluso el servicio de correos ya no marcha muy bien en Francia. Es bastante peor en Estados Unidos, donde el correo privado es una de las nuevas industrias más florecientes. El propietario de la primera compañía de este sector hace poco fue a Suiza, para comprarse allí una residencia de descanso. Volvió disgustado: "Verdaderamente", dijo, "Suiza no es un país para mí, pues es el país del mundo donde el correo público funciona mejor".

Modelo neoamericano por un lado, modelo renano por el otro, también es un asunto de distribución del correo.

## Francia necesita el modelo renano

Volvamos a lo esencial. El papel de la empresa se ha vuelto hoy tan importante, y a veces tan controvertido —especialmente en Francia—, que

* Denominación que se da comúnmente al territorio continental de Francia. [T.]

ha llegado la hora de someter a la opinión pública y a las autoridades competentes un proyecto de "declaración de los derechos y de los deberes de la empresa", tal como el que fue elaborado para el Parlamento europeo por Jacques de Fouchier, presidente honorario de Paribas, con la ayuda de Alexandre de Juniac (véase el Anexo II).

El modelo renano responde bastante bien a esta búsqueda de equilibrio entre los derechos y los deberes de la empresa. Encarna por una parte el capitalismo con la seguridad social y, por otra, el capitalismo con la empresa considerada no sólo como una asociación de capitales, sino como una asociación de personas. En estos dos puntos la importancia para Francia es particularmente vital.

Si, desde hace años, oímos hablar tanto de los problemas de la seguridad social, de los hospitales y de las jubilaciones, es sin duda porque, al revés de los otros países desarrollados, Francia prácticamente no ha empezado a solucionarlos, y, sin embargo, lo hizo, acabamos de verlo, en un terreno no menos temible para los gobiernos democráticos, como es el reajuste de la moneda. También influye la extensión progresiva de las ideas del modelo neoamericano, que reposa esencialmente en el descenso de los impuestos y entraña en todas partes un cierto retroceso de la protección social, algo que Francia no ha querido aceptar. En fin, ya veremos qué pasaría en la práctica si, de repente, se decidiera que los franceses no pagaran más impuestos que los norteamericanos...

Tanto como para mantener su protección social, Francia necesita el modelo renano para reforzar la capacidad y la estabilidad financiera de sus empresas. Bajo la influencia del ejemplo anglosajón, la reestructuración industrial se ha acelerado en el período reciente, haciéndose más frecuentes y más importantes las fusiones y adquisiciones. Estas representaban 61 mil millones de francos en 1986, 165 en 1987, y 306 en 1988.

Una fracción insignificante de ellas se han realizado por medio de una OPR (Oferta Pública de Compra). Esta técnica de adquisición, tan frecuente entre los anglosajones, todavía es casi inexistente entre los germano-nipones. Pero es quizás en Francia donde la sigla OPA es más peyorativa. Se asocia automáticamente a la idea de "capitalismo salvaje", mientras que la reglamentación de las OPA tiene precisamente por objeto proteger, con toda claridad, los intereses de los accionistas minoritarios contra los ataques nocturnos de los *raiders*. Ello es el resultado sin duda, por una parte, de la publicidad de la que fueron objeto ciertas batallas, y en particular las dos OPA lanzadas sucesivamente en 1989 y 1990 por las dos grandes compañías financieras: Suez sobre la Compañía Industrial, y Paribas sobre la Compañía de Navegación Mixta.

Las OPA lanzadas ya sea en Francia por las compañías francesas o extranjeras, ya sea en el extranjero por compañías francesas, nunca fueron seguidas de un "despedazamiento de los activos". Su objetivo se centraba en el conjunto auténticamente industrial, y respondía a

FUENTE: Konk, Des sous! Du temps! [¡Dinero! ¡Tiempo!], Ed. Denoël, 1989, pág. 33.

reestructuraciones particularmente necesarias con la perspectiva del mercado único.

Al respecto, la empresa industrial que más brillantemente se ha destacado por sus éxitos es probablemente el grupo Schneider. En 1982 era un conglomerado heterogéneo de actividades diversas, que dependía en gran parte de los encargos del Estado y de las subvenciones públicas, ¡y que exhibía un déficit de 350 millones de francos para una capitalización bursátil de 250 millones de francos!

En menos de diez años, se separó heroicamente de sus actividades deficitarias y aplicó una estrategia sistemática de concentración de sus actividades en el dominio de la energía eléctrica, convirtiéndose en el número uno mundial de la distribución eléctrica y de los electrodomésticos eléctricos, por delante de firmas como Westinghouse, General Electric, Siemens y Mitsubishi. ¡En 1990, su capitalización bursátil se había multiplicado por sesenta!

Esta extraordinaria reconversión solamente ha sido posible gracias a más de cincuenta adquisiciones, todas realizadas de manera amistosa, salvo en el caso de Telemecánica. En 1988, Schneider lanzó una OPA particularmente controvertida sobre Telemecánica, compañía eficiente que se consideraba ejemplar por la participación de los trabajadores en su administración y en su capital. Confieso que, en esa época, yo lamenté que las cosas hubieran sucedido de manera tan expeditiva, mientras que, si hubiéramos estado en Alemania o en Suiza, habrían sido preparadas con tranquilidad por mediación de los bancos. Pero, finalmente, esta reestructuración industrial se imponía también por el interés de Telemecánica, mucho más fuerte hoy en el mercado mundial de lo que lo era en esa época.

En la primavera de 1991, otra OPA espectacular fue lanzada sobre la empresa norteamericana Square D, que gozaba de unos estatutos particularmente proteccionistas admitidos por el Estado de Delaware, lo que le permitía utilizar todo un arsenal de píldoras envenenadas para defender su independencia. Además, en el contexto del proceso antimonopolio, Schneider debió enviar a Estados Unidos más de una tonelada de documentación que fue traducida al inglés. Pero, en toda la extensión de la OPA, la mayoría de los accionistas se pronunció a favor del comprador. Schneider elevó su oferta inicial y, como en Estados Unidos todo tiene un precio, el presidente de Square D terminó afirmando con orgullo que había hecho un buen negocio.

## Zaïbatsu* *a la europea*

Si Francia quiere avanzar hacia un sistema a la vez más eficiente y más solidario, como el modelo renano, hay que empezar a tomar en cuenta esa nueva paradoja que contradice la mayoría de nuestras ideas preconcebidas: la potencia de las instituciones financieras (bancos y compañías de seguros) se ha convertido en una necesidad para conjugar la eficacia económica con la justicia social. Por esta misma razón, Roger Fauroux puede declarar: "Estoy a favor del modelo alemán, porque las finanzas están en él verdaderamente al servicio de la industria".

Francia sufre una carencia que se desconoce con demasiada frecuencia: la de los accionistas fiables y estables. Para que el accionista sea fiel es necesario que encuentre en ello una ventaja. Eso apenas ocurre hoy, pues las ventajas impositivas de las que goza a través de las SICAV,** juzgadas por sus resultados a corto plazo, tienen por objeto desplazar el ahorro, especialmente a favor de las OPA. Para que el pequeño accionista, al lado de los administradores, vuelva a confiar en la buena administración a largo plazo, habría que volver a poner en vigor la antigua Cuenta de Ahorro a Largo Plazo (CELT).*** Esa cuenta de ahorro a largo plazo estaría reservada a las acciones de las sociedades de la CEE, y el beneficiario podría comprar y vender acciones sobre esta cuenta sin pagar im-

* Monopolio, en japonés. [T.]
** SICAV = Société d'Investissements a Capital Variable (Sociedad de Inversiones de Capital Variable). [T.]
*** Compte d'Epargne a Long Terme (Cuenta de Ahorro a Largo Plazo). [T.]

puestos sobre las plusvalías, siempre que no disminuya el volumen global del ahorro depositado en esta cuenta. Del mismo modo, los poseedores de una CELT deberían estar, dentro del límite de un máximo a determinar, exonerados del Impuesto de Solidaridad sobre la Fortuna (ISF). Esta ventaja debería ser comparable al hecho de que un empresario que posee más del 25 % de una sociedad no tiene que declarar el capital correspondiente para el ISF.

En lo relativo a las empresas, a imagen de lo que existe en Alemania, sería bueno fiscalizar más los beneficios no distribuidos, así como fiscalizar más los dividendos pagados en papel que los pagados en efectivo, que contribuyen a limitar el ahorro y perjudican una redistribución conforme las leyes del mercado.

Todo esto permitiría a las grandes instituciones financieras de Francia obtener más fondos en los mercados para invertirlos, por su propio riesgo, bajo forma de capital o préstamos a largo plazo, como hacen los bancos y las compañías de seguros alemanas o japonesas.

Esta es la razón por la que el presidente del Crédit Lyonnais, Jean-Yves Haberer, se ha convertido en el apóstol del banco universal en Alemania. Es curioso constatar al respecto que, en el gran debate que se desarrolla hoy en Estados Unidos sobre el proyecto de reforma bancaria presentado en febrero de 1991 por la Tesorería, el gran dilema es saber si dicha reforma no debería inspirarse en los modelos alemán y japonés. Por otra parte, lo más pintoresco de este asunto es el argumento de los adversarios de esta evolución: dado que en Estados Unidos los depósitos bancarios están asegurados por el gobierno federal, un sistema de banco universal aumentaría aún más los riesgos corridos por este seguro federal, hoy al borde de la quiebra.

Que Francia necesita acercarse al modelo renano, para fortalecer el tejido de su capitalismo particularmente vulnerable, es la conclusión implícita, pero evidente, que surge del estudio que el Instituto de la Empresa publicó en enero de 1991, "Estrategia del capital y del conjunto de accionistas", aunque, desde 1990 la moda de las OPA ha dejado paso a la de los matrimonios de conveniencia y a la concentración interna de los grupos organizados en filiales, la debilidad de los fondos propios de las empresas francesas, y aún más la volatilidad del ahorro institucional dominado hoy por las SICAV y los fondos comunes de inversión, tienen el efecto de introducir en el conjunto de accionistas de las empresas francesas la misma inestabilidad que en Estados Unidos. Las más o menos cuarenta personalidades particularmente cualificadas que participan en ese estudio del Instituto de la Empresa constatan: "La publicación mensual de la clasificación de los rendimientos tiene, sobre los administradores de las OPCVM,* el mismo efecto que la publicación de los resultados trimes-

* OPCVM = Organisation de Placements Collectifs au Valeurs Mobiliers (Orga-

trales sobre los gerentes de las compañías norteamericanas: conducen a la miopía, que se traduce aquí por un cambio rápido de las carteras. Ahora bien, las OPCVM sustituyen poco a poco a los pequeños accionistas individuales que, no hace mucho, conservaban toda la vida títulos en los *blue chips* * franceses, antes de legarlos a sus hijos".

Partiendo de esta base, es notable que, después de haber pedido los atractivos fiscales habituales para la estabilidad del conjunto de accionistas, el Instituto de la Empresa propone un verdadero calco del modelo renano, con la promoción del estatuto de la sociedad con consejo de supervisión y de dirección para contrarrestar los poderes de los accionistas con los de la administración; la limitación estatutaria de los derechos de voto para un mismo accionista, y el uso de los derechos de doble voto, subrayando que estas dos propuestas son contrarias al proyecto de la quinta directriz de Bruselas (que procede básicamente de una inspiración anglosajona).

Entonces, podemos decir: ¡usted puede ver perfectamente que es necesario desconfiar de Europa y de las ideas de la Comisión! Este es precisamente el contrasentido en el que no hay que caer. Si es cierto que una buena parte de las posiciones técnicas de la Comisión de Bruselas en materia industrial y financiera se inspiran mucho más en el modelo anglosajón que en el modelo renano, es sencillamente porque se le pidió que diseñara no una economía social de mercado, encuadrada por una autoridad pública europea —es decir, de hecho una organización federal—, sino simplemente un mercado único. Un mercado de los bienes y de los servicios que, si no va acompañado por el fortalecimiento en cadena de las instituciones financieras europeas, se propagará necesariamente al "mercado del control de las empresas".

Ahora bien, en ese mercado, la empresa se trata normalmente como una mercancía... Por esto, cuando toda su tradición política, sus aspiraciones sociales y las exigencias de sus estructuras financieras deberían empujar a Francia hacia el modelo renano, es al contrario, esencialmente, hacia el modelo anglosajón hacia donde deriva. ¿Por qué va de este modo en contra de lo que quiere y debe hacer? Muy sencillamente, porque hay allí inmensas cuestiones que, actualmente, desbordan el límite de eficacia de un solo Estado. Desde el momento en que la economía de los países desarrollados se internacionaliza a gran velocidad, los Estados de esos países se encuentran relegados, fuera de juego, *out*, cualquiera que sea la orientación política de su gobierno.

Pedir al Estado una política más social es más o menos en vano. No puede aplicarla ya a nada o casi nada. Si se quiere dominar el capitalismo

<hr />

nización de Inversiones Colectivas de Valores Mobiliarios). [T.]

* *Blue chips* = valores. [T.]

sin perjudicar su eficacia, ya no es al Estado al que hay que dirigirse sino a Europa. Y es necesario que Europa produzca a la vez estructuras financieras poderosas —*zaibatsu* a la europea— e instituciones políticas cuyo modelo a menudo demasiado olvidado es la CECA*.

## La CECA, prototipo europeo del modelo renano

La vida y el ejemplo de Jean Monnet nos dicen mucho a la vez sobre la evolución reciente del modelo neoamericano y sobre la influencia dominante que esa evolución ha ejercido sobre el proyecto europeo.

El pequeño comerciante de coñac convertido en un gran banquero era un hombre que compartía el sistema de valores de los Roosevelt, los Truman y los Kennedy. Decididamente favorable a la economía de mercado, hizo más que nadie para sacar a Francia del proteccionismo y hacerla entrar en el libre intercambio internacional. En un plano personal, lo bastante capitalista como para haber rechazado, cuando llegó a ser comisario general del Plan de Francia, toda remuneración estatal para poder conservar su plena independencia, Jean Monnet tenía una concepción sumamente renana de la economía de mercado.

La obra que desarrolló en Francia en el marco del Plan es una prueba de ello, pero sobre todo la concepción que lo ha guiado hasta cimentar Europa, en 1952, a partir de la CECA, con una "Alta Autoridad" (¡ésta es una expresión que merece ser meditada!).

En principio, se trataba de crear un mercado común, de establecer una completa libertad de intercambio para los dos grandes productos que habían servido para forjar las armas de la guerra en Europa: el carbón y el acero.

Pero a la vez era necesario atender a la reconversión de las minas europeas de hierro y carbón, que eran cada vez menos competitivas frente a terceros. Esto generaba un grave problema social.

Para resolverlo, Jean Monnet hizo que los gobiernos y los parlamentos de los seis países fundadores de la CECA admitieran la necesidad de una institución cuyo nombre presenta hoy algo de folclórico: la Alta Autoridad de la CECA. Esta Alta Autoridad disponía de amplios poderes reglamentarios y de una potente capacidad fiscal y financiera destinada por una parte a favorecer las inversiones de productividad, y por otra a financiar una política social muy activa.

Un impuesto europeo, una Alta Autoridad europea para ocuparse de la suerte de las minas y los aceros, ¿qué hay más contrario a la filosofía reaganiana-thatcheriana?

El planteamiento de la cuestión es aún más interesante, dado que las industrias siderúrgicas norteamericanas y británicas están desde hace

* Comité Europeo del Carbón y el Acero. [T.]

mucho tiempo en descomposición, mientras que —¿quién lo hubiera dicho?— la compañía francesa SACILOR bate récords mundiales de productividad y de rentabilidad.

Los poderes y la misma noción de Alta Autoridad asustaron a los gobiernos que temieron dejarse despojar por las instituciones europeas de una parte de sus prerrogativas. Esta es la razón por la que el tratado del Mercado Común firmado en 1957 delega muchas menos atribuciones en las instituciones comunitarias. La Comisión de Bruselas, a la que tan a menudo se acusa de hacer demasiado, no es sin embargo más que una réplica muy tenue de la Alta Autoridad. En concreto, la Comunidad Europea no tiene prácticamente ninguna responsabilidad propia ni medios de actuación en materia de "política industrial". Esta misma expresión está desterrada. El vicepresidente, señor Bangeman, antiguo ministro de Economía de la RFA, nos ha sorprendido gratamente empleándola en una comunicación general de un espíritu nuevo, a propósito de la crisis que golpea a la industria electrónica europea.

Esta crisis es temible pues, en el año 2000, la electrónica será la primera de todas las industrias, representando hasta el 10 % del PIB japonés. *Esta crisis está prevista, anunciada, asegurada desde hace un cuarto de siglo*: ya en 1965 el señor Colonna, vicepresidente de la Comisión, había alertado al Consejo de Ministros. En vano: el Mercado Común no debía ocuparse de eso. Por lo tanto fue Japón el que retomó las ideas del señor Colonna y el MITI *, en concreto lanzó entonces el célebre programa robótico que dio a Japón el primer puesto mundial en ese terreno. Estados Unidos hace lo mismo con otros medios, puesto que los gastos de investigación en los presupuestos militares del Pentágono representan el equivalente de la totalidad de los gastos japoneses de investigación para el desarrollo.

Ante esta realidad, los europeos continúan por su parte poniendo a punto el mercado único. Pero sin ninguna capacidad institucional significativa para afrontar la competencia mundial en las grandes tecnologías del futuro. En la encrucijada entre Europa y no-Europa, la mayoría de los Estados miembro ha elegido esta última, a pesar de las advertencias reiteradas de la Comisión. Por ello los tres últimos fabricantes europeos de componentes electrónicos se encuentran en una situación dramática: Philips, SGS Thomson y Siemens; lo prueba el hecho de que, en el campo de la electrónica para el gran público, ICL, británica, está niponizada; Olivetti, italiana, está norteamericanizada; Bull, francesa, no tiene otra solución que la entrada en su capital de la japonesa NEC.

Por no haber seguido la CEE el ejemplo de la CECA, cada una de esas empresas ha continuado, en la vía de la no-Europa, desempeñando su

---

* MITI = En el japón, "Ministry of the International Trade and Industry" (Ministerio de Comercio Internacional e Industria). [T.]

papel de campeón nacional, hasta el momento en que deba volverse estadounidense o japonesa.

## La carrera al paraíso fiscal

En realidad, el consenso de los Estados miembro para impedir a la comunidad desempeñar un papel propiamente europeo en materia tecnológica e industrial sólo es el aspecto más visible de la evolución de la CEE hacia el modelo thatcheriano.

Para ver esta evolución en perspectiva, es conveniente remitirse a las conclusiones del informe realizado en 1987, a petición de la Comisión, por el grupo de expertos que presidía el director general del Banco de Italia, Tomaso Padoa Schiopa. El título de ese informe es perfectamente claro. Se reduce a tres palabras: eficacia, estabilidad, equidad.

La *eficacia* económica —este libro no ha dejado de recordarlo— es un resultado de los mecanismos del mercado. Es gracias al Mercado Común, y después al proyecto de mercado único, que los países de Europa occidental deberán, de aquí al año 2000, superar —a tasa de cambio normal— el nivel de vida de los estadounidenses.

La *estabilidad* monetaria, ampliamente favorecida por el SME, contribuirá todavía más a ese impulso en cuanto se cumplirá dentro de una verdadera Unión Económica y Monetaria, en la que la participación de los doce países no sería obligatoria en un primer momento. El Bundesbank debería dejar de abusar del argumento según el cual la convergencia previa de las políticas económicas y monetarias es una condición *sine qua non* de la unión: ¡por suerte, para hacer la unión monetaria entre las dos Alemanias no se esperó a que hubiera convergencia entre los dos sistemas!

Queda la *equidad*, la justicia social. Esta sólo tiene relaciones limitadas con la estabilidad monetaria: es cierto, la inflación empobrece a los pobres y enriquece a los ricos, pero no basta con suprimir la inflación para impedir que crezcan las desigualdades. Es, por el contrario, el principio mismo de los mecanismos del mercado el que extraerá su eficacia de esas desigualdades.

Para combatirlas, es indispensable, al lado de las libres iniciativas de ayuda mutua, que el poder público desempeñe su papel en la redistribución de los recursos, algo que es cada vez más difícil por dos razones. Por una parte, hemos visto que, progresivamente, los Estados han quedado fuera de juego no por el mismo mercado europeo, sino por la internacionalización de la economía que, a corto plazo, hace depender la competitividad económica de un país de la reducción de sus gastos públicos y, en última instancia, de la pauperización del Estado. Por otra parte, en el lugar de los Estados así superados, provincializados, no hay nada o casi nada a nivel europeo. Es una vez más la no-Europa. Y es ese vacío institucional el que, en la encrucijada en la que se encuentra, arrastra a la CEE hacia el modelo thatcheriano.

El ejemplo más significativo, el que concierne a todos los ciudadanos es, en este aspecto, el ejemplo de la evolución del proceso fiscal en Europa.

¿Cuál es la tradición europea? Desde comienzos del siglo XX, consiste esencialmente en bajar las tasas a los pobres y aumentarlas a los ricos. Es el principio de la progresividad del impuesto, que se ha extendido paulatinamente de los países escandinavos hacia los países latinos.

¿Cuál es la concepción de la señora Thatcher? Exactamente lo contrario. Dio la prueba más espectacular con su reforma de la *poll tax*,* es decir, la tasa de vivienda. En Inglaterra, como en los demás países de Europa, ese impuesto no estaba sometido al principio de progresividad sino al de proporcionalidad: cada uno pagaba en función del valor proporcional de su vivienda. Por lo tanto, los ricos, los más favorecidos, pagaban más que los más pobres, los mal alojados. ¡Eso es injusto!, proclamó la señora Thatcher, pues los pobres no cuestan menos fondos a las finanzas públicas que los ricos, sino todo lo contrario. Por lo tanto, deben pagar lo mismo. La *poll tax* debe convertirse en una tasa per cápita, es decir por cabeza, idéntica para todos, para el chófer del duque y para el duque. La revuelta popular fue de tal magnitud que John Major se apresuró a obrar de modo que se olvidara una provocación tan excesiva contra la mayoría de la población.

Esta historia británica es ahora muy conocida. Pero no lo es tanto que se está produciendo en una escala mucho más amplia, la de la CEE entera, y sobre un tema de muy distinta importancia que el de la tasa de vivienda, puesto que se trata de las plusvalías y de los beneficios del capital.

Si usted es residente francés, o si tiene obligaciones francesas, el emisor declarará al fisco los bonos que él le entrega, sobre los cuales usted debe pagar un impuesto del 17 % más allá de un umbral de exoneración. Si, por el contrario, usted posee obligaciones extranjeras, el emisor no declara sus bonos al fisco. Es cierto que, a pesar de la supresión del control de cambios, usted debe declarar igualmente esas ganancias, pero si no lo hace el riesgo que corre es ínfimo. Esta es la razón por la que, en febrero de 1989, la Comisión propuso establecer una retención previa al pago del 15 % sobre los intereses pagados a los residentes de la Comunidad. "La RFA, que había aceptado, dentro de un espíritu europeo, establecer una retención previa al pago en enero de 1989, la suprimió en junio ante las salidas masivas de capitales, a menudo en dirección a Luxemburgo. Este fracaso anunció el fin del proyecto de la Comisión, de manera que el expediente está bloqueado y la imposición cero se instala poco a po-

* Impuesto per cápita. [T.]

226 Capitalismo contra capitalismo

co." (*Hacia un criterio fiscal europeo*, publicación del CEPII, Económica, 1991.)

Por lo tanto, ¿en beneficio de quién "se instala la imposición cero"? En beneficio de los propietarios de valores mobiliarios, es decir, en resumen, de las clases más favorecidas de la población. Ahora bien, todo queda igual. Si los ricos pagan menos, es preciso que los pobres paguen más (como en la *poll tax* de la señora Thatcher). La mayoría de los gobiernos europeos consideran que eso es injusto. Pero poco importa la opinión de esta mayoría pues en la CEE, en materia fiscal, para salvaguardar la soberanía de los Estados se decidió mantener la regla de la unanimidad. Dicho de otra manera, ninguna decisión puede ser tomada por los Doce, sin el acuerdo de Luxemburgo. Es a causa de Luxemburgo que los otros once Estados iniciaron la carrera del paraíso fiscal. Margaret Thatcher ya no está en el poder, pero puede estar orgullosa de la influencia que continúa ejerciendo en el terreno fiscal en la CEE, bajo la forma de una especie de *poll tax* thatcheriano generalizado para lo que más cuenta en el capitalismo, es decir el capital mismo.

Aquí tenemos uno de los numerosos ejemplos que muestran que el Mercado Unico, si no desemboca rápidamente en una verdadera unión política, establecerá en Europa una especie de neomodelo infranorteamericano, con mucho menos papel del Estado y mucho más del mercado.

Esto es lo que entusiasma a Margaret Thatcher y desconsuela a Jacques Delors. En la encrucijada de Europa de 1992, difícilmente se pueden imaginar concepciones tan discordantes como las suyas. En un sentido muy esencial, el futuro de Francia se decide en el dilema que plantean.

Ronald Reagan y Margaret Thatcher han edificado en gran medida su popularidad sobre su promesa de reducir los impuestos. Sólo lo han logrado parcialmente a nivel nacional. La CEE lo hace mucho mejor en el plano europeo, pues establece un sistema *competition of rules* * en el que es a priori el Estado menos caro, el menos exigente, el que disfruta de ventajas.

* Competencia de reglas.

# CONCLUSION

Con mucha frecuencia, los libros acaban con piadosas recomendaciones. ¡Es tan tentador! Se enumeran algunas "recetas", se proponen reformas lo bastante vagas como para ser irrefutables, se apela al deber cívico y se zarpa ventajosamente hacia el futuro. Demasiado a menudo he denunciado los "sólo hay que..." (en *La apuesta francesa*, por ejemplo), para después caer en el mismo error. En verdad, creo demasiado en la virtud pedagógica de los hechos, tengo demasiada confianza en la razón, como para entregarme a esa falsa —e imprudente— elocuencia. Todas las informaciones reunidas en este libro creo que hablan por sí mismas. Que el capitalismo ya no tenga un adversario de su talla es una evidencia, y que por lo tanto haya vuelto a ser peligroso es actualmente irrefutable. Que sus dos variantes se distinguen y se oponen radicalmente, me parece más o menos demostrado. Y que de las dos variantes sea la más discutible, la menos eficaz y la más violenta la que gana terreno, me parece un verdadero peligro. Se trataba, ante todo, de señalarlo con el dedo.

Pero no quiero, por eso mismo, falsear los hechos. Por ejemplo, sería erróneo ennegrecer finalmente el cuadro por un gusto por la polémica. Sería erróneo guardar silencio sobre todas las "buenas nuevas" que los últimos diez años nos han dado. Pues, por último... El hundimiento del comunismo ha sido *también* el progreso mundial de la democracia. El triunfo de la economía de mercado, de la independencia económica, de los intercambios ha representado *también* una nueva prosperidad para millones de hombres y mujeres. Nunca la economía mundial había sido tan generosa, tan bienhechora, para tan gran número de personas. El retroceso de las burocracias, de los funcionarios y del dirigismo ha significado *también* un impulso formidable para la iniciativa individual y para la creatividad. ¡Incluso en el Estados Unidos de Ronald Reagan! ¡Incluso en la Inglaterra de Margaret Thatcher! ¿La "revolución conservadora" sólo ha aportado cosas malas? ¡En absoluto! Y el individualismo liberado, la movilidad social, el dinamismo de los empresarios, la preocupación por la competitividad; nada de eso podría anotarse en el pasivo de nuestra época! Si Occidente fascina a tantos centenares de millones de hombres y mujeres en el Este y en el Sur, si Estados Unidos "restablecida" encarna una esperanza para tantos pueblos enteros, no podemos considerarlo una simple alucinación colectiva. O, dado que la expresión está de moda, un puro "fenómeno publicitario". Los húngaros, los polacos o los albaneses que miran insistentemente hacia Chicago, o Lech Walesa, cuando, al salir del Buckingham Palace, va a consultar a Margaret Thatcher, no son imbéciles. Por haberlo aprovechado insensiblemente, con suavidad, sin sacudidas, terminaríamos por no ver ya siquiera *lo que hemos ganado en diez años*. Estas observaciones no son anecdóticas.

Digo, sin embargo, que no son suficientes. Pues el capitalismo, con independencia de sus éxitos recientes, sus conquistas indiscutibles, sus adquisiciones, se encuentra ahora realmente amenazado por una *pérdida de rumbo* que este libro intenta poner en evidencia. La situación de deriva en que se encuentra es tanto más potente y peligrosa cuanto que no es coyuntural, provisional, sino que responde a un gran movimiento de la economía mundial. Atestigua incluso una nueva ruptura en la historia del mundo industrializado. No estoy seguro de que se haya comprendido del todo el alcance de ese cambio.

## Las tres edades del capitalismo

Para una mayor claridad quisiera simplificar, a riesgo de parecer a veces un tanto exagerado. En el fondo, en sus relaciones con el Estado, el capitalismo habrá pasado, exactamente en dos siglos, de 1791 a 1991, por tres fases distintas. Y hoy es en la tercera en la que insidiosamente acabamos de entrar.

### 1791

La primera fase era la del *capitalismo contra el Estado*. En Francia, la fecha clave es 1791, con la famosa ley Le Chapelier, que es quizá la más importante de toda la Revolución Francesa en materia económica: suprime las corporaciones, prohíbe los sindicatos y funda —contra la antigua tutela del Estado monárquico— la libertad comercial e industrial. Durante un siglo, la evolución posterior será continua y espectacular: el Estado se somete a las reglas de derecho, aparece una verdadera función pública, los funcionarios ya no son corruptos y, sobre todo, el Estado retrocede ante las "fuerzas del mercado", centrándose en su función primaria, la del Estado-gendarme, encargado de velar por el orden público contra las "clases peligrosas", es decir, el nuevo proletariado industrial. Al mismo tiempo, se asiste efectivamente a la nueva "explotación del hombre por el hombre", al desarraigo progresivo del viejo mundo campesino, a la opresión económica de la clase obrera, a las penurias inauditas de la revolución industrial.

Todo esto Karl Marx lo denunció magistralmente en el *Manifiesto del Partido Comunista* (1848). En el curso del año 1891 ya son las Iglesias, la protestante y sobre todo la católica, las que denuncian a su vez la cuestión social, proponiendo remedios opuestos a los del marxismo: no la lucha de clases, sino la cooperación entre el capital y el trabajo. La gran encíclica *Rerum novarum* de León XIII resuena todavía con acentos proféticos que, al apelar a la justicia estatal para los obreros, marcaron poderosamente la evolución del capitalismo en el siglo XX.

## 1891

En efecto, comienza entonces la segunda fase del capitalismo, que es la del capitalismo acotado por el Estado. Todas las reformas se esfuerzan hacia el mismo objetivo: se trata de corregir los excesos del mercado, de atemperar las violencias del capitalismo. En todas partes, el Estado aparece como el baluarte contra la arbitrariedad y la injusticia del libre mercado, el protector de los pobres, y es él el que a fuerza de leyes, de decretos, bajo la presión de las luchas obreras y por medio de las convenciones colectivas, interviene para humanizar los rigores del primer capitalismo. Progreso del derecho laboral, aumento continuo de la función fiscal y de los sistemas de redistribución, etc. Todas las evoluciones legislativas van en el mismo sentido. Es cierto, Estados Unidos, que se libró parcialmente de los dramas de la "cuestión obrera", no sigue el mismo ritmo. Pero, a partir de la gran crisis de 1930, se acerca a la posición europea en ese terreno: de Roosevelt a Carter, pasando por Kennedy y Johnson, Estados Unidos siguió durante medio siglo la evolución europea hacia un capitalismo más moderado, sin llegar sin embargo, después de la guerra, tan lejos en la construcción del Estado-providencia.

Durante todo este período, marcado por un aumento del poder estatal, no debemos olvidar que, si bien el capitalismo evoluciona, es de alguna manera "a empujones", bajo la formidable presión moral y política de su adversario: la ideología comunista, que se arrogó el privilegio de la esperanza y del futuro. Debemos forzar la memoria, hoy, para recordar hasta qué punto era fuerte esta presión. Hace treinta años, Francois Perroux, uno de los economistas más agudos, escribía: "El capitalismo ha sido tan duramente atacado a cara descubierta, y tan insidiosamente discutido, que, para la mayoría, es la representación del enemigo del género humano. Condenarlo una vez más, es asumir un papel sin peligro y sin gloria. Defender su causa, es hablar ante jueces que "tienen en el bolsillo una sentencia de muerte" (*El Capitalismo*, "¿Qué sé?", 1962).

**1991**

Pero, desde hace unos diez años, la tendencia se ha invertido... Por querer abarcar o dirigir demasiado la economía, el Estado estaba a punto de ahogarla. Por querer entibiar demasiado el mercado, llegaba a paralizarlo. Entonces, las personas tuvieron que depender progresivamente de burocracias cada vez más kafkianas. Hay que recordar la huelga de los conductores de ambulancias en Gran Bretaña, durante el invierno de 1979: fue lo más efectivo para descalificar a los laboristas y llevar a la señora Thatcher al poder.

Por lo tanto, el orden de las prioridades cambió. El Estado ya no se percibe realmente como un protector o un organizador sino como un parásito, un freno, un peso muerto. Hemos entrado en la tercera fase, que es la del capitalismo sustituyendo al Estado. Nos ha llevado unos diez años el tomar realmente conciencia de ello. En efecto, fue en 1980 con la elección casi simultánea de Margaret Thatcher en Inglaterra y de Ronald Reagan en Estados Unidos, cuando comenzó todo. ¿Cuántos fueron en esa época los observadores que comprendieron que esta vez no se trataba de una simple alternativa electoral? De uno y otro lado del Atlántico, una *nueva ideología del capitalismo* llegaba realmente al poder.

Se conocían sus principios básicos. Se resumen en pocas palabras: el mercado es bueno, el Estado es malo; mientras antes la protección social se consideraba un criterio de progreso social, hoy se la denuncia como un estímulo a la pereza; mientras que antes el impuesto aparecía como un medio esencial para conciliar el desarrollo económico y la justicia social, la función fiscal es acusada —no sin razón— de desalentar a los más dinámicos y a los más audaces. Por lo tanto, hay que reducir los impuestos y las cotizaciones sociales, desreglamentar, es decir, hacer retroceder totalmente al Estado para que el mercado pueda liberar las energías creadoras de la sociedad. No basta, pues, ya, como en el siglo XIX, con oponer el capitalismo al Estado, se trata de reducir a éste a un campo de competencia mínimo, de sustituirlo en la medida en que sea posible por las fuerzas del mercado. En el siglo XIX, el capitalismo no amenazaba con ocupar el lugar del Estado, ni en la sanidad, ni en la enseñanza, ni en los medios de comunicación, por la sencilla razón de que las escuelas, los hospitales y los diarios dependían de iniciativas privadas. Pero, en nuestra época, en la mayoría de los países desarrollados, empezando por la radio y la televisión, innumerables actividades pasan progresivamente del sector público al sector privado, desde el reparto de aguas hasta el transporte y distribución del correo, pasando por la recogida de la basura hogareña.

Hasta 1991, nos hemos podido preguntar si esta "revolución conservadora" no sería un simple paréntesis, una fase provisional, un "golpe de timón" sin continuidad. En Europa, muchos lo creyeron así, y no ahorraron sus ironías respecto al "reaganismo" o al "thatcherismo". Hoy en día, aún podemos preguntarnos sobre el futuro de este último en Inglaterra. En efecto, en Londres, John Major, que ha sucedido a Margaret Thatcher, tomó rápidamente medidas simbólicas en contra de la filosofía thatcheriana: la supresión de la *poll tax*, por ejemplo. Pero, en Estados Unidos, el "reaganismo" parece, por el contrario, consolidado en la opinión pública.

La guerra del Golfo, la victoria del general Schwarzkopf seguida por el regreso triunfal de los *boys*, y por una estupenda subida del dólar, todo eso parece haber purgado duraderamente a Estados Unidos de sus humillaciones y de sus dudas pasadas. Está de nuevo firmemente convencido de que *su capitalismo* es el mejor sistema que hay en el mundo. Y no es el único en pensarlo. *Es debido a que todo el mundo, o casi todo el mundo, cree en el éxito de la revolución conservadora, y trata de aplicar sus recetas, que una ruptura histórica fundamental está en juego.*

Es cierto en los antiguos países comunistas, donde nadie ha oído aún hablar de la economía social de mercado ni del modelo renano. Incluso antes de haber podido crear un sistema bancario digno de ese nombre, los polacos acaban de abrir la Bolsa de Varsovia en el antiguo edificio del Partido Comunista, y Lech Walesa recorre Europa Occidental profesando las ideas de los *Chicago boys*.

También se cumple en los países en vías de desarrollo. Antes de Reagan, la experiencia parecía demostrar que su despegue suponía un impulso del Estado, como en Japón o en Corea del sur. Durante los últimos años, los éxitos más brillantes pertenecen a aquellos países que, como Chile, México o Tailandia, han practicado la desreglamentación y la privatización. Por otra parte, es preciso constatar que, si bien el modelo renano es el más eficaz en Europa, la transposición al Tercer Mundo de su variante socialdemócrata ha servido con demasiada frecuencia de pretexto para la proliferación de empresas públicas ruinosas y de intervenciones gubernamentales que sólo servían para alimentar la corrupción. Recortar los gastos y acabar con el déficit público, reducir algunos impuestos, privatizar, desreglamentar, es duro, pero, a menudo, eficaz.

Del mismo modo, como ya hemos visto el "gran mercado europeo de 1992" es de inspiración ampliamente reaganiana: un máximo de competencia, un mínimo de Estado. Con esta consecuencia social fundamental a largo plazo: mientras el mercado único no sea remachado por una Unión política, cada gobierno de los doce países miembro estará cada vez más obligado, con independencia de sus preferencias políticas propias, a reforzar su competitividad económica por medio de la pauperización del Estado y, a semejanza de Reagan, a bajar las tasas impositivas de los ricos y aumentar las de los pobres. Esto ya ha empezado.

Además, en la mayoría de las universidades y de los cursos administrativos, se enseña a los futuros ejecutivos y empresarios que allí está el sentido de la historia y la ley del futuro.

Mientras que, durante cerca de un siglo, las fuerzas de la democracia y del Estado habían poco a poco mantenido y moderado dentro de ciertos límites al capitalismo, ahora los papeles se invierten especialmente en virtud de una internacionalización de la economía, que se burla de la impotencia de los Estados divididos entre ellos.

Sí, es evidente al menos desde 1991, hemos entrado en la fase del *capitalismo en el puesto del Estado.*

Esta ruptura histórica, este libro lo muestra, a menudo es fuente de dinamismo y de prosperidad, pero también viene acompañada por rupturas sociales a veces dramáticas y peligrosas. Salvo si se considera que la esencia de los progresos sociales introducidos durante un siglo eran aberraciones antieconómicas, no se puede aceptar la idea de que sean poco a poco cuestionados, que con el pretexto de recuperar su fuerza todas las economías industrializadas se endurezcan irremediablemente, se desgarren, retrocediendo socialmente. Y en todos los terrenos: la ciudad, la salud, la enseñanza, la justicia, la solidaridad, etc. Ahora bien, la paradoja es que *todo pasa como si se aceptara* de hecho *esta regresión.* Frente al maravilloso modelo reaganiano, el capitalismo renano, cuyos méritos —e incluso superioridad— he señalado, tiene el mismo encanto que una solterona provinciana, enredada en sus tradiciones, arraigada en sus nostalgias humanistas, estorbada por sus escrúpulos y su prevención. En una palabra, es tan "anticuada" como la hormiga de la fábula frente a la cigarra. Anda pegada a las paredes. No se atreve a entrar en el salón de baile...

Si una cosa, una sola, podía irritarme al final de este libro, es esa paradoja. La encuentro inaudita. Aberrante. Hasta el punto de que a menudo me he preguntado qué habría que hacer o decir para que todos tomen verdaderamente conciencia de lo que está en juego. No creo que sea muy eficaz apelar a los grandes principios. Dudo, en este aspecto, de la utilidad de los sermones. En cambio, soy bastante sensible al aforismo de Lao-Tsé, que asegura que todos los problemas del mundo pueden reducirse a una cosa tan simple como "cocinar un pescadito". Hay que confiar en las virtudes de la pedagogía. Hay que creer en la inteligencia de los ciudadanos de una democracia *cuando están claramente informados.* Pero, ¿cómo *transmitir el mensaje?*

En el fondo, quizá bastaría con imaginar lo que pasaría concretamente en nuestra vida cotidiana si la deriva del capitalismo prosiguiera hasta su término. ¿En qué nos convertiríamos si Europa y Francia se rinden totalmente al modelo reaganiano? La hipótesis no es absurda. En efecto, la norteamericanización progresiva de Europa no se limita a la economía. El movimiento es mucho más profundo. Una encuesta del CREDOC, hecha pública el 30 de diciembre de 1990, se esforzaba en analizar los principales cambios ocurridos en el comportamiento, los hábitos de vida y de pensamiento de los franceses. Los resultados de esta encuesta, publicados en plena crisis del Golfo, casi no han recibido publicidad. Es una lástima. En efecto, el CREDOC * constata especialmente cuatro cambios profundos. ¿Cuáles?

1. *La desculpabilización del dinero*, que, en nuestra vieja sociedad de tradición católica, representa un giro capital que la acerca al mundo anglosajón.

2. *El triunfo del individualismo*, que el CREDOC llama el "cada-uno-para sí". Coincide simultáneamente con el declive espectacular de los compromisos colectivos: sindicatos, asociaciones, etcétera.

3. *El "endurecimiento" social*, especialmente en el mundo laboral, y el agravamiento de los nuevos estados de ansiedad ligados a la competencia, al miedo al desempleo, etc.

4. *La uniformización de los comportamientos*, especialmente entre París y provincias, en particular bajo la influencia *actualmente hegemónica* de la televisión.

Naturalmente, cada uno de esos puntos merecería ser desarrollado. Yo observo que los cuatro, evidentemente, van en el sentido de una "norteamericanización" de la sociedad francesa. Si la sociedad, en sus aspectos profundos, se norteamericaniza insensiblemente, no es absurdo imaginar que su economía siga el mismo rumbo. Y eso, hasta las últimas consecuencias.

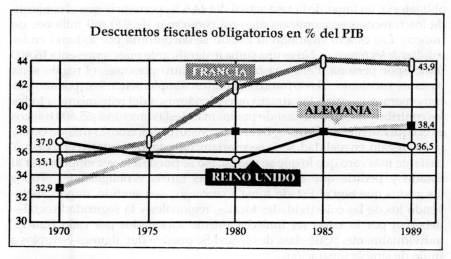

FUENTE: OCDE.

* Centre de Recherche et de Documentation sur la Consommation = Centro de Investigación y de Documentación sobre el Consumo. [T.]

## Por 16.400 francos de más

¿Qué pasaría entonces? Con todas las precauciones que impone este tipo de simplificación prospectiva y estadística, podemos intentar formarnos una idea. Tomemos para eso un parámetro simple, pero determinante: el sistema fiscal. En efecto, sabemos que es el que determina, ante todo, la riqueza y por lo tanto el poder del Estado, su capacidad para regular las fuerzas del mercado y para proteger a los débiles.

Hagamos un pequeño cálculo elemental. En Francia, la tasa de los descuentos fiscales obligatorios (impuestos, tasas, cotizaciones sociales, etc.) es del 44,6 % en 1990. En este aspecto, el caso francés es particularmente interesante porque, de todos los países de dimensiones similares, Francia es, de lejos, el campeón de los descuentos fiscales obligatorios; esta situación, aún más original dado que la administración del presupuesto estatal es particularmente rigurosa, se explica por el hecho de que Francia es también el único de sus países homólogos que no ha logrado controlar el desequilibrio de sus gastos de protección social.

En consecuencia, cuando un francés produce 100 francos, da globalmente 44,60 francos al Estado o a los organismos que dependen de él. En Estados Unidos, esa misma tasa es hoy ligeramente inferior al 30 %. ¡Y bien, sea! ¡Imaginemos aplicar bruscamente a Francia la tasa norteamericana! El producto bruto interno de Francia es de aproximadamente 6 billones 300 mil millones de francos. Aplicarle una tasa del 30 % de descuento fiscal obligatorio, en lugar de la tasa actual del 44,6 %, permitiría que el conjunto de los franceses economizara algo así como más de 920 mil millones de francos. Ese dinero sustraído al Estado se encontraría por lo tanto en *los bolsillos de los franceses*. No es una suma insignificante pues representa 16.400 francos por persona. Para una familia de cuatro personas, el regalo sería bastante suculento: 65.600 francos de ingresos suplementarios, ¡por año! ¡Es como para convertir a los atractivos esplendorosos del reaganismo a todos los contribuyentes, comenzando por los más desfavorecidos! ¡65.600 francos es el equivalente del SMIC*! ¿Es esto tan seguro? Mirémoslo más de cerca.

Ese regalo, en realidad, sería necesariamente pagado contrarreembolso. Y bastante más caro que lo que se piensa. No se puede a la vez empobrecer al Estado y pedirle que asuma las mismas tareas y obligaciones. Todos los gastos que hoy el Estado toma a su cargo —en sentido amplio, incluyendo los de las colectividades locales, regionales y la seguridad social— deberían por lo tanto ser inmediatamente soportados por cada francés, individualmente. ¿Qué clase de gastos? Se pueden dar algunos ejemplos a título de simple ilustración.

*La protección social*, claro. Se acabaron los reembolsos automáticos del 80 %

---

* Salaire Minimum Interprofessionnel de Croissance = Salario Mínimo Interprofesional de Crecimiento. [T.]

sobre los gastos médicos y farmacéuticos. Hay que olvidarse del acceso universal al hospital, de las tecnologías punta, del radiodiagnóstico, de la ecografía, etc. Cada francés debería tomar a su cargo sus gastos de salud, como sus gastos de alojamiento, de alimentos y de viajes. Si es víctima de un accidente de tráfico y trasladado a un hospital de urgencia, deberá acostumbrarse a la idea de que, antes de recibir cualquier atención, se le preguntará, a él o a su familia, cuáles son sus recursos personales y quién pagará la factura.

Peor aún, la mayoría de las jubilaciones complementarias serían drásticamente reducidas. Digo bien, las jubilaciones complementarias, y no la jubilación básica o "seguro de vejez"; en efecto, en Francia, como en los demás países, la jubilación básica se financia a título de solidaridad nacional, por los descuentos fiscales obligatorios; esto sucede incluso en Estados Unidos, donde esta jubilación básica constituye la única forma de seguridad social generalizada. Por lo tanto, aunque —hipotéticamente— Francia lograra reducir sus descuentos fiscales obligatorios al 30 % del PIB, la jubilación básica, por analogía con Estados Unidos, podría en principio continuar siendo pagada.

Por el contrario, para las jubilaciones complementarias, Francia presenta, respecto de todos los países similares, una originalidad de gran importancia: en Francia, esas jubilaciones son *también* financiadas esencialmente por los descuentos fiscales obligatorios, mientras que en los otros países se pagan por las rentas de un ahorro de previsión reservado a tal efecto, año tras año. Por lo tanto, en esos países, una reducción de los descuentos fiscales obligatorios, por radical que sea, no tendría efecto sobre las jubilaciones complementarias. En Francia, en cambio, reducir las cotizaciones equivaldría inevitablemente a reducir esas pensiones. En este aspecto, el sistema francés sólo se sostiene por la obligación parafiscal.

*La escuela.* No podríamos, seguramente, ni siquiera imaginar una escuela gratuita desde la guardería hasta la universidad. Cada uno deberá elegir conforme sus medios, y asegurará a sus hijos lo que pueda. Y ya está. A título indicativo, sepamos que la matrícula en una buena universidad cuesta alrededor de 100.000 a 150.000 francos. Sin contar, por supuesto, los gastos de alojamiento, de restaurantes universitarios, etc. La enseñanza de calidad y los estudios largos se convertirán *ipso facto* —y a excepción de los becados— en el privilegio de los hijos de familias ricas.

*Los transportes públicos.* Todo hace pensar que se volverán rápidamente lo que son en Estados Unidos, es decir, vetustos, incómodos, mal mantenidos. La supremacía del automóvil individual se encontrará definitivamente consagrada, con todas sus consecuencias muy conocidas: aumento vertiginoso de los costos de estacionamiento, paralización de las ciudades, etcétera.

*Los servicios colectivos.* Imposible imaginar que puedan mantenerse en su estado actual. Los que se encuentran a cargo de las corporaciones locales, los que dependen del Estado, sufrirán en diversos grados la pauperización de las administraciones. Jardines públicos, espacios verdes, carreteras y caminos, estaciones, aeropuertos, etc. La tendencia no será la del embellecimiento, ni siquiera la del mantenimiento. Piénsese en el aspecto ofrecido por la mayoría de las grandes ciudades estadounidenses... Y, sobre todo, no creamos que únicamente el placer y la felicidad estética están en discusión. Todos los estudios demuestran que la calidad de los servicios colectivos es un factor importante en la competitividad de las empresas.

*Las desigualdades*. Los mecanismos de redistribución por medio del impuesto sólo actuarán de manera reducida. Consecuencia: las desigualdades sociales, ya en aumento, darían un salto cuantitativo hasta el punto de cambiar de manera significativa el equilibrio de la sociedad. Ricos todavía más ricos y pobres cada vez más vejados, analfabetos, marginados. Marginados especialmente del RMI,* del que gozan hoy varios centenares de miles y que deberían entonces remitirse sólo a la caridad privada. Los "nuevos pobres" serían, en consecuencia, mucho más numerosos y aún más pobres. Es difícil evaluar las consecuencias de esta regresión hacia el "desorden social" (violencia, delincuencia, droga, etc.), pero algo es seguro: serán numerosas.

*Trabajo y desempleo*. Aquí, el modelo neoamericano marca puntos.

Patria del pleno empleo durante los "Gloriosos Treinta", Francia desde hace veinte años no ha dejado de producir simultáneamente planes de lucha contra el desempleo cada vez más prometedores y desocupados cada vez más numerosos y más difíciles de reinsertar. Representan ahora más del 9 % de la población activa. Estados Unidos considera las políticas de pleno empleo casi como un pecado mortal. Pero, desde Reagan, ha logrado reducir su tasa de desempleo a casi la mitad, llevándola al 6 %. Y no por medio de la multiplicación de ayudas sino, al contrario, por medio de su reducción, lo que ha obligado a los desempleados a aceptar una proporción creciente de trabajos subcalificados y mal remunerados, en primer lugar, y, en número creciente, los de policías privados y de guardianes de toda índole.

¿Qué es mejor? ¿Más desocupados asistidos, o más trabajadores mal pagados? Para dilucidar este debate "capitalismo contra capitalismo", hay dos puntos a señalar: únicamente los países renanos han logrado demostrar que una protección social más generosa puede ir aparejada con una economía más eficiente; Francia, por su parte, no podría a la vez congelar la tasa de sus descuentos fiscales obligatorios y mantener mucho tiempo su protección social actual.

Se podría prolongar indefinidamente la lista de estos ejemplos. ¿Es

---

* Revenu Minimum d'Insertion = Ingreso Mínimo de Inserción. [T.]

realmente necesario? Solamente quiero mostrar que la evolución de un capitalismo hacia otro se vería acompañada forzosamente por cambios mucho más profundos que lo que se cree, en la forma de vida de todos. En el fondo, si yo debiera resumir en una sola frase la principal diferencia entre ambas variantes del capitalismo, diría esto: el modelo neoamericano sacrifica deliberadamente el futuro al presente.

Ahora bien, bajo esas diferentes formas, la inversión en el futuro es en nuestra época el verdadero "círculo productivo", la primera fuente de la riqueza. Quizás incluso el nuevo camino de la sabiduría.

Sobre todo para los europeos. Para cada ciudadano europeo. Pues la CEE será el principal campo de batalla de los dos capitalismos. Una de dos:

O bien en 1992 los ciudadanos europeos no habrán comprendido bien de qué depende fundamentalmente su destino; no presionarán lo bastante a sus gobiernos para dar el salto hacia la unión política, a fin de que éstos se decidan a hacerlo. Entonces, ya nada podrá pasar, salvo que el mercado único comenzara a deshacerse; que, no habiendo tenido la lucidez de unirnos para elegir nuestro futuro, habremos perdido la capacidad de hacerlo; que por lo tanto recaeremos en las angustias de nuestro viejo europeísmo, derivando inevitablemente hacia ese modelo neoamericano del que los suburbios de Lyon, de Manchester y de Nápoles son ya la prefiguración; que, para colmo, en nuestra propia impotencia, estaremos cada vez más acosados por las multitudes tercermundistas del Este y del Sur, buscando infiltrarse a través de nuestras fronteras para alcanzar el Tercer Mundo de nuestros suburbios a la norteamericana.

O bien, nosotros nos pondremos en marcha hacia Estados Unidos de Europa. Entonces, podremos elegir para todos nosotros el mejor modelo económico-social, que ya ha empezado a dar sus frutos en una parte de la CEE, y que se convertirá en el *modelo europeo*.

Estados Unidos de Europa para hacerlo mejor que Estados Unidos de América.

Es una cuestión de todos nosotros. Para cada uno de nosotros, el mañana se decide hoy.

ANEXOS

# Anexo 1

## LOS DOS DISCURSOS DE BRUJAS

Europa oscila entre las dos concepciones del capitalismo. ¿El mercado único de 1992 será esencialmente una zona de libre intercambio? Dentro de esa hipótesis, el capitalismo europeo será, en el año 2000, una copia fiel del capitalismo neoamericano.

¿En vez de reducirse al aspecto de mercado, la Comunidad Europea, por el contrario, va a continuar desarrollando su originalidad en dirección a una verdadera unión política europea de carácter federal? Unicamente con esta condición el modelo renano podrá constituir el prototipo del nuevo capitalismo europeo.

Este dilema va a estar en el espíritu de las dos conferencias intergubernamentales que se realizarán a fines de 1991 sobre la unión económica y monetaria por una parte, y sobre la unión política por otra.

Sobre ese debate fundamental, no conozco nada más esclarecedor que los dos grandes discursos pronunciados en el Colegio de Europa en Brujas, sucesivamente por la señora Thatcher el 20 de setiembre de 1988 y por Jacques Delors el 17 de octubre de 1989.

Evidentemente, el propósito de la señora Thatcher era discutir, por adelantado, las ideas de Jacques Delors, y este último quiso contestarle.

### 1. ¿Qué es Europa?

**Margaret Thatcher**

*a.* En primer lugar, una respuesta negativa: "Europa no es la creación del Tratado de Roma".

*b.* Representación cultural e histórica: "El concepto de cristiandad ha sido durante largo tiempo sinónimo de Europa", lo mismo que las libertades democráticas.

La vocación de Europa es convertirse en "una familia de naciones que se entiendan cada vez mejor unas con otras".

**Jacques Delors**

*a.* El presidente de la Comisión no dice nada de la historia de Europa. Para él, es el futuro lo que cuenta.

## 2. ¿Qué es la Comunidad?

**Margaret Thatcher**

*a.* De nuevo, la primera reacción es negativa: "La Comunidad no es un fin en sí mismo".

*b.* Sobre la soberanía: "Una cooperación voluntaria entre Estados soberanos".

*c.* Para la señora Thatcher no se trata de otorgar poderes suplementarios a la Comunidad. "No es necesario para poder trabajar juntos más estrechamente que el poder esté centralizado en Bruselas, o que las decisiones sean tomadas por una burocracia de funcionarios (*appointed*)."

"No hemos hecho retroceder con éxito las fronteras del Estado en Inglaterra solamente para hacérnoslas imponer de nuevo a nivel europeo por un Súper Estado que ejerce en Bruselas un nuevo poder."

**Jacques Delors**

*a.* "La Comunidad, un concepto cargado de sentido (...) Nosotros vivimos una experiencia única (...) Ciertamente, construimos remitiéndonos a principios heredados de la experiencia histórica, pero en condiciones tan particulares que el modelo, también, será único, sin precedente histórico."

*b.* "El ejercicio en común de la soberanía." El presidente de la Comisión cita en apoyo de su tesis —como con cierta sorna— a Sir Geoffrey Howe, secretario en el Foreign Office de la señora Thatcher: "Las naciones soberanas de la Comunidad Europea, compartiendo su soberanía con toda libertad, se construyen un papel clave en el ejercicio del poder del siglo próximo."

*c.* Para él, no se trata de centralización sino, por el contrario, de subsidiariedad. "Tengo a menudo la ocasión de recurrir al federalismo como método, incluyendo en él el principio de subsidiariedad. Veo allí la inspiración para conciliar lo que a muchos les parece irreconciliable: la aparición de la Europa unida y la fidelidad a nuestra nación, a nuestra patria; la necesidad de un poder europeo, con la dimensión de los problemas de nuestro tiempo, y el imperativo vital de conservar nuestras naciones y nuestras regiones como lugares de arraigo."

## 3. La evolución de la Comunidad

**Margaret Thatcher**

*a.* "Algunos de los fundadores de la Comunidad pensaban que Estados Unidos de América podría ser su modelo. Pero toda la historia de Estados Unidos es completamente diferente de la de Europa." Aquí debe hacerse una precisión un tanto sutil, pero esencial: remitiendo todo progreso de la Comunidad a una organización de tipo federal, a la estadounidense, la señora Thatcher, lejos de oponerse al modelo norteamericano de capitalismo, descarta las condiciones necesarias para la construcción de un modelo propiamente europeo de capitalismo.

*b.* "El Tratado de Roma fue concebido como una carta fundamental en función de la libertad económica, pero no es así como se ha leído siempre y aún menos aplicado (...) Este enfoque (propuesto por la señora Thatcher) no exige ningún documento nuevo: están todos ahí, el Tratado del Atlántico Norte, el Tratado de Bruselas revisado y el Tratado de Roma."

**Jacques Delors**
*a.* "Sólo hay lugar en la historia para los que tienen miras amplias y lejanas. Esta es la razón por la que los 'padres fundadores' de Europa están todavía presentes hoy por su inspiración y por la herencia que nos transmitieron."

*b.* "A partir de ahí, se desarrolla una experiencia original que rechaza toda analogía con otros modelos, como por ejemplo la creación de Estados Unidos de América (...) ¿Es sacrilegio desear que cada europeo tenga la sensación de pertenecer a una comunidad, que sería de alguna manera su segunda patria? Si esto se rechaza, entonces la construcción europea fracasará, y los viejos fantasmas recuperarán la ventaja porque nuestra Comunidad no habrá conquistado ese suplemento de alma y ese arraigo popular, sin los cuales toda aventura humana está condenada al fracaso."

*4. Dos concepciones del capitalismo europeo fundamentan estos dos discursos*

**Margaret Thatcher**
*a.* "El objetivo de una Europa abierta a la empresa es la fuerza motriz que impulsa la creación del mercado único europeo en 1992 (...) Eso significa una acción para liberar los mercados, extender las opciones y obtener una mayor convergencia de las economías a través de las reducciones de las intervenciones gubernamentales."

*b.* Es necesario reducir los gastos de la Comunidad, comenzando por los de la política agrícola común. Lo mejor del período reciente ha sido "introducir una disciplina presupuestaria más rigurosa"."

**Jacques Delors**
*a.* "El único problema no es sólo saber cómo y cuándo todos los países europeos podrán beneficiarse del efecto estimulante y de las ventajas del gran mercado. Nuestra época está demasiado dominada por un nuevo mercantilismo, y los jóvenes europeos esperan más de nosotros."

*b.* Aquí queda bien claro hasta qué punto las concepciones anglosajonas imperantes obligan a J. Delors a contener estrechamente las ambiciones financieras de la comunidad, considerando políticas comunes nuevas sólo en el entorno y quizás en las "infraestructuras indispensables para el buen funcionamiento del mercado. Todas esas intervenciones no deberían exceder el 5 % del total de los gastos públicos efectuados por la Comunidad." Esta cifra es particularmente moderada, puesto que representa de cinco a diez veces menos que el nivel habitual de la capacidad financiera de una federación política.

*5. Aspectos sociales*

**Margaret Thatcher**
"Antes de dejar el tema del mercado único, ¿puedo decir que no tenemos la menor necesidad de ninguna reglamentación nueva que aumente el costo del

empleo, y vuelva el mercado laboral europeo menos flexible y menos competitivo
que el de los proveedores extranjeros?"

**Jacques Delors**
"Cuando millones de jóvenes llaman en vano a la puerta de la sociedad de los
adultos, especialmente para tener su lugar en la vida profesional (...), se plantea la
pregunta: ¿qué sociedad construimos nosotros? ¿Una sociedad de exclusión? (...)
La declaración de los derechos sociales tiene como único objetivo recordar solemnemente que la Comunidad no puede subordinar los derechos fundamentales del trabajo a la mera eficacia económica."

Anexo II

## PROYECTO DE DECLARACION DE LOS DERECHOS Y LOS DEBERES DE LA EMPRESA

*Preámbulo*

Los recientes acontecimientos en Europa y en el mundo han demostrado la superioridad de las sociedades en las que priman la iniciativa privada y el mercado sobre las que confían la gestión de la economía a un sistema administrativo y centralizado. Solamente la libre empresa permite garantizar la eficacia económica, promesa de prosperidad para el mayor número de personas.

Las libertades económicas son indisociables de las libertades políticas. Unicamente la democracia permite el pleno florecimiento de la economía de mercado. A la inversa, ningún régimen es verdaderamente democrático si no garantiza el respeto del derecho de la propiedad y de la libertad de iniciativa.

La economía de mercado, para ser beneficiosa para todos, debe estar organizada en el marco de un Estado de derecho. En consecuencia, la misión de los poderes públicos es garantizar las libertades fundamentales de los agentes económicos y velar por el respeto de las leyes de la competencia, así como consagrar por medio de la reglamentación o por medio de la ley progresos sociales que la expansión económica hace posibles.

Colectividades organizadas, dotadas de una personalidad y de una cultura propias, las empresas son entidades básicas cuya prosperidad determina la de la economía en su conjunto. Es por medio de ellas que la mayoría de las personas físicas encuentran sus motivaciones para el trabajo y para la iniciativa. Es de ellas que reciben sus medios de subsistencia. Ese papel capital confiere a las empresas Derechos que deben ser reconocidos y protegidos por los poderes públicos. Papel y Derechos tienen como contrapartida obligaciones: obligaciones fijadas en cada país por el legislador en el transcurso de los años y en vista del desarrollo de la riqueza, que sería prematuro pretender uniformar en Europa por medio de un texto único; también obligaciones morales, idénticas para todos en su principio, si no en su nivel de realización, y que se analizan como Deberes de ambición en materia social y cultural. Son sólo estos aspectos los que pueden enunciarse en un texto único.

La libre empresa se apoya sobre una comunidad de intereses entre los poseedores del capital, la dirección y los asalariados. Por lo tanto el reparto de los frutos de la iniciativa, de los riesgos asumidos y del trabajo común debe tender a respetar la equidad, al mismo tiempo que a desarrollar la motivación para el esfuerzo de cada uno de los socios. La eficacia de todos y la equidad de las relaciones sociales dependen de ello.

En función de estas consideraciones deben ser interpretados los diversos artículos de la siguiente Declaración:

*Artículo 1º*
La libertad de iniciativa es un principio fundamental garantizado por las leyes de la República. Los poderes públicos deben protegerla.

*Artículo 2º*
La legislación económica y social se inscribe dentro del respeto de los principios de la libre competencia, de la economía de mercado y de la igualdad entre las empresas.

Todo acuerdo encaminado a sustraerse a las reglas de la competencia, o todo abuso de poder económico, están prohibidos. Los monopolios sólo pueden tener un carácter excepcional, y responder a una necesidad pública debidamente comprobada por la ley.

Toda infracción a estas reglas será comprobada y sancionada por una autoridad independiente.

*Artículo 3º*
Las empresas determinan libremente sus precios. Solamente una ley puede permitir excepciones limitadas y temporales a este principio.

*Artículo 4º*
La dirección de las empresas tiene la competencia de las condiciones de contratación y despido del personal, bajo reserva del respeto a los acuerdos contractuales concluidos y a los derechos de los asalariados.

Las condiciones generales salariales se deciden en la negociación contractual entre la dirección de la empresa y los asalariados, en la que los representantes elegidos por los trabajadores participan en las condiciones previstas por la ley.

*Artículo 5º*
Las empresas deciden sobre el reparto de sus beneficios, la remuneración de sus accionistas y sus elecciones de inversión.

*Artículo 6º*
En vista de su personalidad moral y su función, la propiedad y el control de las empresas no podrían ser considerados de la misma manera que los de las mercancías generalmente insignificantes.

En consecuencia, el derecho de propiedad de los poseedores del capital de una empresa es inviolable y absoluto. Toda limitación practicada por el Estado a ese derecho de propiedad debe tener un carácter excepcional, estar motivada por un interés público mayor. Debe ir acompañada por una indemnización justa y previa. No puede ser decidida por el legislador más que con una mayoría absoluta.

De la misma manera, y por las mismas razones, las empresas organizadas en sociedad de capitales, y cuyas acciones sean negociables en uno o varios mercados financieros, deben estar protegidas por la reglamentación de esos mercados, y las autoridades encargadas de asegurar su aplicación contra las maniobras de operadores que buscan apoderarse de su control, sin que sus motivaciones procedan de un proyecto juzgado válido por los compañeros de la empresa: Dirección, personal, accionistas.

*Artículo 7°*

Todo cambio en la legislación vigente que cree un perjuicio anormal y especial para una empresa otorga derecho a una justa indemnización fijada por el juez competente.

*Artículo 8°*

La Dirección de las empresas rinde cuentas regular y completamente, a los accionistas y a los asalariados, de su gestión y de la situación de la empresa. Los documentos contables y financieros deben ser sinceros y fieles.

*Artículo 9°*

La expresión pluralista de los asalariados en el seno de organismos representativos electos está garantizada por la ley. Los representantes electos del personal están encargados de defender los intereses legítimos de sus representados. Son consultados sobre las medidas correspondientes a las condiciones laborales. La Dirección debe asociarlos tan ampliamente como sea posible al estudio de los principales problemas de la empresa y a la búsqueda de su solución.

*Artículo 10°*

La Dirección de la empresa favorece cualquier medida que permita, dentro del respeto de los equilibrios vitales de la empresa, una mejor participación de los asalariados tanto en sus resultados como en su capital.

*Artículo 11°*

Las empresas deben contribuir a la formación de sus asalariados, especialmente de los que están amenazados de despido, a fin de facilitar su incorporación a nuevo empleo.

Deben, en la medida de sus medios, contribuir a actividades en el terreno educativo, cultural o científico, y favorecer el entorno y la calidad de vida.

*Artículo 12°*

En líneas generales, su libertad de acción, las garantías de las que gozan y los medios de que disponen en su conjunto, imponen a las empresas la ambición de desempeñar un papel motor en la promoción de los progresos esperados por el cuerpo social. Los poderes públicos deben estimularlas a ello por medio de medidas adecuadas, especialmente en el plano fiscal.

*Artículo 13°*

El respeto de los derechos y de los deberes de las empresas está garantizado por un juez independiente. Las sometidas a la justicia se benefician de las garantías de un procedimiento justo.

Anexo III

CAPITALISMO DECADENTE

*En diciembre de 1990, publiqué en* L'Expansion *un artículo titulado "Capitalismo contra capitalismo", que provocó cierto número de comentarios y de reacciones. Una de las más interesantes y concisas fue la de Jacques Plassard, aparecida después de la redacción de este libro, en* Crónicas de la SEDEIS, *n° 6 del 15 de junio de 1991, bajo el título de "Capitalismo decadente".*

*Me complace reproducir aquí ese texto con la amable autorización de su autor.*

En el Este (y eventualmente en el Sur), la historia que se escribe hoy expresa una aspiración a la riqueza que exige el nacimiento y el desarrollo de un capitalismo. Para aclararlo, es útil el recuerdo de finales del siglo XVIII y XIX. Al mismo tiempo, el capitalismo liberal, que acaba de triunfar sobre su rival imaginario soviético, está sometido a una crisis de degeneración, y hasta de decadencia en Estados Unidos, es decir, en el centro del sistema occidental.

En el artículo que publicó en la revista *L'Expansion*, Michel Albert plantea claramente la nueva dialéctica. Al haber terminado el debate entre el capitalismo liberal y el comunismo por la derrota del segundo, se establece la discusión entre los dos modelos de capitalismo liberal: el modelo renano, que puede oponerse al modelo norteamericano.

Para comprender este problema, conviene, como en el caso muy diferente del Este, ir directamente al meollo del asunto, es decir, a la realidad concreta, sin perderse en presentaciones abstractas, en parte imaginarias.

La diferencia entre el modelo japonés y renano por una parte, y el norteamericano por la otra, es el horizonte en el que los agentes económicos buscan aumentar al máximo sus beneficios. La economía estadounidense es dirigida con un horizonte muy corto; apenas se exagera recordando las cuentas trimestrales y la constante preocupación por los resultados que éstas indican. La economía alemana, y más aún la japonesa, son gestionadas en función de objetivos a largo plazo; llamémoslos, para simplificar, horizontes que están situados más allá de la esperanza de vida de los que deciden.

La cuestión que se plantea es saber por qué, en un régimen cuyos principios son homogéneos, unos asuntos concretos son gestionados con visiones diferentes. El poder está en las manos de los empresarios; ¿por qué los responsables de las empresas estadounidenses siguen políticas tan diferentes de las de los directivos de las sociedades alemanas? Los franceses parecen estar en una posición privilegiada para comprender la divergencia, pues se encuentran en Francia la consistencia y el enfrentamiento de los dos comportamientos. Sobre todo, hay que evitar condenar, primero hay que comprender.

¿El sistema norteamericano no es racional? Los propietarios de las acciones —de hecho, en la mayoría de los casos financieros que administran esas acciones por cuenta de personas privadas, que les han confiado esa gestión por medio de contratos de una multitud de formas— se esfuerzan por rentabilizar al máximo el valor de sus activos. Este valor depende, de manera clásica, de la tasa de interés general (o de la tasa media de capitalización) y de los beneficios de cada sociedad. Hay una especulación permanente sobre esos dos valores. La especulación sobre los beneficios no es a corto plazo (los *price earning* son diferentes según los sectores y las empresas), pero se revisa cada día en función de las informaciones disponibles, de las que la más consistente es el resultado trimestral.

El mecanismo del mercado está "engrasado", la movilidad es casi perfecta en función de las informaciones disponibles. Se pretende que es el reino de las finanzas, y eso significa solamente que se acepta el imperativo de las ganancias y domina.

Una perversión del sistema procede de que la información de los agentes es imperfecta. Esta imperfección es sistemática, puesto que los operadores han tomado conciencia de que los mercados están animados no por una realidad conocida, sino por la opinión que los mismos operadores tienen de esa realidad. "Esta empresa va bien, pero no hay que comprar sus acciones, pues el mercado cree que va mal". Y a la inversa.

Se puede sostener que ya no se trata de un capitalismo de propietarios, en la medida en que el concepto de propiedad se aplicaba a la tierra e implicaba una continuidad, una inercia. La total libertad de las transacciones, el descenso de sus costos, las posibilidades de compras a crédito, han reducido los lazos a veces afectivos que unían a los propietarios a los bienes concretos que poseían. El objetivo ya no es la ganancia, la renta, sino la plusvalía. Pero esta búsqueda es desmedida porque puede estar totalmente desconectada de las realidades concretas.[1]

La perversión llega al colmo cuando se juega con el crédito sobre precios de venta bursátiles, que se hace variar por medio de rumores. Ahora bien, no puede y no debe haber separación entre el mercado de los títulos y la dirección, la política, la estrategia de las empresas. Esa agitación de Wall Street engendra indiscutiblemente perturbaciones, pero evita el inmovilismo y puede permitir recuperaciones reales sorprendentes.

La peor dificultad estriba en que la gestión financiera de las acciones vive un

---

[1] Jacques Plassard. "Reflexiones sobre los mercados de los bienes de capital - Contabilidad y comportamiento", Crónicas de la SEDEIS, nº 2, febrero de 1991, págs. 78 y siguientes.

tiempo mucho más corto que la gestión económica, industrial y comercial de las empresas. Se puede criticar la gesticulación financiera, o discernir que ésta obliga a cuestionamientos permanentes, evitando la esclerosis que amenaza a las empresas a medida que crecen, que avanzan en edad y que corren el riesgo de engordar. Las empresas norteamericanas tienen el mérito de no derrochar las inversiones.

Lo que Michel Albert llama el modelo renano es diferente en un aspecto, casi en un solo aspecto. Los propietarios conservan sus acciones y, aunque como es natural buscan enriquecerse, es mediante los desarrollos de las sociedades que poseen, y no de "especulaciones bursátiles", es decir, mediante un nomadismo financiero.

Los franceses, especialmente Michel Albert, sienten una fuerte preferencia por el modelo renano, que me parece francamente diferente del modelo japonés. Esta preferencia no sólo está justificada por el éxito actual del modelo renano respecto al estadounidense, sino por la persistencia en Francia de una cultura agraria. Una propiedad se conserva y se transmite a sus herederos. No hay oposición entre las costumbres colectivas y una preocupación por el éxito individual, entre consenso social y provecho financiero, sino un sentido del tiempo diferente para nietos de campesinos, industriales o artesanos, de lo que puede serlo para descendientes de inmigrantes. A la vez, la propiedad europea tenía y aún tiene una resonancia concreta, la desmaterialización de los portafolios representa una deshumanización del sistema. El problema central es siempre la propiedad, la cual, originariamente, básicamente, es y debe ser individual, y tiene una función social.

Todos saben hoy en Francia los nombres de los empresarios que se identifican con su empresa, de la que son el alma, y que a veces esos mortales no logran confiarla a otro a tiempo. Son propietarios, o son designados por propietarios conocidos que tienen participaciones significativas. En cambio, hay directores ejecutivos mercenarios, que hoy están aquí y mañana estarán en otra parte. *"El que es mercenario, y no pastor, a quien las ovejas no le pertenecen, ve venir al lobo, deja las ovejas y escapa."*

El mercenario es aquel *"a quien las ovejas no le pertenecen"*. Cierto, hay administradores que se han convertido a la función de empresario, de buen pastor, y que no escaparán delante del lobo. Nada es más determinante para una sociedad industrial o comercial, y se puede discernir bien entre hombres que tienen los mismos títulos, que adquirieron el poder del mismo modo, y algunos se convirtieron en "propietarios", mientras que otros se quedaron en "mercenarios". No hay distinciones formales, pero sí diferencias esenciales.

Pero detrás están los accionistas que, en las grandes empresas, designan al responsable. Puede haber tres casos:

El primero es el más sencillo. Hay un propietario, o al menos un accionista mayoritario. La forma de transmisión de la propiedad es la herencia. Todos los herederos no son genios, pero por lo menos han sido educados en el medio, en el negocio. La historia nos da numerosos ejemplos de dinastías bancarias. Además, ellos, su familia y sus allegados, tienen interés en que se rodeen y, eventualmente, deleguen ampliamente en hombres eficaces. No es por casualidad que el modelo renano mencionado por Michel Albert se encuentre en un país rico, donde los impuestos sobre las sucesiones son los más bajos desde hace por lo menos cuarenta años.[2] El verdadero obstáculo para ese régimen es la envidia frente a una desigualdad, cuya justificación no es el mérito de los herederos sino la función social que tienen que cumplir.

El segundo resulta teórico, pero hay que mencionarlo para comprender bien la evolución hacia el tercero. Es la democracia de los accionistas. Ahorradores individuales tienen el poder en la Asamblea general y, según el procedimiento de la democracia política, eligen al director. Evidentemente, no todos los accionistas tienen la misma voz. Pero, sobre todo, algunos son más antiguos que otros, y es lógico que su voz tenga más peso que los recién llegados. De hecho, es el director y su Consejo quienes designan al sucesor. Es el régimen de los emperadores antoninos. Es raro, porque es improbable que el designado sea un mercenario. El que se va y su Consejo desean que la obra emprendida se prosiga. La elección es a favor de la continuidad.

El cambio sucede porque el papel de los financieros se amplía. Es decir, los inversores individuales confían la administración de su "propiedad mobiliaria" a especialistas con regímenes de administración colectivas. Pasamos al tercer régimen. Los administradores disponen de un poder considerable, y la cuestión es saber con qué espíritu lo ejercen. En las orillas del Rin, donde persisten grandes fortunas familiares, los administradores colectivos tienen un proceder que imita, y hasta está inspirado, en el de las grandes fortunas familiares. Los inversores, modestos, tienen confianza en los administradores que poseen grandes fortunas propias. Las instituciones financieras van emparejadas con la industria. La afectación no sólo está prohibida, es inconcebible.

El estilo de las administraciones colectivas en Estados Unidos se ha convertido en algo diferente. Se puede seguir diariamente la evolución de los precios de las SICAV, y pasar de una a la otra conforme los resultados; sus administradores tienen interés en conservar sus clientelas.

No hay fórmulas perfectas. La movilidad norteamericana tenía sus virtudes, antes de hundirse en la agitación. El esfuerzo dedicado a obtener una administración monetaria menos caótica no dejará de modificar las actitudes frente al tiempo, reduciendo la amplitud de las oleadas "especulativas". La estabilidad germánica supone un sistema de valor (en el sentido de valor moral) diferente del que está en boga en Francia. Sobre todo desde hace un decenio, ésta se apoya en un Estado discreto y en una política monetaria cuya continuidad recuerda la del siglo XIX.

El modelo francés evoluciona dentro de condiciones particulares. Realmente, hay en él un esfuerzo por regular el mecanismo de la democracia dentro de la sociedad anónima.[3] Pero lo más determinante es que es un Estado sometido a las vicisitudes y a las exigencias electorales, que distribuye el poder efectivo en la mayoría de los órganos de administración colectiva del capitalismo, según un modelo que no se encuentra ni en Estados Unidos, ni en Japón, ni en Alemania y que nadie defiende, al menos abiertamente. Por otra parte, a causa de una carga

[2] "Descuentos fiscales obligatorios - Volúmenes y estructura", REXECO. Instituto de la Empresa, *Crónicas de la SEDEIS,* junio de 1990, pág. 217.

[3] Michel Pébereau, "Estrategia del capital y del conjunto de accionistas", *Crónicas de la SEDEIS,* nº 2, 15 de febrero de 1991, págs. 52 y siguientes.

fiscal superior a la de los otros países sobre los patrimonios importantes, el mismo Estado expulsa la propiedad fuera de sus fronteras.

Ahora bien, el sistema francés es un campo donde se dirime el poder de capitalismos peculiares.

Sin duda, el debate entre el modelo norteamericano y el renano existe. Es profundo y significativo. Pero se discierne, fuera de ese debate, una evolución hacia un sistema original, que quiere conjugar el régimen de mercado, y por lo tanto la competencia, con el de una propiedad si no colectiva, al menos administrada de manera colectiva, y hasta pública: el mercado, pero por medio de la apropiación privada de los medios de producción. El debate entre lo nacional y lo colectivo por una parte, e internacional, europeo y privado por la otra, no está cerrado. El nacionalismo presenta peligros que hoy no parecen amenazantes, pero que persisten de manera latente.

El sistema europeo debería esforzarse por generalizar el modelo renano. Pero quizá Renania no considere tener necesidad de exportar un sistema que le asegurará una autoridad tanto más fuerte en cuanto los otros no puedan imitarlo.